Les leçons du pouvoir

François Hollande

Les leçons du pouvoir

Stock

Couverture Le Petit Atelier
Photo de couverture : © Philippe Matsas

ISBN 978-2-234-08497-1

INTRODUCTION

C'est mon dernier jour à l'Élysée.

Depuis le matin, cette maison du silence bruisse étrangement. Des pas pressés, des voitures dans la cour, des coups de marteau qui résonnent entre les façades du palais. Ce ne sont pas les chênes qu'on abat pour le bûcher d'Hercule. Plus simplement, des tréteaux de bois blanc qu'on dresse pour l'installation d'Emmanuel Macron.

À 6 heures je me suis levé, comme toujours sans l'aide d'un réveil, tandis que le jour filtre à travers les volets de la chambre. À 7 heures, après tant de va-et-vient pendant cinq ans, j'emprunte pour la dernière fois le petit couloir blanc qui va des appartements privés à mon bureau du premier étage. Il est orné de tableaux que j'ai fait accrocher, des compositions de fleurs d'Odilon Redon, un peintre graveur symboliste du XIXᵉ siècle. Sur ces toiles, il n'y a pas de lauriers. Mais pas non plus de chrysanthèmes...

Je passe par la salle de bains de la reine, où la baignoire est dissimulée par un rabat de bois sculpté, puis par la pièce d'angle qui donne sur le parc, la plus belle pièce du palais, surnommée par les collaborateurs

« le bureau qui rend fou » parce que celui ou celle qui l'occupe à deux pas du mien tend à se croire investi de pouvoirs extraordinaires. Depuis le départ du dernier occupant, il est vide et sert à des réunions en petit comité. Je traverse enfin la salle où se tiennent mes secrétaires, elles me regardent les larmes dans les yeux. Puis j'entre dans mon bureau étrangement ordonné, déjà vidé des livres et des objets personnels que j'y avais apportés. Seuls quelques parapheurs sont disposés sur la table de travail.

Point de hiatus dans la République : le président préside jusqu'à la dernière seconde et passe la main à son successeur qui est aussitôt à la tâche. Je signe les derniers décrets, les ultimes nominations, je compulse les rapports que j'ai commandés en pensant qu'ils seront encore pertinents demain. J'ai courtoisement éludé la proposition de Jean d'Ormesson qui voulait s'entretenir avec moi ce dernier jour, comme il l'avait fait naguère avec François Mitterrand, pour une rencontre qui eût conforté sa position de confident privilégié des présidents sur le départ.

À 8 heures, je reçois mes collaborateurs les plus proches pour des adieux. Sourires et larmes, embrassades et remerciements, je cache mal mon émotion derrière des formules destinées à faire sourire pour mieux écarter la tentation de la nostalgie. On m'a parfois reproché cette habitude de plaisanter. On a eu tort. L'humour n'est pas une fuite. Il est le sel du quotidien et surtout il rend moins cruels les heurs et les malheurs de la vie.

Je dis ma gratitude à ces femmes et à ces hommes dont la compétence et le tact garantissent au jour le jour la marche harmonieuse de la présidence. Puis je me soumets au rituel des « selfies » que me demandent les huissiers, les pompiers, les secrétaires, les aides de camp. Je m'en vais, ils restent. Ils assureront la continuité du pouvoir dans son organisation quotidienne. Discrétion absolue – ils n'ont jamais dit un mot sur mes prédécesseurs –, sûreté du geste, intelligence des situations, subtilité dans la gestion des personnalités, ils savent tout des visiteurs qui attendent, lequel doit passer par une porte ou par l'autre, lequel doit bénéficier de tel ou tel égard protocolaire : je n'oublierai pas leur vigilance.

À 10 heures, je suis seul comme si souvent pendant ces cinq années. Au vrai, cette solitude est constitutionnelle : dans l'ordre de la responsabilité, il n'y a personne au-dessus de moi. Au milieu des conseils, des avis, des suggestions les plus argumentées, c'est le chef de l'État qui tranche en dernier ressort. À la fin des délibérations, c'est vers moi que se tournent les visages, pour m'entendre dire oui ou non, pour engager une réforme délicate, affronter une crise ou risquer la vie de nos soldats. Tout ce qui fut décidé dans ce quinquennat l'a été par moi. Succès et échecs, redressement réussi ou occasions manquées : tout m'incombe. Dans cette pièce surchargée d'or aux moulures un peu écaillées, dans ce décor qui offre une protection trompeuse, tandis que les arbres du parc oscillent doucement, je suis une dernière fois face à moi-même.

C'est-à-dire comptable de mon action. Je n'ai pas l'habitude de me ménager. Je n'ai guère de complaisance avec moi-même – on me l'a aussi reproché. Pourtant je sais ce que je vais dire à mon successeur. Les faits sont là, ils parlent d'eux-mêmes. Cinq ans plus tôt la France était menacée par la spéculation et le décrochage, à la traîne de l'Union européenne à cause de ses déficits et sa compétitivité insuffisante. Aujourd'hui les bases du redressement sont solides. La France est de nouveau respectée. Au prix d'un renoncement ? En aucune manière. Fidèle à l'engagement de ma vie, celui d'un socialiste de toujours, j'ai aussi modernisé la société française, amélioré sa démocratie et mené de nombreuses réformes sociales. Il faudra beaucoup de vindicte réactionnaire pour revenir sur les droits conquis, beaucoup d'illusion libérale pour mettre en cause les nouveaux mécanismes de la redistribution.

Ces efforts qui m'ont tant coûté politiquement étaient nécessaires. Sans eux, le déclin était programmé. Sans eux, j'aurais failli à mon devoir. Grâce à eux, au terme d'un quinquennat où rien ne fut donné, dans cette mondialisation où l'influence se mesure en parts de marché et en excellence technologique, la France peut de nouveau jouer sa carte. Je ne m'attends pas à ce que l'on me rende justice. La vie politique, même quand on l'a quittée, n'a pas ce genre d'indulgence ou plutôt de vérité. Je veux simplement que les Français comprennent les choix qui ont été faits et ce qu'a été l'exercice du pouvoir dans une période où tant d'épreuves ont frappé notre pays, une période où la France prenant ses risques est intervenue plusieurs fois à l'extérieur pour assurer sa sécurité et celle des autres.

Derrière moi, l'horloge ouvragée qui trône sur la cheminée me rappelle délicatement à l'ordre. Encore un quart d'heure avant de descendre accueillir mon successeur. Je me donne un ultime devoir. Après cinq ans de difficultés, j'ai accumulé une expérience unique. Qu'est-ce que présider la France, ce pays qui a une vocation mondiale mais qui est aussi sujet à des fièvres hexagonales ? Comment concilier les aspirations contradictoires des Français qui veulent de l'autorité mais qui ne veulent rien céder sur leurs droits et leurs libertés ? Comment exercer le pouvoir avec la hauteur qu'exige la fonction et rester humain et simple, comme à mes yeux le président doit l'être dans son rapport avec les citoyens ? Comment établir la bonne distance ? Dans la fausse transparence dispensée par les indiscrétions anecdotiques et les bruits de cour, on croit tout savoir sur le pouvoir. On manque l'essentiel. Dans le tumulte de la petite actualité, on ne distingue plus la grande. Dans le flux continu des événements, on oublie les enjeux, les défis, les drames qui sont l'essence même du gouvernement des peuples.

C'est ce jour-là, pendant l'ultime soliloque avant de quitter ce lieu des grandes décisions, que je décide de témoigner. Non pour me justifier, non pour défendre un bilan qui avec le temps se défendra tout seul. Mais pour faire œuvre civique. J'ai voulu être un « président normal » pour mieux assumer une tâche anormale : conduire le pays au milieu des écueils d'un monde dangereux, prendre des décisions où la mort n'était jamais loin. Aujourd'hui, j'entends transmettre. Je veux que les citoyens comprennent les réussites et les regrets, les joies et les peines, les ambitions et les déceptions de celui qu'ils ont désigné pour les diriger. Je souhaite tirer pour les Français les leçons du pouvoir.

Je veux aussi pour l'avenir parler à la gauche. Non ! Le camp du progrès ne doit pas hésiter devant l'incommode défi de gouverner. Sauf à se réfugier dans les chimères, sauf à se contenter du ministère de la

11

parole, le seul d'où l'on est sûr de ne pas être délogé, elle doit rejeter cette suspicion récurrente qui l'a fait montrer du doigt chaque fois qu'elle a assumé des choix difficiles au nom de l'intérêt général. Elle ne doit pas baisser la tête devant ses inquisiteurs qui l'accusent de trahir au prétexte qu'elle n'aurait pas, dès les premiers mois de son avènement au pouvoir, fait rendre gorge au capital. Pire même, qu'elle aurait fait des concessions pour chercher un compromis au nom de l'emploi. La gauche n'a pas que des amis en son sein, c'est là son problème. Son procès vient toujours de l'intérieur. Il en est toujours qui au nom de leur conscience préfèrent tomber à gauche plutôt que de continuer à gravir les pentes escarpées. Funeste penchant. Faute de ne pouvoir tout réussir, il faudrait donc ne rien entreprendre ? Qu'est-ce qu'un projet grandiose s'il lui manque l'attribut premier : l'existence ? Le réalisme sans projet est un renoncement mais l'idéal sans action est une abdication.

À 11 heures, je suis interrompu dans ma réflexion. Emmanuel Macron est annoncé. Je descends l'accueillir sur le perron. Juvénile et grave, la marche lente, il prend son temps pour traverser la cour, peut-être pour mieux savourer l'instant. Il monte plus rapidement les quelques marches qui le séparent de moi, il hésite à m'embrasser, comme il a coutume de le faire avec une facilité qui m'a toujours déconcerté. Nous nous serrons chaleureusement la main puis il me suit dans le bureau qu'il va occuper pour cinq ans et qu'il connaît bien pour avoir été mon conseiller puis mon ministre. Je suis encore chez moi et il est déjà chez lui. Nous sommes de plain-pied. Pour une heure la France a deux présidents. Je ne crois pas me tromper en disant qu'il éprouve autant de joie qu'il ressent de gêne. Se sent-il coupable de quelque chose ? Comme si l'ordre des choses et la relation des hommes avaient été bouleversés indûment. Ni lui, ni moi en tout cas n'avions imaginé il y a cinq ans nous retrouver dans cette situation. Je m'efforce de lui faciliter la tâche. Après tout je suis un sortant, pas un perdant. Nulle joute électorale, nul combat ne nous a opposés. J'ai décidé seul, là aussi, de ne pas me représenter. Politiquement, je n'étais pas en situation. Il l'était, par son audace qui est grande et par sa chance qui l'est encore davantage. Mais qu'il a su saisir !

À vrai dire, nous nous étions déjà parlé depuis le 7 mai. Personne n'en avait rien su. La passation de pouvoir serait forcément courte. Elle dure une heure : avant de nous voir officiellement, il fallait que nous réglions d'abord officieusement les petites affaires, pour consacrer aux grandes le temps qui nous est imparti par la tradition républicaine. Nous nous sommes donc retrouvés discrètement à l'Élysée trois jours après le scrutin pour évoquer la situation politique née de son élection.

Non pour revenir sur la campagne, ce temps est passé, mais pour évoquer la suite. L'échéance suivante, ce sont les législatives. Deux voies s'ouvrent à Emmanuel Macron. Il peut choisir la coalition qui rassemble sur le même projet des formations politiques différentes, à l'image de ce qui se pratique dans la plupart des pays européens. Unis par un pacte négocié, les partis assemblés donnent au gouvernement une base plus large et plus solide. C'est ainsi, par exemple, que l'Allemagne fédérale est gouvernée depuis des années. Angela Merkel, longtemps, n'a pas eu à s'en plaindre.

Les Allemands non plus. Cette option m'avait semblé conforme aux idées développées par Emmanuel Macron lui-même pendant la campagne. Le PS serait alors un possible allié. Je comprends au fil de nos échanges que son intention est tout autre. La République en marche présentera des candidats partout ou presque. Le nouveau président compte sur l'élan de la présidentielle pour se constituer une majorité à sa convenance qui soutiendra ses réformes sans férir. Il ne veut pas se concilier le PS. Il veut le remplacer. Avant de me rejoindre à l'Élysée en 2012, il a été un spécialiste des fusions-acquisitions : l'opération qu'il prépare n'est pas un rapprochement. C'est une absorption.

Il m'annonce qu'il compte nommer une personnalité classée à droite à Matignon et rallier à lui des membres éminents de l'opposition : un pouvoir sans alternance. Débarrassé du PS, il veut désarmer la droite en débauchant ses leaders les moins éloignés de son projet. Je lui fais remarquer qu'un Premier ministre de droite, aussi loyal soit-il, aura immanquablement la tentation d'exister par lui-même, d'autant qu'il est par construction institutionnelle le chef de la majorité. Emmanuel Macron prête à cet avertissement amical une attention courtoise. Peut-être se souviendra-t-il un jour de cette conversation.

Mais l'essentiel est ailleurs et nous l'avons réservé à l'entrevue rituelle et républicaine de la passation de pouvoir. L'essentiel, c'est bien sûr la situation de la France. Assis dans le fauteuil des visiteurs qu'il occupe pour la dernière fois, Emmanuel Macron adopte un maintien retenu, presque modeste, forcément impressionné comme tous ses prédécesseurs par la responsabilité qui va lui échoir. Il m'écoute attentivement poser mon diagnostic. Il le connaît. Il a été l'un des acteurs de cette histoire. En 2012, le défi était d'abord économique. Affaiblie, la France devait retrouver sa vigueur pour faire reculer à terme le chômage et retrouver son audience en Europe. En 2017, cette tâche est en passe d'être accomplie. Il suffit de la poursuivre et de l'amplifier. De redistribuer aussi. Je veux dire redistribuer au plus grand nombre, et non à quelques privilégiés. Le nouveau défi est international. Le monde est bouleversé par la persistance du mal terroriste, même si Daech ne s'identifie plus à un territoire. Il est également dominé par l'arrivée au pouvoir de Donald Trump dont l'imprévisibilité dans les actes s'ajoute à la provocation dans les mots. Par le Brexit, même s'il est d'abord un fardeau pour le Royaume-Uni. Par la place prise par la Russie de Poutine qui s'est engouffrée dans la brèche ouverte par l'inconstance américaine et la faiblesse de l'Occident. Par l'exacerbation du conflit entre l'Arabie Saoudite et l'Iran et derrière lui entre sunnites et chiites, qui peut dégénérer en guerre ouverte. Enfin par la montée en puissance de ces « démocratures » qui offrent aux peuples angoissés la fausse assurance de l'autorité et de l'orgueil nationaliste. Bousculé par la nouvelle donne géopolitique, par les succès populistes à l'Est comme à l'Ouest, le monde est devenu plus dangereux, plus instable et plus divisé que jamais.

Mais paradoxalement, notre pays se retrouve dans une situation plus avantageuse. En Europe, l'Allemagne connaît à son tour le choc extrémiste ; elle a besoin de la France pour relancer l'Union européenne qui comme toujours dépend de la bonne entente entre Paris et Berlin. Dans le monde, la France est attendue pour tenir bon sur les engagements climatiques, pour lutter contre le terrorisme, pour atteindre les objectifs de développement de l'Afrique et assurer la sécurité, sur une scène mondiale où elle compte déjà beaucoup. Ne serait-ce que par le courage de ses armées. La France retrouve des marges qu'elle peut encore élargir en poursuivant les réformes. En les plaçant sous le signe de la protection et de la justice, elle peut aussi se réconcilier avec elle-même, faire reculer le spectre populiste et, en rouvrant la perspective du progrès, rallier les classes populaires.

Comment le nouveau président pourrait-il contester cet état des lieux ? C'est une responsabilité immense mais c'est une chance, une de plus, d'arriver dans ce contexte où la France est de retour. Je sens qu'il croit en son étoile. C'est toujours une force de disposer d'une grande confiance en sa propre capacité, jusqu'au moment où elle ne suffit plus. L'audace est un atout précieux mais elle ne doit jamais se départir de la lucidité. Je me souviens qu'au plus fort de la crise grecque, alors qu'il était ministre de l'Économie et que son collègue Michel Sapin représentait la France dans l'Eurogroupe, il m'avait appelé pour proposer sa médiation. Il se faisait fort de trouver un accord entre les Allemands et les Grecs arguant de sa compétence financière et de ses bons rapports avec Yanis Varoufakis, le ministre grec des Finances. Je lui fis remarquer que si les relations personnelles jouent leur rôle dans une négociation, les sujets qui représentent des sacrifices pour les peuples ou des exigences pour les créanciers ne s'effacent pas dans une nuit d'effusion amicale. Il fallut d'ailleurs de longs mois d'efforts avant d'arriver à la solution qui est aujourd'hui mise en œuvre, la France plaidant sans relâche pour le compte de la Grèce, ce pays ami et mal en point qui risquait d'être sacrifié par les demandes excessives du FMI et par la dureté des conditions posées par la Commission européenne. De la même manière, il ne suffira pas de lui avoir longuement serré la main pour convaincre Donald Trump de ratifier l'accord de Paris sur le climat. J'avais compris le lendemain de son installation en janvier 2017 que l'Amérique ne paierait pas pour la planète. Il me l'avait dit crûment avec ses mots qu'il ne mâche plus depuis longtemps. Emmanuel Macron se fera fort ensuite de modifier la position américaine. Pour lui, une volonté clairement affirmée et beaucoup de séduction pourvoient à tout. C'est sa méthode. Qu'en dirai-je de plus ? Il a été mon conseiller. Je ne suis pas le sien.

À mesure que l'heure passe, il est le président, je ne le suis déjà plus. Je n'ai qu'un souhait : le voir réussir pour le pays. Il veut en savoir plus sur Trump, sur Poutine, sur nos partenaires européens. Je réponds avec plaisir mais je ne puis prolonger davantage l'entrevue : on supputerait je ne sais quelle difficulté inopinée ou bien une complicité suspecte. Nous coupons court et je descends dans la cour pour le départ que je veux sobre et amical. Je salue de la main tous les collaborateurs qui se sont rassemblés et je crains que leur émotion ne me submerge. Je les salue affectueusement, comme le peuple français.

Je me rends ensuite rue de Solferino pour des adieux socialistes avec le souvenir de la visite qu'avait effectuée en son temps François Mitterrand au terme de son mandat. Puis je réponds à l'invitation de Bernard Cazeneuve, encore Premier ministre pour quelques jours, qui m'a convié dans un restaurant du IXe arrondissement, « La Boule Rouge ». Il m'avait dit qu'il avait privatisé la salle. Mais le patron de cet établissement, connu pour son couscous riche en épices et son accueil exubérant avait vendu la mèche. Ce qui me convenait après tout fort bien. C'est ainsi qu'Enrico Macias, habitué des lieux, qui déjeunait à la table voisine vint nous saluer de toute sa faconde. Il avait célébré l'élection de Nicolas Sarkozy en 2007 à la Concorde. Par hasard il était présent à mon départ avec le même sourire.

Cette coïncidence me ramenait cinq ans plus tôt, en 2012, quand j'avais eu avec Nicolas Sarkozy le même échange que celui que je venais d'avoir avec Emmanuel Macron, dans des rôles inversés. Le président sortant m'avait appelé le soir de mon élection pour me féliciter, avec des mots qu'il n'est jamais facile de prononcer en ces circonstances mais qu'il avait su trouver en évoquant l'âpreté et la grandeur de la tâche qui m'attendait, déclarant d'emblée qu'il était à ma disposition pour me prodiguer toutes les informations dont j'aurais besoin. Il m'avait ensuite élégamment convié aux cérémonies du 8 mai. Il m'avait confié son intention d'arrêter la vie politique. Je l'avais remercié pour sa sollicitude et j'avais plus tard écouté avec attention le discours digne qu'il avait prononcé devant ses amis pour apaiser leur déception. Mais d'adieux à la politique, j'avais compris qu'il n'en était plus question. Sans doute les mots ne lui étaient pas venus.

Le 15 mai, j'étais assis en face de lui. Sarkozy recevait ses visiteurs installé sur un canapé, réservant un fauteuil à ses interlocuteurs. Assez vite, au-delà des paroles convenues, le président sortant me mit en garde contre les débordements médiatiques qui avec le développement des réseaux sociaux menacent l'exercice même de la fonction présidentielle. Il se plaignit dans le détail du traitement qui lui avait été réservé, des empiètements incessants sur sa vie privée, des attaques qui avaient visé sa famille, des malveillances gratuites qui avaient entouré son mandat. C'est un processus infernal et sans fin, disait-il, qui abaisse la République. Je dois reconnaître avec le recul, même si la violence des mots avait pu me surprendre, qu'il n'avait pas tort. J'en éprouverais moi-même les désagréments. Puis il m'entretint de la situation de la zone euro même si le gros de la tempête, disait-il, était passé. Ce qui était loin d'être assuré. Les marchés restaient fébriles. De grands pays comme l'Espagne et l'Italie étaient dans la tourmente. La Grèce déjà manquait de céder. L'Irlande et le Portugal ne trouvaient plus à se financer. J'entrais dans une mer agitée.

Cinq ans après, personne ne met en cause la solidité de l'euro dont le cours ne cesse de s'apprécier, aucun pays n'est sorti de l'Union monétaire et la croissance est revenue. Ce résultat a été long à obtenir mais aujourd'hui il permet d'avancer. Au plus fort de la crise financière, la réaction à chaud de Nicolas Sarkozy avait joué son rôle dans ce sauvetage. Mais c'est grâce à des décisions prises en 2012, notamment l'union bancaire, puis grâce au cap qui a été fixé pour rétablir les comptes publics, sans oublier le rôle de la Banque centrale européenne, qu'il est aujourd'hui possible d'approfondir et de réformer la zone euro.

Contrairement à ce que l'opinion imagine, ces échanges entre le président sortant et son successeur ne portent guère sur de lourds secrets, sur les codes nucléaires ou je ne sais quelle affaire sensible. Les chefs de nos services de renseignement rapportent presque quotidiennement au président, nul besoin de conciliabules au sommet pour être informé de leur action. Quant à l'arme nucléaire, elle obéit à une procédure réglée entre le président et les responsables militaires. Elle lui est présentée peu de jours après son élection. Nicolas Sarkozy avait cependant tenu lors de cet entretien à me faire un point sur la situation des otages français détenus au Sahel et sur l'état des négociations. Je lui avais répondu que ma doctrine serait de tout faire pour sauver des vies sans toutefois céder aux demandes qui donneraient aux ravisseurs les moyens de porter atteinte à nos intérêts. Je m'en suis d'ailleurs tenu là et au moment où j'ai quitté la présidence il n'y avait plus qu'une seule Française retenue, ce qui était insupportable pour sa famille, mais démontrait pour nos concitoyens libérés l'efficacité de nos services.

Notre échange mettait un point final à une joute sévère où ni lui ni moi n'avions été ménagés. La campagne avait été dure. Je devinais que cette conversation était douloureuse. Au bout de quarante minutes, je raccompagnai le président sortant sur le perron de l'Élysée tandis que Valérie Trierweiler y conduisait de son côté Carla Bruni, avec laquelle elle avait échangé amicalement pendant notre entrevue. C'est le même souci d'écourter la passation de pouvoir qui me poussa à rentrer dans le Palais aussitôt Nicolas Sarkozy et son épouse installés dans leur voiture, en route pour un autre destin. On a interprété à tort cette retenue comme une inélégance. C'était une simple réserve. Qu'aurait-on dit si j'avais cédé à une excessive effusion ?

Une longue journée m'attendait encore : la cérémonie d'investiture dans la salle des fêtes de l'Élysée, la remontée des Champs-Élysées, un déjeuner avec les anciens Premiers ministres de gauche, la réception à l'Hôtel de ville de Paris, le voyage à Berlin qui inaugure désormais les quinquennats français. Jean-Marc Ayrault, le premier Premier ministre, m'avait déjà averti de nos difficultés financières immédiates, des milliards qu'il manquait pour boucler le budget et tenir nos engagements européens. J'arrivais aux responsabilités au sein d'une société française divisée et inquiète. En pleine campagne électorale, le massacre des innocents perpétré par Mohammed Merah rendait encore plus aigu le danger terroriste qui planait sur nous. Le pays avait été frappé. Il le serait encore. Il fallait rétablir la place de la France, sauver l'euro, restaurer notre vigueur économique, maintenir l'unité de la société et combattre sans relâche le poison du chômage. En me portant candidat à la présidence, je n'ignorais rien des épreuves qui m'attendaient et qui me forceraient à puiser au fond de moi-même toutes les ressources de mon esprit et de mon caractère. Sous la pluie persistante qui m'accueillait pour mon premier jour je savais qu'en matière d'orages, je ne serais pas déçu.

1

Présider

Le climat décidément a marqué mon quinquennat. À peine ai-je pris place à bord de l'avion présidentiel pour ma visite à Angela Merkel que la foudre le frappe provoquant éclats et étincelles à l'avant de l'appareil. Signe du ciel ? Fort heureusement, je n'ai jamais été superstitieux. La stupeur passée, je gagne la cabine et demande au pilote de continuer le vol. Je n'entends pas faire attendre la chancelière pour notre premier rendez-vous. « Monsieur le président, me répond-il, vous avez tous les pouvoirs hors de cet appareil. Mais à l'intérieur, c'est moi qui décide. Nous rentrons à l'aéroport de Villacoublay où nous changerons d'avion. La sécurité passe avant tout. » Ainsi nous fîmes.

Une monarchie élective ?

Ce militaire avait doublement raison. Le président de la République fort heureusement n'a pas tous les pouvoirs. Mais il en a beaucoup. On dit plaisamment à propos des institutions britanniques que le Parlement de Westminster « peut tout faire, sauf changer un homme en femme ». Encore que, sur ce point, les choses ont évolué… C'est un peu pareil pour le président français. Il est le chef d'une grande démocratie qui assume le plus de responsabilités. Seul le président américain peut le concurrencer dans ce domaine, et encore doit-il négocier avec un Congrès souvent rétif et qui peut bloquer net une réforme ou arrêter le paiement des fonctionnaires, ce qui est arrivé plusieurs fois. Tout cela n'est pas concevable en France : l'article 49-3 de la Constitution permet à l'exécutif de faire adopter sans vote le budget ou bien une loi qui lui tient à cœur.

Le président nomme le Premier ministre. Il le remplace quand il le juge nécessaire. Il compose avec lui le gouvernement, il est maître du calendrier, il peut exercer sans conditions le droit de dissolution. Il promulgue les lois et peut en demander une nouvelle délibération. Il est chef des armées et conduit la politique étrangère qui figure par tradition dans son domaine réservé. En un mot, dès lors qu'il a le soutien de sa majorité, il décide de la politique qui sera suivie pendant cinq ans. Il est logique qu'il en soit le principal responsable.

Seule la cohabitation le réduit à un rôle d'arbitre ou, au pire, de spectateur engagé. Cette situation institutionnelle pour baroque qu'elle soit s'est produite trois fois depuis 1981. Elle est désormais improbable avec l'instauration du quinquennat. Depuis que le calendrier place les élections législatives après le scrutin présidentiel, les Français donnent à chaque fois une majorité au président élu dans un souci de cohérence qu'il me paraît de plus en plus difficile de contrebattre.

Le président français ressemble à un monarque élu. Il est encadré par un protocole strict qui obéit à des règles immuables. Avant qu'il n'entre dans une pièce de l'Élysée où l'attend un visiteur, un huissier à chaîne le précède et l'annonce d'une voix sonore : « Monsieur le président de la République ! » Il reçoit les visiteurs officiels entouré de la Garde républicaine à pied ou à cheval, en grand uniforme, au son d'une musique martiale. Quand il se déplace en région, il est accueilli à sa descente d'avion ou d'hélicoptère par le préfet lui aussi en uniforme et accompagné d'un déploiement de gendarmes et de policiers.

Jeune conseiller de François Mitterrand en 1981, j'avais été surpris, heurté même, par cette pompe que j'estimais désuète. Pourquoi, me disais-je, la gauche devait-elle se lover dans ces ors et cultiver cette solennité ? Elle représente le peuple. Elle qui se veut l'héritière de la Révolution, ne devrait-elle pas donner l'exemple d'un pouvoir simple et dénué d'apparat ? À la réflexion, Mitterrand avait raison. C'était une façon d'installer, aux yeux de tous, l'alternance au sommet de l'État, de donner à la gauche sa légitimité et de conserver son prestige à la République. Aujourd'hui ce décorum continue d'impressionner et l'Élysée entretient toujours cette magie qui cultive le mystère.

J'avais l'avantage de connaître les lieux et d'y être revenu dans les différentes fonctions que j'avais occupées. J'eus même la surprise d'y retrouver des secrétaires avec lesquelles j'avais travaillé il y a plus de trente ans. L'Élysée est un palais remarquable, un lieu de réception incomparable, un cadre de vie admirable mais peu adapté à la gestion d'un État moderne. On m'a proposé de transporter les services présidentiels dans des locaux plus adaptés. Je n'ai à aucun moment retenu cette idée. Il y a d'autres urgences et la présidence est indissolublement liée à l'Élysée.

Normal ?

Le président n'est pas seulement chef d'État. Il est le premier citoyen de la nation : il lui doit des comptes. Il est souverain mais il est aussi le sujet du vrai souverain qui est le peuple. S'il est l'un plus que l'autre, il ne manquera pas de dresser l'opinion contre lui. Tout président qui arrive aux responsabilités a sa conception de la fonction. Mon prédécesseur avait joué la carte de l'hyperprésidence, décidant de tout et parfois de rien, aimant la joute, redoutant le calme quitte à provoquer le tumulte. Il avait compris le quinquennat comme une course de vitesse. Chaque jour devait correspondre à un événement, une visite, un discours, une phrase. Il occupait l'espace au risque de sortir du cadre. Il recherchait la controverse. Il s'exposait non sans témérité au point de concentrer sur sa personne tous les sentiments, pas toujours les plus flatteurs. Lors des rares moments où il pensait manquer d'ennemis, il se plaisait à les inventer. Il y parvenait sans peine ; à la fin de son mandat, il les collectionnait.

J'avais longuement défini pendant la campagne ce que devait être ma relation aux Français. Je m'étais présenté comme un candidat « normal ». J'entendais par là un président qui respecterait la lettre et l'esprit des institutions, qui exercerait ses responsabilités pleinement mais avec simplicité, sans jamais oublier qu'il ne devait en aucun cas se situer en dehors des lois et que s'il était le premier des citoyens, il demeurait l'un d'entre eux.

Une présidence « normale » n'est pas une présidence banale. Elle exige dans des circonstances graves et dans la dureté des temps de toujours garder son sang-froid, de faire preuve de sagesse et de veiller à l'apaisement pour maintenir à tout prix l'unité de la nation. Présider la France est une responsabilité exceptionnelle fondée sur l'onction du suffrage. Ceux qui l'exercent doivent toujours comprendre que le pouvoir n'est pas une propriété, un apanage, un privilège.

Ce n'est pas dévaluer le rôle du président que de s'astreindre à un tel comportement. C'est instaurer une dignité démocratique, c'est appeler à l'exemplarité, à la raison, à l'adhésion. Ce n'est pas céder à un affaiblissement ou pire, se laisser aller à un abaissement. C'est relever son influence. J'admets que notre société n'était pas forcément prête à un tel changement, qu'elle réclame de l'autorité même si elle se défie de l'autoritarisme. Mais la culture démocratique est un apprentissage qui doit commencer par le haut. La République a eu ses grands hommes sans qu'elle ait eu besoin de toujours les sacraliser.

Aujourd'hui, une autre pratique s'est instaurée. Elle prétend puiser aux sources de la Ve République. C'est oublier la personnalité exceptionnelle du général de Gaulle et sa place dans l'histoire de notre pays avant même qu'il en préside les destinées. Le fondateur de nos institutions avait veillé à ne pas confondre l'État et son parti et à laisser une large place au Premier ministre qu'il avait choisi. Dois-je ajouter que le pouvoir personnel qu'il avait un moment symbolisé avait suscité des critiques véhémentes et provoqué des réactions dont il vaut mieux se prévenir. Les aspirations citoyennes de la société française du début du XXIᵉ siècle ont peu de choses à voir avec celles des années 1960 !

La conception présidentielle qui me semble juste est entièrement fondée sur le respect. Respect par le chef de l'État des pouvoirs qui ne relèvent pas de lui : le Parlement, la justice, les territoires, les partenaires sociaux. Mais plus largement, respect par le président de règles et d'usages qui imposent une modestie dans les moyens utilisés et réduisent la distance avec les Français. J'ai voulu montrer l'exemple en réduisant de 30 % la rémunération du chef de l'État et des membres du gouvernement et en diminuant de près de 10 % le budget de la présidence de la République pour faire passer son montant sous la barre symbolique des 100 millions d'euros. J'estimais qu'une fois ces économies réalisées la remise en cause permanente des dépenses du chef de l'État ne relèverait plus de la juste vigilance mais d'un acharnement malsain.

J'ai constaté, parfois à mon détriment, que la transparence loin d'assouvir la curiosité la stimule, et repousse ses limites jusqu'à l'intimité.

Le vrai souverain

Notre société vit un mouvement contradictoire. D'une part, les exigences de participation imposent une gouvernance qui ne peut plus être seulement verticale. D'autre part, les angoisses et les crispations qui travaillent notre société appellent une incarnation et une prise en charge personnelle de la responsabilité.

Le chef d'État doit être donc tout à la fois lointain mais proche, inflexible mais humain, majestueux mais modeste, mystérieux mais transparent, laconique mais disert, distant mais abordable, monarque mais citoyen. C'est une équation qui paraît impossible mais c'est un équilibre qu'il faut rechercher. Pour ma part, j'affirme que ce pouvoir exorbitant doit être exercé par un homme – ou une femme – conscient de sa tâche exceptionnelle mais qui reste maître de lui-même. Les institutions de la Ve République n'imposent pas un modèle. Elles offrent plusieurs manières de les faire vivre. Une chose à mes yeux est certaine : la place éminente du président ne doit être à aucun prix remise en cause.

Dès lors que le président est élu au suffrage universel, il est nécessairement dans une relation directe avec les Français. Il fait plus que siéger au sommet de l'État. Il en est le chef. Pour qu'il en soit autrement, il faudrait revenir à un régime parlementaire, c'est-à-dire ôter aux Français le droit de choisir directement celui qui les gouvernera. On peut agiter autant qu'on voudra des projets plus ou moins convaincants de « VIe République », ils butteront toujours sur ce préalable : supprimer l'élection du président au suffrage universel. Or aucun autre scrutin n'a cette valeur symbolique, cette force de mobilisation et n'offre à celui ou celle qui en est le vainqueur cette capacité d'agir au nom de tous. Elle confère dans une période d'instabilité et de doute à l'égard de la politique une permanence et une constance qui distingue notre pays de ses voisins. Ce n'est pas une question de légitimité. Celle des chefs de gouvernement européens est incontestable. Mais c'est une garantie de cohérence puisque le président n'est tributaire d'aucun accord parlementaire. Les chefs de gouvernement dans les démocraties en Europe procèdent aussi du suffrage universel, mais dépendent de leur parlement. Le président français dépend du peuple.

Le saint des saints

S'il est un lieu symbolique de l'exercice de la fonction présidentielle, c'est bien le Conseil des ministres. Je ne me suis pas affranchi de son déroulement minutieux. À 8 h 30 le mercredi, je reçois le Premier ministre pour un échange sur l'ordre du jour et les affaires courantes. Un peu avant 10 heures, nous descendons ensemble le grand escalier qui nous conduit au salon Murat quand le gouvernement est au complet ou vers celui des Ambassadeurs, plus petit, quand il est réduit aux seuls ministres sans les secrétaires d'État.

L'huissier m'annonce, j'entre dans la salle. Les ministres se lèvent puis se rassoient à mon invitation. Je gagne mon fauteuil situé au milieu du côté droit de la table recouverte d'un tapis vert. J'ai devant moi, comme les autres un petit bloc de papier, un crayon toujours disposé de la même manière, la feuille qui indique l'ordre du jour et un buvard courbe à poignée de bois, survivance du temps où l'on écrivait encore à la plume.

J'ai pris l'habitude d'ouvrir le Conseil par un exposé. Je reviens sur les nouvelles importantes de la semaine, et livre mon analyse de la situation, j'indique les orientations à suivre, les arguments qui me semblent pertinents pour défendre notre action, j'encourage tel ou tel ministre qui s'est illustré dans la semaine. Le Premier ministre ajoute parfois quelques mots, puis nous passons à l'examen des projets de loi.

La cérémonie est rituelle. Le vouvoiement est de rigueur. De la même manière, les prénoms sont bannis et chacun s'adresse à l'autre en commençant par énoncer son titre. Le gouvernement de la République n'est pas une amicale ou un club, encore moins l'annexe d'un parti. Ainsi, j'ai interdit aux ministres de garder sur eux leur téléphone qu'ils avaient tendance à consulter furtivement et qu'ils doivent déposer, sans risque d'une quelconque intrusion, dans des casiers à l'entrée du Conseil. Mesure désormais facile à contourner avec les ordinateurs portables. Autrefois, les ministres échangeaient des mots et gardaient ces papiers comme autant de documents pour l'histoire. La technologie en a effacé le charme !

L'examen des projets de loi est formel : nous connaissons le contenu des textes pour en avoir discuté longuement dans la phase de préparation. Nous examinons ensuite les nominations proposées par les ministres aux emplois les plus importants de la République. C'est un acte également décisif. Le président pourvoit aux postes de directeurs d'administration centrale, préfets, recteurs, ambassadeurs, sans oublier les dirigeants des entreprises publiques. Je me suis refusé à pratiquer le système des dépouilles qui consiste à changer la composition de la haute administration à chaque alternance, comme aux États-Unis. Il ne correspond pas à notre tradition républicaine et il oblige les fonctionnaires à des engagements politiques qui me paraissent contraires à l'impartialité de l'État. Je me suis donc appuyé sur cette fonction publique dont la qualité suscite envie et respect chez nos partenaires et qu'il est trop commode de décrier.

Je ne me suis jamais défaussé sur l'administration pour expliquer les retards pris dans la réalisation de mes objectifs. Elle résiste parfois aux changements mais une fois la décision prise par le pouvoir politique elle agit avec exactitude et célérité. J'ai eu du mal à la convaincre de simplifier les textes et de réduire leur prolifération, comme si la complexité et l'inflation réglementaire étaient les critères de son efficacité ! Mais je reste confiant dans la modernisation de l'État. La France est d'ailleurs l'un des pays européens où la dématérialisation des procédures est la plus développée.

J'ai également voulu que la nomination des responsables des autorités indépendantes soit soumise à l'avis conforme des commissions du Parlement. J'estime que cette procédure devrait être étendue à l'ensemble des directeurs d'administration centrale. À mes yeux, présider c'est aussi déléguer à des instances indépendantes le soin de désigner certains dirigeants pour mieux asseoir leur légitimité. Ce fut le cas pour les présidents des sociétés du service public audiovisuel.

Nicolas Sarkozy avait fait le choix inverse. J'ai donc rendu au Conseil supérieur de l'audiovisuel le pouvoir de les nommer. Il l'a fait librement et sans aucune interférence de ma part, à tel point que je n'avais jamais rencontré le président de Radio France, Mathieu Gallet, ni la présidente de France Télévisions, Delphine Ernotte, avant qu'ils n'accèdent à leurs responsabilités. Il est toujours possible de critiquer leur gestion mais au moins leur lien avec le pouvoir ne peut servir de prétexte. Une réflexion est aujourd'hui engagée sur la révision de cette procédure. Revenir d'une façon ou d'une autre au système antérieur ne serait un progrès ni pour l'indépendance ni pour la performance de l'audiovisuel public.

Enfin, le Conseil des ministres entend les communications des ministres. Elles commencent toujours par celle du ministre des Affaires étrangères. Laurent Fabius prisait cet exercice qu'il maîtrisait avec une élégance qu'il tenait à marquer et un plaisir qu'il tentait de dissimuler. Il parlait longuement relevant son propos d'une pointe d'humour, entrant volontiers dans le détail des dossiers, rapportant avec une précision subtile la situation intérieure de tel ou tel pays dont nous ne soupçonnions pas, jusqu'à son exposé, qu'il puisse connaître une vie politique aussi trépidante.

Très vite, j'ai fait ajouter à l'ordre du jour habituel un rapport mensuel délivré par le ministre des Relations avec le Parlement pour dresser le bilan chiffré des décrets d'application pris par le gouvernement. Trop souvent les textes annoncés à grand bruit restent lettre morte, attendant les décrets qui les rendront effectifs, donnant aux citoyens le sentiment que le gouvernement se contente de bonnes paroles sans agir vraiment. Chaque mois donc nous entendons le compte-rendu précis des mesures prévues pour faire appliquer les lois et évalué par des pourcentages. Cette innovation me semble essentielle. Plus de quatre cents lois ont été votées pendant mon quinquennat. C'est beaucoup. C'est trop. Leur nombre ne traduit pas l'efficacité de l'action. Pas davantage l'ampleur d'une transformation. Faut-il encore que les décrets suivent leur mise en œuvre. Ce fut le cas.

Pour avoir présidé plus de deux cents Conseils des ministres je ne regrette qu'une chose, c'est de n'avoir pu sortir du cadre contraint de l'exercice. Je n'ai pu en faire un véritable lieu de débats. Rares ont été les tours de table sur des questions essentielles. Le risque c'était bien sûr la fuite dans la presse des propos tenus et/ou des opinions contradictoires qui auraient été présentés comme autant de « couacs ». Les indiscrétions sont inévitables. Plusieurs fois j'ai appelé les ministres à la retenue nécessaire si l'on voulait assurer la liberté de nos échanges. Inutile mise en garde : c'est mon avertissement qui se retrouvait peu après dans les journaux.

L'avantage du débat eût été néanmoins de faire tomber les réticences voire d'éviter les erreurs de jugement. Je me souviens que durant la discussion sur la déchéance de nationalité seule George Pau-Langevin prit la parole pour me mettre en garde, alors que beaucoup de ses collègues n'en pensaient pas moins. Ils me l'ont dit plus tard en privé, un peu tard. Car le président a paradoxalement besoin de faire de la politique.

Face à Obama et Cameron

En politique étrangère le pouvoir présidentiel confère à la France un atout précieux. C'est l'évidence quand il s'agit de gérer une crise majeure. Dans cet exercice, qui demande célérité dans la décision autant que rapidité dans l'exécution, ses prérogatives sont des armes essentielles. Elles m'ont permis de réagir dans les meilleurs délais à l'offensive djihadiste au Mali.

Cette efficacité se mesure en toutes circonstances, ne serait-ce que par comparaison avec les modes de décision qui prévalent dans les autres démocraties. Pendant l'été 2013, plusieurs rapports émanant de nos services démontrent que le régime syrien recourt à l'arme chimique pour combattre l'opposition et massacrer son peuple rebelle. Inhumaine et particulièrement vicieuse, meurtrière pour les civils qui peuvent difficilement s'en protéger, l'arme chimique est prohibée dans toutes les conventions internationales depuis les années 1930.

Devant la conférence des ambassadeurs qui se réunit à ce moment, j'indique que nous sanctionnerons sans faiblesse ces violations manifestes des lois internationales. Je prends contact avec les autorités britanniques et américaines qui nous assurent qu'elles adopteront la même position. Un plan de représailles est dressé par les chefs militaires de nos trois pays. À plusieurs reprises, je m'entretiens avec Barack Obama pour arrêter le principe puis les modalités d'une intervention. Le jour dit, je suis dans mon bureau entouré de mes collaborateurs et Barack Obama est dans le sien, lui aussi accompagné par ses conseillers. Nous dialoguons par le moyen d'un téléphone sécurisé. Nous sommes tous deux assistés d'un interprète, ce qui nous permet de parler chacun dans notre langue de manière à nous exprimer avec la précision requise et d'éviter tout malentendu. Au terme de ces discussions notre accord semble total. Les forces armées déployées au large des côtes syriennes sont prêtes. Les cibles ont été sélectionnées par les deux états-majors ; les missiles seront lancés de bateaux qui croisent dans la région ; ils doivent anéantir plusieurs installations militaires syriennes situées à l'écart des villes, de manière à épargner la population civile. Une date enfin est fixée : ce sera le dimanche 1er septembre 2013.

Mais le samedi 31 août Barack Obama m'appelle de nouveau. La veille, David Cameron a essuyé un échec au Parlement quand il a tenté de faire approuver par les députés britanniques le principe de l'intervention. Obama m'assure qu'il n'a pas changé d'avis sur le bien-fondé de l'opération et qu'il faut sanctionner le régime de Bachar el-Assad par des frappes. Il a néanmoins décidé, avant de donner son accord définitif, de consulter le Congrès de Washington. Je comprends trop bien ce qui risque de se passer. Le temps perdu par nous sera un temps gagné pour le régime syrien. Ébranlé par l'exemple de David Cameron, le président américain réfléchit. Il s'est fait élire en promettant de retirer les troupes américaines d'Irak et en se démarquant de la politique étrangère de son prédécesseur : il ne veut pas affronter l'opinion sur ce sujet et préfère demander l'autorisation au Congrès, signe d'un pouvoir moins impérieux qu'on le croit généralement. Le président français est donc le seul à même de décider sans avoir à consulter préalablement son Parlement.

La décision d'Obama venant après la déconvenue de Cameron a forcément agité le Parlement français. Plusieurs voix se sont élevées à droite comme à gauche pour demander l'organisation d'une telle procédure. Je m'y suis refusé. Je considérais que j'avais non seulement le droit mais le devoir d'engager nos forces au moment que je jugerais opportun, sachant que le Parlement doit selon la Constitution être informé au plus tard trois jours après le début de l'opération et que c'est lui qui autorise sa prolongation au-delà de quatre mois. Je n'entendais pas déroger à cette interprétation de notre loi fondamentale. J'en avais fait part aux principaux dirigeants de l'opposition. Je me souviens d'une conversation téléphonique que j'ai eue avec François Fillon sur cette question. Il me pressait de consulter le Parlement. Je lui ai fait remarquer qu'en défendant ce principe je ne cherchais pas à m'arroger une liberté, je préservais une prérogative présidentielle au bénéfice de mes successeurs. Car céder sur la consultation préalable du Parlement c'était créer un précédent qui aurait privé à l'avenir le président d'une capacité d'action dans le monde dangereux où nous évoluons.

La dérobade américaine produisit comme je l'avais prévu un effet désastreux sur le conflit syrien. La Russie en profita pour s'introduire pleinement dans le jeu. Vladimir Poutine joua les médiateurs en obtenant du régime syrien la promesse de détruire ses installations chimiques et d'évacuer les stocks. Assad fit mine d'obtempérer. La suite a montré qu'il avait gardé une partie des armes prohibées, et qu'il allait continuer à les utiliser. Une intervention aurait changé le cours des événements. La France y était prête et je pouvais en décider souverainement grâce à nos institutions. La défection de nos alliés m'en a empêché car si la France pouvait agir, elle ne pouvait le faire seule, qui plus est sans mandat de l'ONU.

La France influente

Dès les premiers jours de mon mandat, la politique étrangère s'est imposée à moi. À peine élu j'ai participé à mon premier Conseil européen, au G8, au G20, au sommet de l'OTAN et j'ai multiplié les rendez-vous diplomatiques. En moyenne, le président passe une semaine par mois à l'étranger. Dans son emploi du temps, les réceptions de chefs d'État et de gouverne-ment occupent une large place. Cet aspect de la fonc-tion est à la mesure du rôle de notre pays. C'est dit-on le « domaine réservé » du président. C'est ignorer que le Premier ministre joue son rôle en participant aux réunions du Conseil de défense et en effectuant ses propres déplacements, que le ministre des Affaires étrangères est à la tête d'une administration de grande qualité et que le ministre de la Défense n'est pas le muet du sérail. J'ai d'ailleurs veillé à ce que l'exécutif tout entier soit associé aux décisions.

Le chef de l'État dispose aussi de l'outil militaire, cette armée française dont on ne soulignera jamais assez le courage et le professionnalisme. Les Français sous-estiment toujours l'écho rencontré par la voix de leur pays dans le monde, son rôle éminent dans plusieurs régions où son influence est évidente, l'Europe bien sûr mais aussi l'Afrique où les gouvernements attendent d'elle soutien, protection et respect. Le Moyen-Orient où la politique d'équilibre menée depuis des décennies par Paris assure son prestige. L'Extrême-Orient où des liens anciens tissés avec la Chine continuent de manifester leur importance, la Russie à laquelle nous unissent des relations historiques, le Canada évidem-ment que nous connaissons intimement. L'Amérique latine enfin qui garde les yeux braqués sur l'Europe pour éviter le tête-à-tête avec son trop puissant voisin.

Le chef de l'État tisse des liens cordiaux avec les principaux dirigeants du monde. Ils forment un club fermé où rapidement chacun partage ses sentiments avec les autres, même si dans une cordialité appa-rente les rapports de force sont toujours à l'œuvre. Le tutoiement est immédiat, les confidences faciles,

les contentieux retenus derrière une gestuelle de circonstance. La solidarité est souvent au rendez-vous, entre les grandes démocraties en tout cas. Car le fait majeur de ces dernières années a été la diplomatie de plus en plus conflictuelle de la Russie. Elle a justifié sa mise à l'écart du G8 devenu G7 à partir de 2014 et la prise de sanctions contre elle. Loin de décourager Vladimir Poutine, ces décisions l'ont conduit à souffler en permanence le « tiède et le froid », à proposer ses bons offices tout en soutenant sans réserve ses alliés les moins recommandables et en bloquant le Conseil de sécurité de l'ONU. Parallèlement, il a cherché des appuis politiques dans les démocraties en nouant des liens avec les extrêmes droites européennes et les milieux conservateurs, sans négliger les populistes de toute sorte. Pour avoir longuement dialogué avec lui, j'en ai tiré très tôt la conclusion qu'il ne respectait que la force.

Inverser la courbe

S'il s'y laissait prendre le président se réfugierait volontiers dans ce théâtre mondial où il agit sans contrainte, au rebours des choix quotidiens de la politique intérieure avec son lot de controverses et de polémiques. Le jeu de la géopolitique planétaire ne m'a jamais fait oublier que les Français n'élisent pas le président pour qu'il s'absorbe dans le vertige gratifiant de l'action extérieure, mais pour qu'il résolve les problèmes concrets qu'ils rencontrent. C'est la raison pour laquelle dès septembre 2012, je décide de fixer devant les Français un critère essentiel à mon action : l'inversion de la courbe du chômage. Que n'a-t-on dit à propos de cette promesse ! Quoi, le président s'enferme dans un piège, fait reposer son sort sur un indicateur statistique qui dépend autant de la situation européenne que de sa propre action ? Quelle erreur tactique aurais-je commise, quelle tunique de Nessus aurais-je endossée, quel risque inutile aurais-je pris !

Je maintiens pourtant que cet engagement était une évidente obligation. Le chômage est le mal français. Comment imaginer ne pas être jugé sur la question de l'emploi ? Tout gouvernement, qu'il en parle ou qu'il le taise, est évalué sur ce critère. Rester vague ? Se réfugier dans le long terme ou n'évoquer l'avenir qu'en termes brumeux ? C'eût été un leurre. Si le citoyen porte au pouvoir une nouvelle majorité, c'est dans l'espoir que sa politique soit efficace. En l'absence de succès tangibles sur ce front, il n'y a pas de salut. La défaite régulière des majorités depuis vingt ans le démontre sans appel.

Au demeurant, j'assumais cet objectif : une fois les comptes rétablis, les entreprises confortées, les réformes entamées, je savais que l'énergie, le talent, l'opiniâtreté de notre pays conduiraient immanquablement à l'amélioration de notre économie. Le reste était affaire de calendrier : aujourd'hui, la croissance a retrouvé son niveau d'avant la crise et 600 000 emplois ont été créés depuis trois ans. Le chômage est tombé en dessous de 9 % de la population (contre 10,5 % en 2012). J'aurais préféré que ces fruits apparaissent plus tôt et que l'embellie s'annonce dès 2014 plutôt qu'à la fin de l'année 2015. Pourtant je ne regrette rien : sans les choix que j'ai faits la France aurait été mise hors-jeu. Il fallait trancher. C'était au président de le faire.

VIᵉ République ?

Notre pays en deux siècles a changé douze fois de loi fondamentale et lorsqu'elle y a procédé, c'est à la suite d'une crise grave. La stabilité institutionnelle est cent fois préférable. En France, l'État est le garant de la République et c'est l'État, dans l'Histoire, qui a fait la France. Notre culture politique et administrative en porte la marque indélébile. Cette institution dévouée au bien commun est un atout précieux qu'il faut protéger et non rabaisser.

À l'expérience, la Constitution de la Vᵉ République qui a fait la preuve à la fois de sa souplesse et de sa solidité appelle une double évolution. L'une est mineure, l'autre majeure. Le premier changement tient au processus législatif qui n'est plus adapté à la rapidité qu'exigent les citoyens dans l'action. Une fois rédigé à la suite d'un long travail interministériel et d'un temps de concertation indispensable, le projet est soumis au Conseil d'État, inséré dans le calendrier parlementaire, débattu en commission et en séance, puis il suit le rythme laborieux des navettes parlementaires où chaque chambre veut imprimer sa marque quand elle n'entend pas ralentir le processus. Ainsi entre l'annonce d'une réforme et la parution des décrets d'application, il s'écoule souvent un ou deux ans, parfois trois. Une éternité au regard des urgences. Le président promet d'agir. Il annonce des réformes, mais quand la loi entre en vigueur le citoyen a déjà oublié d'où vient la décision. Qui l'a prise et quand. Accélérer les procédures parlementaires, réduire nettement le temps des discussions quitte à allonger un peu les consultations préalables : voilà qui serait bien plus démocratique que de recourir systématiquement aux ordonnances. Comme les décrets-lois dans les Républiques défuntes elles traduisent l'abandon par le Parlement de ses prérogatives.

La deuxième réflexion porte sur la place du Premier ministre au sein de l'exécutif. Selon la Constitution, c'est lui qui « détermine et conduit la politique de la nation ». Selon nos usages, il est le chef de la majorité parlementaire. Il anime la vie du gouvernement au jour le jour tandis que le président incarne la nation, la représente à l'étranger, fixe les grandes orientations. Mais dans le quinquennat, avec une majorité parlementaire qui se constitue dans la foulée de l'élection présidentielle, le chef de l'État est en première ligne. Impossible pour lui, comme aux temps du septennat, de se situer au-dessus des affaires courantes pour se cantonner aux arbitrages majeurs. C'est lui qui est élu, non le chef du gouvernement. C'est à lui de diriger et de rendre compte.

Demeure le risque du malentendu. Si le Premier ministre est fidèle et se contente de mettre en œuvre la politique décidée à l'Élysée, il ne prend pas d'épaisseur. Très vite on fustige sa transparence, on déplore l'effacement de Matignon pour critiquer la concentration des pouvoirs à l'Élysée. Mais si le Premier ministre gagne en autonomie, s'il vole de ses propres ailes, s'il imprime une marque originale, on ne tarde pas à en faire un concurrent du président, introduisant *de facto* une dyarchie au sommet de l'État qui se termine à chaque fois par une rupture.

Faut-il présidentialiser définitivement la Ve République ? C'est la logique du quinquennat et de l'inversion du calendrier électoral. Je n'ignore rien des

interrogations qu'un tel changement institutionnel suscite. Car il tranche le nœud gordien selon la lumineuse
formule de Georges Pompidou. Notre Constitution
n'est plus parlementaire depuis que le chef de l'État
est élu au suffrage universel mais elle n'est pas non
plus présidentielle, dès lors que le Premier ministre est
responsable devant l'Assemblée nationale. Comment
comprendre que le véritable chef de l'exécutif ne puisse
s'adresser à elle, sauf circonstances exceptionnelles ? Il
n'est plus possible de rester au milieu du gué. Ce n'est
ni favorable aux droits du Parlement ni efficace pour
la bonne marche de l'exécutif. C'est une source de
confusion pour les citoyens sans présenter le moindre
avantage pour l'action. S'il y a une révision constitutionnelle à mener, c'est celle-là.

2

Décider

Les militaires sont formels. Sur la carte qui couvre la table de mon bureau, ils ont désigné un village au milieu des sables. Là se cache le chef terroriste. Dans son repaire décrépi, il dirige la guerre sans nom qu'il mène depuis des années contre nous et nos alliés. Autant qu'il a pu, il a tué ou il a fait tuer des Français. Cette fois, il est débusqué. En vingt minutes nous pouvons éliminer un commandant ennemi qui a fait du désert un champ de bataille et qui se prépare à réitérer ses actions de terreur. L'occasion est unique.

Déclencher la foudre

Le dialogue s'engage, serré, tendu. Je demande s'il est seul dans la maison. On m'affirme que c'est le cas mais on m'informe aussi que les habitations voisines sont occupées par des familles. On m'assure que notre tir sera précis et circonscrit, sans écarter un risque de pertes civiles. Je diffère l'opération.

Une semaine plus tard les mêmes responsables sont autour de la même carte. Je les interroge encore. Ils me répondent que le quartier a été évacué et qu'ils ont fait sortir les habitants pour les soigner. Les chances de réussite sont maximales. Je donne l'ordre de frapper. Vingt minutes plus tard, un ultime feu vert m'est demandé. J'acquiesce. L'action est lancée : la maison explose sans aucun dommage collatéral. Le chef terroriste a-t-il été éliminé ? Nous n'avons pas le moyen de vérifier. Mais depuis ce jour il n'est jamais réapparu.

Ainsi travaille parfois le président, dans ce palais calme d'où l'on déchaîne la foudre. C'est l'essence de sa fonction : décider et assumer. Le professionnalisme de nos militaires est une nouvelle fois démontré. Mais si l'opération avait été manquée, si la bombe avait détruit une autre maison où si par malheur une famille était rentrée sans que nous le sachions, c'est le président et personne d'autre qui en aurait supporté la responsabilité morale et politique. Il veille sur la vie de la nation. Mais au jour le jour c'est la mort qui l'accompagne.

Philosophie de la décision

Il y a des réputations qui s'installent et qui ont la vie longue. Tantôt, elles sont flatteuses sans être forcément méritées. Tant mieux pour les intéressés que la rumeur crédite d'un sens inné de la décision. Leur hésitation sera alors tenue pour l'indice d'un ingénieux calcul, leur procrastination comme l'illustration d'une suprême habileté. Tantôt, elles sont plus controversées sans être plus justifiées. Pour ceux-là, la réflexion, aussi pertinente soit-elle, sera frappée du sceau de l'irrésolution et la sagesse interprétée comme le signe d'un embarras. Il leur revient plus qu'aux autres de faire la démonstration de leur capacité à trancher. Au prétexte que j'avais longtemps comme dirigeant politique cherché la synthèse pour rassembler, on m'imputa l'habitude de préférer l'équilibre à l'audace, le dialogue à l'autorité, la prudence à la surprise ; alors que l'air du temps, nous disait-on, exigeait intrépidité, rapidité et fermeté.

Or dans l'art de la décision, je considère que tout est affaire de circonstances et de contexte. Je me suis toujours méfié des lois générales. J'ai distingué les cas de figure. Autant la surprise constitue un avantage majeur dans le recours à la force pour ne pas laisser à l'adversaire l'occasion de préparer sa riposte – ce fut le sens de mon engagement au Mali et au Moyen-Orient. Autant la concertation et l'expertise s'imposent pour s'assurer de la justesse d'une politique – j'y ai veillé pour mettre en œuvre ma stratégie économique. Quand j'ai voulu aller trop vite, comme sur les lois Travail, j'en ai acquitté le prix.

Je n'ai en revanche jamais joué avec le temps ni admis qu'il fallait lui en laisser. Je savais qu'un quinquennat déjà très court en donnait encore moins que la durée affichée. C'est donc dès juillet 2012 que les choix majeurs ont été faits pour rééquilibrer les comptes publics. Dès novembre de la même année que la politique de l'offre a été engagée. Dès décembre 2012 que notre stratégie industrielle a été définie. On peut me reprocher mes décisions, leur justification, leur contenu, leurs conséquences. Pas le délai qu'il a fallu pour les prendre. Ce fut vrai pour les orientations économiques. Ce fut encore plus crucial dans les actions militaires.

Opérations périlleuses

Le 11 janvier 2013, dans le salon vert attenant à mon bureau avec ses grandes fenêtres donnant sur les frondaisons qui bruissent doucement, j'ai à décider en même temps de deux attaques. Au Nord du Mali, une colonne de djihadistes armés de mitrailleuses et de mortiers fonce sur la principale route qui relie le nord au sud. Les forces maliennes sont débordées. Après avoir occupé Tombouctou, Gao et d'autres cités du désert, les combattants islamistes ont lancé une offensive éclair. Ils peuvent atteindre Bamako en quelques heures, chasser l'armée régulière et faire de la ville une capitale de la terreur qui menacera toute l'Afrique de l'Ouest. Seule une intervention de la France peut les arrêter. Mais l'opération est complexe et exigeante. J'interroge en Conseil de défense nos chefs militaires.

– En combien de temps la colonne peut-elle atteindre Bamako ?

– Trois ou quatre jours. Peut-être moins.

– Quand pouvez-vous être sur zone ?

– Vingt-quatre heures pour une action aérienne. Davantage si nous devons nous déployer au sol.

– Quels risques de pertes ?

– Elles se produiront dès les premières heures.

Donc des frappes aériennes ne suffiront pas. La question qui m'est posée est lourde de conséquences. Il s'agit de faire intervenir nos armées au sol pour refouler les assaillants, de renvoyer ces djihadistes dans les étendues désertiques du Nord, puis de les traquer pour assurer à ce pays courageux la paix civile dont la France s'est portée garante. En cas de revers, l'enlisement paralysera nos forces et découragera l'opinion. Les chefs militaires ne dissimulent rien. Ils exposent les difficultés, jaugent les chances. Je sens à leur ton qu'ils craignent les pertes humaines. Contrairement à bien des idées reçues, les généraux ne sont pas des va-t-en guerre. Ils tiennent plus que tout à la vie de leurs soldats et cherchent toujours à préserver les populations civiles. Ils sont confiants mais dans ce genre d'affrontement l'imprévu peut surgir, déjouant les plans les mieux combinés. Il faut décider vite, malgré ce voile d'ignorance que les moyens de renseignement modernes ne peuvent percer complètement.

Le président malien, Dioncounda Traoré, nous a déjà lancé un appel bouleversant. Il est la seule autorité légitime de ce pays ami. C'est un scientifique qui a fait ses études à Nice puis a mené une carrière politique au Mali. C'est un homme courageux. En mai 2012, une foule hostile s'est attaquée à lui, envahissant son bureau. Frappé à la tête, il a été laissé pour mort. Soigné en France, il est revenu à Bamako conscient du danger qui menaçait son pays. Au téléphone sa voix est grave, anxieuse. Nous allons à l'essentiel. « Si vous n'intervenez pas, Bamako sera prise et toute l'Afrique de l'Ouest sera déstabilisée. » Il précise que la colonne avance vite, que ses intentions sont claires. Je m'entretiens avec les dirigeants africains des pays voisins. Tous confirment l'impérieuse nécessité de notre intervention.

Ne rien faire, c'est sacrifier un territoire stratégique et abandonner un allié fidèle, c'est laisser la peste djihadiste se répandre partout. Mais agir, c'est impliquer la France dans un conflit lointain et qui n'est pas sans lien avec l'effondrement de l'État en Libye. C'est aussi, pour un temps long, décider du sort de nombreuses familles qui auront à déplorer la perte ou la blessure d'un de leurs proches combattant sous l'uniforme français. J'ai quelques minutes pour trancher. Après une certaine heure, il sera trop tard. Les terroristes fonceront sur Bamako. On ne pourra pas les en déloger avant longtemps et il faudra y consacrer des moyens considérables. Je décide l'engagement de nos forces. Je rappelle le président malien. Il m'avoue son soulagement. Il garantit la coopération de son armée tandis que les pays de l'Afrique de l'Ouest me confirment qu'ils nous accompagneront. Sans leur soutien rien n'aurait été possible.

Commando nocturne

Coïncidence, au même moment en Somalie nos services de renseignement ont repéré, après un travail de plusieurs semaines, une maison isolée tout près de la côte où un de nos agents, Denis Allex (c'est son nom de code), est retenu en otage depuis des mois par les shebabs, une troupe de combattants islamistes. Ce même 11 janvier, autour de la même table c'est le chef de la DGSE qui parle de sa voix discrète. Il m'assure qu'en débarquant de nuit un groupe de son service pourra progresser sans être vu, encercler la maison et délivrer notre homme.

L'affaire est difficile, le succès incertain. Mais si nous restons inertes, notre compatriote sera sans doute exécuté ou bien transféré ailleurs. Il m'est précisé que ses collègues sont unanimes pour réaliser l'« extraction » et qu'ils l'ont minutieusement préparée. La famille a été prévenue. Elle souhaite aussi que tout soit tenté pour le sauver. Chacun dans cette réunion sait qu'Allex est maltraité et que son calvaire n'aura pas de fin.

J'imagine en un instant ce qui se passera au premier incident. Notre agent sera exécuté. Les shebabs exhiberont son corps comme un trophée. Mais je prends sur moi de ne rien laisser paraître des interrogations qui me taraudent. Nos ennemis sont des fanatiques, le cynisme leur est naturel. La France ne saurait montrer la moindre faiblesse, le moindre doute. J'en suis sûr au fond de moi-même : dans cette confrontation, nous devons prendre le parti du courage. Le courage physique de nos soldats entraînés sans relâche à assurer notre sécurité. Le courage moral de la nation qui doit comprendre qu'elle aura à souffrir dans sa chair. Le courage des responsables politiques, enfin, qui doivent se hisser à la hauteur d'un enjeu qui dépasse les majorités du moment. Dans ce combat de longue haleine, il n'y a que des accalmies. J'examine les plans qui me sont soumis. Je donne mon accord.

En fin d'après-midi, dans une déclaration à la télévision, j'annonce l'intervention au Mali. Je ne dis évidemment rien de la Somalie. Les militaires sont à la tâche. Toute la soirée je suis informé des premiers mouvements de nos troupes. À mon domicile où je suis retourné, le chef d'état-major particulier, le général Puga, me transmet encore tous les détails. Je sais que ma nuit sera interrompue par les nouvelles qui viendront de Somalie où nos hommes abordent la plage et commencent à progresser vers le lieu où est détenu Allex. Je cherche le sommeil en sachant qu'il ne durera pas. Il me faut rester à tout instant lucide pour être prêt à réagir en fonction des circonstances.

Je n'attends pas longtemps. Le général Puga m'appelle sur mon portable. Sa voix est grave. L'opération somalienne a échoué. Je pense en un éclair à l'otage, le cœur serré. Dans l'obscurité africaine, tandis que nos hommes s'approchaient de la maison où Allex est retenu prisonnier, un soldat a heurté du pied un combattant djihadiste qui dormait à même le sol. Un coup de feu est parti. Les terroristes se sont réveillés, engageant le combat. L'effet de surprise a été manqué. Nous avons eu le dessus mais dès les premiers tirs un des ravisseurs a exécuté notre agent. Deux autres pertes sont à déplorer. Cruelle déconvenue. Infinie tristesse. Mais déjà d'autres nouvelles me parviennent.

Victoire dans le désert

Au Mali les premières frappes aériennes sont couronnées de succès. La colonne djihadiste est arrêtée, décimée et bientôt refoulée. Mais au moment où nos soldats transportés par voie aérienne atterrissent à Konna pour prendre position, une rafale a touché à l'aine le lieutenant Damien Boiteux qui pilotait un hélicoptère Gazelle et sectionné son artère fémorale. Il mourra quelques heures plus tard à l'hôpital. Ce lieutenant de 41 ans dont le service de la nation était toute la vie s'était porté en première ligne. Il est notre premier mort, dans un sacrifice héroïque. Plus tard, plusieurs Maliennes appelleront leur enfant Damien Boiteux. Par une ironie de l'histoire, le premier officier français à pénétrer jadis au Mali s'appelait lui aussi Boiteux. Ainsi celui qui était venu en conquérant colonial et celui qui venait protéger le Mali d'aujourd'hui portaient le même patronyme. Quand je parlerai de son fils à la mère du lieutenant Boiteux elle me dira digne et douloureuse : « Damien a fait son travail. »

Tous les matins des jours qui suivent, le général Puga vient dans mon bureau rendre compte de l'avancée de nos soldats. Nos troupes au sol sécurisent une ligne de défense au centre du pays, puis reprennent une à une les villes du Nord occupées par les terroristes qu'elles poursuivent jusque dans les montagnes où ils se terrent. Autour de la carte que le Conseil de défense examine, nous discutons de la marche à suivre. À chaque fois, je demande qu'on avance au plus vite vers le nord pour marquer symboliquement la victoire mais surtout pour éviter les massacres de civils à Tombouctou et Gao, les deux principales villes du Nord. L'objectif est aussi de piéger le maximum de djihadistes qui risquent sinon de s'évanouir dans les montagnes désertiques du Nord d'où ils pourront monter de nouvelles attaques. Les militaires freinent mon impatience. Les difficultés logistiques sont considérables. Il faut rouvrir les aéroports, désamorcer les mines, sécuriser les zones conquises. Comme toujours et à juste raison, ils sont d'abord soucieux de limiter les risques. Nous recevons le renfort de troupes des pays voisins, du Tchad et du Niger, qui maîtrisent cette guerre du désert. Nous progressons prudemment, mais rapidement.

« Le plus beau jour de ma vie politique »

Quelques semaines plus tard, je prends l'avion pour Tombouctou, la ville légende martyrisée par l'occupation djihadiste. Le président Traoré m'accompagne avec bonheur. Nous marchons dans les rues aux ombres nettes, écrasées de soleil, vers les mausolées de pierre rouge que les islamistes ont en grande partie détruits. On nous montre les manuscrits de l'ancien islam qui ont pu être sauvés. Ces documents uniques portent une sagesse que les fanatiques haïssent, celle d'une religion de tolérance. À la sortie, la foule s'est massée sur la place ; mon équipe de sécurité est inquiète : les djihadistes ont pu laisser en arrière des assassins ou bien munir une femme ou un enfant d'un gilet d'explosifs. Nous sentons pourtant que ces gens n'ont envers nous que bienveillance et gratitude. Ils ont tout enduré : les mains coupées sous leurs yeux, les flagellations pour un simple geste, les exécutions au sabre, la surveillance implacable, la terreur quotidienne. Ils ont vu partir les combattants vêtus de noir, ils découvrent maintenant le président de cette République française si lointaine et si présente. Une femme se jette sur moi et m'étreint longuement. On chante, on rit, on danse, on crie « merci la France ! ». La liesse est contagieuse et j'oublie les règles de sécurité les plus élémentaires pour me baigner dans cette joie exubérante. La France était jadis regardée comme hautaine ou paternaliste. Elle est libératrice. Le Mali retrouve avec nous son intégrité et sa dignité. Le président Traoré, qui me tutoie pour l'occasion, est lui-même surpris par cette ferveur.

– Tu es plus populaire que moi, lance-t-il en riant.
– Au Mali, dis-je.

Un appareil militaire nous emmène ensuite à Bamako. Nous survolons le désert à basse altitude. L'étendue ocre ondule comme la mer, les animaux fuient sous l'avion. Les oasis font des taches vertes sur le sable où l'on distingue parfois une petite caravane de chameaux, comme dans un temps figé pour l'éternité. Tableau trompeur : les hyènes et les chacals qui se cachent au milieu des pics dénudés ne sont pas, et de loin, les créatures les plus dangereuses dans ce décor digne de René Caillié ou du père de Foucauld. La folie des hommes a changé cette nature nue en champ de bataille. Traoré joue les guides volubiles, penché vers le hublot. Il m'explique les subtilités de la politique malienne où le désert est la terre de toutes les traditions. Les Maliens pratiquent un islam pacifique mais ils sont assaillis par les sectateurs d'un culte moyenâgeux. Leur unité religieuse et politique ne peut masquer les antagonismes entre le Nord et le Sud. Le pouvoir de Bamako s'efforce de laisser leur place aux tribus où chaque chef est honoré d'un titre administratif, ce qui ne suffit pas à apaiser les passions et les revendications.

Le Mali n'en a pas fini avec ses convulsions, l'accord de paix peine à entrer en vigueur et nos soldats, à travers l'opération Barkhane, continuent à essuyer le feu de l'ennemi. Mais à cette date les meurtriers islamistes sont repoussés loin dans les montagnes du Nord, traqués par les soldats maliens, tchadiens, nigériens et français. Des élections viendront bientôt donner au gouvernement la légitimité démocratique que le coup d'État de mars 2012 avait ruinée.

À Bamako, une tribune de fortune a été dressée au milieu d'un grand carrefour pour nous permettre de prendre la parole. Je monte sur l'estrade et cherche vainement un pupitre, pressé de tous côtés par une assistance qui exulte. Je laisse donc dans ma poche le texte que j'avais écrit. Je dois parler avec mon cœur. Le président Traoré intervient le premier dans un beau morceau d'éloquence. J'improvise le mien, porté par l'enthousiasme sans frein qui m'entoure. Je rends hommage aux soldats maliens qui par deux fois sont venus au secours de la France au sein de cette formation glorieuse qu'on avait appelée les Tirailleurs sénégalais. « Je suis ici pour honorer cette double dette. » L'évocation va droit au cœur de ces Maliens qui ont tous un père ou un grand-père venu risquer sa vie sur les champs de bataille de la vieille Europe. Puis j'ajoute : « C'est le plus beau jour de ma vie politique. » Cette phrase a surpris en France où l'on considère que les affaires hexagonales, ou bien mon élection à la présidence, méritaient plus qu'une autre cette marque de fierté. Pourtant je la maintiens. La France a montré qu'elle était capable d'agir sans arrière-pensée, sans qu'un intérêt subalterne ne vienne entacher son geste, dans le seul but d'assurer la sécurité d'une région et de servir une cause juste. Une décision prise en quelques minutes dans un bureau doré de l'Élysée change le destin d'un peuple et signe une victoire de la démocratie sur la barbarie. Si la politique a un sens, c'est celui-là.

L'accueil de la population était la plus belle récompense. Plus tôt dans la journée, les autorités m'avaient préparé un cadeau plus inattendu : un chameau. De ceux qui permettent de traverser les plus longs déserts, ce qui est utile en politique.

Quelques jours plus tard, l'atmosphère est tout autre. Je me rends auprès du commando, revenu de Somalie dans le chagrin, je tente de réconforter les familles éprouvées par la perte d'un être cher. Les hommes qui sont tombés, comme leurs camarades, travaillent dans le plus grand secret loin des regards, loin des honneurs. Ils accomplissent des missions qui les exposent à tous les périls, donc à la mort. Si elle survient, elle devra rester aussi discrète que la tâche qui leur a été confiée. C'est ce qui s'est produit. Nul n'a su l'identité de ces valeureux agents. L'anonymat les accompagne jusqu'au bout. Parfois leurs proches ne découvrent leur rôle qu'au moment du drame qui les frappe. Aussi, la visite que je leur rends dans un cadre presque intime est la façon que j'ai trouvée de mettre en lumière ces héros qui ont choisi l'obscurité. Pour que rien ne soit oublié de leur sacrifice.

L'angoisse des otages

Pendant l'offensive au Mali, je n'ai cessé de craindre pour la vie de nos compatriotes retenus depuis plusieurs mois et parfois plusieurs années dans de sombres cachots au Sahel. Au lendemain de mon ordre, je craignais que les terroristes ne se retournent contre eux. Il n'en fut rien. Non par humanité : les otages restent en fait, aux yeux de ces fanatiques plus calculateurs qu'on ne croit, des monnaies d'échange, sources d'argent et d'armes. Engager une négociation pour les faire libérer ? Je n'y étais pas favorable. L'État pouvait faciliter certains contacts. Mais il n'était pas question de discuter avec des adversaires que nous pourchassions et qui nous faisaient la guerre. J'espérais que nous pourrions retrouver les captifs. J'imagine d'ailleurs que nos hommes, dans les fouilles des grottes dans les massifs du désert, sont passés tout près d'eux.

Plusieurs fois je m'en suis expliqué avec les familles des otages. Elles souffrent de rester sans preuve de vie, d'attendre dans la crainte et l'ignorance un retour sans cesse repoussé. Déterminées à obtenir coûte que coûte la libération des êtres qu'elles chérissent – ferais-je autre chose à leur place ? – elles expriment leur désarroi souvent de manière véhémente. Mais j'ai en charge l'État. Je ne peux franchir la ligne que j'ai moi-même fixée. Ces mots sont durs à déclarer, encore plus durs et même insupportables à entendre. Je regarde ces hommes et ces femmes repartir de l'Élysée accablés par l'attente, sans avoir pu atténuer leur anxiété et apaiser leur douleur.

Je leur dois de tout entreprendre pour délivrer les prisonniers, je cherche des appuis chez nos amis africains. La médiation judicieuse du président du Niger, Mahamadou Issoufou, y contribuera. Nos compatriotes, ceux d'Arlit, finissent par être délivrés. Je les accueille à l'aéroport. Il n'y a pas plus beau moment, pour un président, que d'assister aux retrouvailles des familles séparées par le malheur. J'ai eu plusieurs heureuses occasions de le vivre. Je pense aux quatre journalistes qui avaient été enlevés et détenus en Syrie par Daech. Les otages, à cet instant, semblent avoir oublié toutes les horreurs de la captivité, toutes les angoisses des exécutions redoutées, tous les coups, toutes les insultes, toutes les privations, toutes les humiliations. Ils étreignent leurs proches et leur parlent comme s'ils les avaient quittés hier, comme s'ils avaient effacé, le temps d'un voyage en avion, sous la protection des soldats français et des fonctionnaires qui les accompagnent, le cauchemar qu'ils viennent de vivre. C'est plus tard que la pression revient et que les séquelles resurgissent avec des troubles traumatiques particulièrement graves. Il faut les entourer, les suivre, les confier le plus souvent à des équipes spécialisées. L'euphorie du retour masque la blessure qui reste à vif au fond de l'âme.

Je garde pour moi des réflexions plus mélangées. Ces Français ont couru des risques considérables en se rendant dans des zones où la guerre n'est pas loin. Leur volonté d'y poursuivre leur travail alors que le danger est là traduit un indéniable courage. Mais il oblige aussi l'État, les proches, les services spéciaux, les sociétés dont ils dépendent, à une mobilisation considérable pour les sauver. Parfois nous n'y parvenons pas et j'ai en mémoire ces familles à qui j'ai dû annoncer la mort d'un otage, après que nos soldats avaient retrouvé leur dépouille. Dans tous les cas l'incompréhension ajoute à la peine. La raison d'État pèse peu en face de la détresse. Mon devoir était de répondre à l'une, dans le respect de l'autre.

Grandes manœuvres industrielles

La décision du président est attendue dans bien d'autres domaines que les seules affaires régaliennes. Il est interpellé à chaque fois qu'une entreprise traverse des difficultés susceptibles de mettre en cause l'avenir d'une filière, d'une région, d'une activité stratégique. Là aussi, il faut trancher des dilemmes douloureux.

L'exemple le plus symbolique de ces choix difficiles et lourds de sens fut le destin des installations sidérurgiques de Florange. Le groupe Mittal, devenu l'un des acteurs majeurs de ce secteur, avait décidé de fermer les hauts-fourneaux de cette ville de Lorraine à la longue tradition industrielle. Cette décision avait suscité un traumatisme à la résonance nationale, pour les salariés concernés bien sûr mais aussi pour une grande partie de l'opinion qui se désespère de voir nos outils productifs menacés, réduits, parfois démantelés sous les coups d'une concurrence internationale sans pitié. Pendant la campagne, j'avais apporté mon soutien aux ouvriers en lutte, montant sur une camionnette pour annoncer que si j'étais élu, je ferais voter une loi obligeant le groupe qui abandonnerait un site à le revendre à tout acheteur qui se présenterait. Cette promesse avait été bien accueillie, même si elle ne comportait pas, contrairement à ce qu'on a pu dire, l'engagement de faire repartir les hauts-fourneaux. Je n'ai jamais pensé que l'État puisse se transformer soudain en sidérurgiste. La « loi Florange » fut effectivement adoptée. Elle donnait des moyens juridiques à tous les salariés confrontés à l'arrêt délibéré d'une activité.

Restait la question de l'avenir de Florange. À l'automne 2012, je reçois Lakshmi Mittal à l'Élysée. C'est un homme tiré à quatre épingles qui ne fait pas de sentiment. Il s'exprime d'une voix douce pour dire des choses rudes. Je remarque qu'il est soucieux de son image, celle d'un industriel indien qui a réussi à devenir l'un des leaders mondiaux de la sidérurgie. Il n'a pas envie d'être une cible. Il m'explique que le cours de l'acier est au plus bas et qu'il ne peut maintenir tous les hauts-fourneaux de son groupe. Il me confirme que ceux de Florange moins bien intégrés à sa chaîne de production doivent être définitivement arrêtés.

Je juge nécessaire d'établir avec lui un rapport de fermeté. Je lui demande de chercher un repreneur et, en cas d'échec, je laisse entendre que l'État est prêt à nationaliser les activités de Florange, obligeant ainsi Mittal à s'en séparer. De sa voix onctueuse, Lakshmi Mittal répond que nous devrions en ce cas acquérir aussi l'ensemble des sites français du groupe, dans lesquels sont employés quelque 20 000 salariés. Car il se retirera du pays. Cette montée aux extrêmes a ses limites. Pouvons-nous vraiment, comme le suggère avec insistance Arnaud Montebourg, prendre en charge des installations aussi importantes, qui sont intégrées dans un groupe international et qui dépendent de lui pour leurs débouchés et leur fonctionnement ? La menace mérite d'être brandie, je le fais volontiers. Mais je sais aussi que notre but, c'est le maintien de l'emploi. Il me paraît possible d'y parvenir par d'autres moyens.

Je revois Mittal en novembre et les conditions d'un accord se mettent en place, bientôt préparées, négociées et annoncées par Jean-Marc Ayrault. Mittal s'engage à préserver intégralement l'emploi, annule son plan social, et prévoit d'investir 180 millions pour moderniser les équipements. Sur place, la confirmation de l'arrêt des hauts-fourneaux est vécue douloureusement. Édouard Martin, syndicaliste CFDT, lâche précipitamment devant les caméras le mot de « trahison », alors que le gouvernement a obtenu un compromis qui sauvegarde totalement l'emploi des sidérurgistes et assure l'avenir de Florange. J'étais sûr du bien fondé de ma décision. Il me revenait d'assumer la responsabilité d'un accord négocié avec le groupe Mittal et d'en rendre compte aux salariés.

C'est pourquoi je suis allé deux fois à Florange pour vérifier si les engagements étaient bien tenus. Ils le furent, et même au-delà des termes initiaux, puisque les investissements dépassèrent bientôt les 180 millions annoncés et que de nouvelles embauches ont eu lieu. Aujourd'hui l'activité est bien repartie, le marché sidérurgique s'est redressé et le groupe Mittal a renforcé encore sa présence en France. Un centre de recherches public consacré à la sidérurgie de demain a été créé à Uckange, dans un haut-fourneau, symbole de la transformation de cette industrie. Édouard Martin, devenu entre-temps député européen, a eu cette formule – elle est juste – « la lutte, au bout du compte, a payé ». Et Florange a été, contrairement à une impression faussement relayée, sauvée !

Fermer Fessenheim

Décider, c'est engager le pays pour longtemps. C'est particulièrement vrai dans le domaine de l'énergie. J'avais fixé l'objectif de réduire la part du nucléaire à 50 % de la production d'électricité à l'horizon 2025. Je m'étais aussi prononcé pour la fermeture de la centrale de Fessenheim, la première entrée en exploitation il y a quarante ans.

Le citoyen imagine que si le président a promis la fermeture, elle peut intervenir du jour au lendemain. Les choses sont plus compliquées. Pour aboutir à ce résultat, il faut franchir de nombreuses étapes. Il a d'abord fallu faire adopter la loi sur la transition énergétique en 2015. Puis mener une négociation avec EDF pour fixer l'indemnisation destinée à compenser les conséquences de l'arrêt de la centrale. Ségolène Royal y parvint au mieux des intérêts de l'État. Enfin, et ce ne fut pas le plus facile, obtenir du conseil d'administration d'EDF qu'il dépose une demande d'abrogation de l'autorisation d'exploiter Fessenheim. Cet acte rendait la fermeture inéluctable. J'ai donc jugé bon de le confirmer par un décret publié le 8 avril 2017, soit un mois avant mon départ.

Si EDF est une entreprise publique dont le capital est très majoritairement détenu par l'État, son conseil d'administration n'est pas aux ordres du président de la République. Je ne pouvais pas lui imposer de tenir cette délibération. Je devais convaincre le président d'EDF, Jean-Bernard Lévy, que j'avais moi-même nommé. Or cette grande entreprise sait peser de tout son poids pour faire prévaloir ce qu'elle considère être ses intérêts, oubliant parfois que les orientations stratégiques en matière d'énergie sont prises par le pouvoir politique. J'ai eu à le rappeler plusieurs fois. Dans ce cas-là particulièrement.

Pour respecter scrupuleusement mon engagement de fermer Fessenheim, il conviendra d'attendre la mise en service de l'EPR de Flamanville renvoyant à 2019 le dénouement de cette double opération. Ainsi, entre l'annonce d'une décision et son application, il se sera écoulé plus d'un quinquennat. Non par pusillanimité ou tergiversation. Non par lenteur administrative ou en raison d'un obstacle politique, mais pour respecter les procédures régulières. Avec ce paradoxe qu'un des deux réacteurs de Fessenheim est déjà à l'arrêt depuis près de deux ans !

Je suis conscient que ces délais pourtant incompressibles nuisent à la parole publique. Ils permettent à des démagogues de toutes sortes – il peut y en avoir aussi chez les écologistes – de dénoncer l'impuissance des autorités voire leur mensonge. Aujourd'hui le gouvernement, par la voix de Nicolas Hulot, a repoussé à 2030 ou 2035 – on ne sait plus – la réduction de la part du nucléaire à 50 % de la production d'électricité. J'ai regretté qu'un tel acte n'ait été précédé d'aucun débat parlementaire et qu'aucune nouvelle échéance n'ait été indiquée. J'en ai compris l'avantage pour les pouvoirs publics. Il n'est pas mince : c'est de ne pas avoir à préciser quelles seront les prochaines centrales qui devront elles aussi s'arrêter, et celles qui devront être prolongées. Mais un jour viendra où cette vérité devra être dite, aux salariés comme aux élus concernés.

De cette expérience, je tire une leçon qui peut être utile à d'autres. Ce qui compte dans la décision, c'est moins le temps qu'elle prend pour être exécutée que son caractère irréversible. Face à des enjeux tels que le nucléaire civil et la transition énergétique, les alternances ne doivent pouvoir remettre en cause qu'à la marge les choix qui sont arrêtés. Les décideurs publics ont un devoir de cohérence et de continuité, sinon ils infligent à la nation une charge financière inutile à laquelle s'ajoute un coût politique qui mine la crédibilité de l'État.

Sauver l'industrie nucléaire

Décider, c'est aussi assumer les erreurs du passé. J'eus avec mes gouvernements à sauver l'industrie nucléaire dont notre pays tire une fierté légitime, à l'égal de son avance technologique. Or à notre arrivée, Areva affichait de lourdes pertes – à hauteur de 5 milliards d'euros en 2014 –, et faute de renflouement, menaçait de sombrer. C'était inacceptable, aussi bien pour notre indépendance énergétique que pour la bonne exécution des contrats passés avec nos pays partenaires, notamment la Chine.

J'ai donc décidé de rapprocher Areva et EDF et de recapitaliser le groupe. Parallèlement j'ai donné mon accord à EDF pour signer un contrat majeur destiné à la construction d'une centrale nucléaire, à Hinkley Point au Royaume-Uni, pour un montant de 22 milliards d'euros, ce qui assure à EDF malgré les réticences internes son développement à l'exportation.

Ces sujets sont complexes. Ils sont mal connus des Français alors qu'ils déterminent notre approvisionnement énergétique et la sûreté de nos centrales. Ils relèvent par essence de la décision présidentielle en raison de la présence de l'actionnariat public dans les entreprises concernées (EDF, Areva...) mais aussi par l'enjeu que représente le nucléaire dans sa double dimension civile et militaire.

J'ai souvent repensé à la décision qu'avait prise Georges Pompidou en 1973 quand il avait demandé à EDF de constituer un parc de centrales permettant à la France de disposer des moyens de réduire sa dépendance à l'égard du pétrole et de produire de l'électricité à moindre coût. Il aura déterminé le développement de notre pays pendant quarante ans et engagé une politique que ses successeurs ont respectée. Ma volonté a consisté à accélérer la montée des énergies renouvelables et à garder notre avance en matière d'industrie nucléaire. Je souhaite à mes choix la même postérité que ceux du président Pompidou.

PSA : du moribond au fleuron

J'ai eu à prendre d'autres décisions concernant ces entreprises que leur localisation ou leur notoriété ont placées sous le feu de la politique.

En 2012, le groupe PSA est à l'agonie. Son dirigeant Philippe Varin m'en avait prévenu par un coup de téléphone durant la campagne présidentielle.

J'avais compris ce jour-là qu'il avait retardé, pour des raisons faciles à imaginer, l'annonce d'un plan social. En juillet, il n'a plus cette réserve. Il fait savoir que 8 000 postes seront supprimés et qu'Aulnay-sous-Bois sera fermé. Le site de Rennes est également menacé. Je m'y rends dès l'été et j'y rencontre une délégation de salariés qui me font part de leur volonté de se battre pour cette marque si emblématique dans l'histoire de l'automobile française. Je revois encore cette femme en pleurs qui me confie qu'elle n'a jamais connu d'autre employeur que PSA. C'est toute sa vie.

Plus tard, j'apprendrais que d'importantes distributions de dividendes avaient eu lieu l'année précédente, sans rapport avec l'état financier de l'entreprise. En septembre, PSA quitte le CAC40 et l'action chute à moins de 5 euros. Si rien n'est fait l'entreprise court à sa perte. Pour éviter le pire le gouvernement, avec Pierre Moscovici, garantit les crédits de la banque PSA Finance. En 2014, il faut changer de gouvernance. J'accepte que l'État entre au capital pour 750 millions d'euros aux côtés d'un actionnaire chinois. Encore fallait-il en convaincre la famille Peugeot. Je la reçois un soir à l'Élysée et lui demande de réduire sa participation à 14 %. Elle s'y résout la mort dans l'âme. Pourtant elle n'eut pas à s'en plaindre. Aujourd'hui

PSA investit, embauche, exporte, fait des bénéfices et prépare les véhicules de demain. Mieux, le groupe diversifie sa production, se dégage progressivement du diesel, et achète ses concurrents Opel et Vauxhall. C'est une réussite exceptionnelle. Elle est due à des dirigeants remarquables et à des salariés qui ont consenti de lourds sacrifices mais qui voient avec fierté l'emploi repartir et les commandes affluer. En 2017, l'État revend la part qu'il détenait dans le capital à la Banque publique d'investissement avec une plus-value de près d'un milliard d'euros. Les intérêts publics ont été sauvegardés. En cinq ans, d'une entreprise moribonde dont les difficultés ont marqué le début de mon mandat, PSA est redevenu l'un de nos fleurons industriels. Cette fois un quinquennat aura suffi.

La cession d'Alstom

Plus controversée a été la décision que j'ai prise à l'été 2014 pour Alstom. Son actionnaire, Bouygues, que mon prédécesseur avait invité à entrer au capital avait décidé d'en sortir pour mieux se concentrer sur ses activités dans la téléphonie. Il avait établi depuis plusieurs semaines un contact confidentiel avec le groupe américain General Electric pour lui vendre la branche énergie d'Alstom. Chose extraordinaire, l'État n'en avait pas été informé : nous étions devant un intolérable fait accompli.

Je convoque donc les dirigeants et Martin Bouygues. Nous cherchons à obtenir des garanties, sur l'emploi et sur les sites. Au même moment Siemens fait également connaître son intérêt pour Alstom. Cette compétition nous facilite la tâche en nous permettant de faire monter le niveau de nos exigences. Arnaud Montebourg, le ministre du Redressement productif, s'implique résolument. Avec l'aide d'Emmanuel Macron il évalue les offres qui se présentent. L'une a le mérite de la cohérence puisque General Electric est déjà implanté en France notamment sur le site de Belfort. L'autre peut avoir l'avantage de constituer un groupe intégré franco-allemand, mais dont Siemens aura la direction.

C'est à l'État de trancher même s'il s'agit en l'occurrence d'actionnaires privés. Non pas à leur place, non pas directement, mais en indiquant clairement à quoi il s'opposera. Je fais savoir que General Electric a mon agrément. L'offre américaine prévoit la création de 1 000 emplois et protège nos intérêts stratégiques. Depuis cette signature, General Electric a essuyé de lourdes pertes et changé son dirigeant, Jeffrey Immelt avec lequel j'avais mené la négociation. J'avais pris soin de verrouiller l'accord et de prévoir des pénalités en cas de non-respect des engagements pris. Il reviendra à l'État de faire jouer ces clauses de sauvegarde. Il arrive que le nouveau président doive suivre les décisions de son prédécesseur. *A fortiori* quand il l'avait encouragé à les prendre quand il était conseiller.

Pour avoir pris des décisions majeures en cinq ans, celles qui ont déterminé notre sécurité ou notre avenir et tant de fois modifié le destin de mes compatriotes, je tire de cette expérience une double leçon.

La première vaut pour le chef d'État. S'il veut rester au niveau qu'exige sa responsabilité, il ne doit pas être submergé par le nombre de dossiers qui remontent vers lui. Ils envahissent son temps, captent son attention, et altèrent sa vision de l'essentiel. Tout ne se vaut pas dans l'agenda présidentiel, une nomination ou une opération extérieure, un arbitrage budgétaire ou la fixation d'un cap stratégique, l'annonce d'une réforme ou sa mise en œuvre. À vouloir intervenir sur tout, on ne pèse sur rien.

La seconde leçon vaut pour l'histoire. L'anecdote a supplanté le sens, l'écume est regardée comme la mer. Or dans une action, c'est la trace qu'elle laisse qui juge sa profondeur. Ce n'est pas le temps passé à une décision qui compte. C'est la durée qu'elle aura pour le bien commun.

3

Voyager

À peine élu, le président s'envole. Non pas dans les sondages comme on aura pu le remarquer mais dans les airs. Dès mon entrée en fonction, je suis happé par un tourbillon de rencontres et de conférences internationales qui m'entraînent au loin. J'ai effectué lors de mon quinquennat plus d'une centaine de voyages officiels. Au début de mon mandat, je demande, dans la mesure du possible, à me déplacer par voie ferroviaire. C'est par ce moyen que je me rends par exemple à Bruxelles. Mais bientôt les mesures de sécurité m'en empêchent. Il est plus facile de sécuriser un avion qu'un train. J'ai donc en cinq ans parcouru des dizaines de milliers de kilomètres par la voie des airs.

Air Élysée

Le président dispose pour ces voyages de deux avions de taille inégale. Le premier est un appareil spécialement aménagé qui sert pour les longs courriers et qui peut emmener une importante délégation. Le second est un jet de dix places qu'on utilise pour les courtes

71

distances. Nicolas Sarkozy avait voulu doter la présidence d'un appareil conçu sur-mesure. Il en avait coûté quelque 180 millions d'euros ; l'opposition avait critiqué cette dépense et une polémique avait mêlé des arguments de mauvaise foi à l'affaire, laissant courir le bruit qu'un four à pizza et une baignoire y avaient été installés, ce qui est pure invention. Faute d'avoir joué la transparence l'Élysée avait laissé se propager une rumeur infondée. Nicolas Sarkozy en avait conçu un courroux bien compréhensible. À chacune de nos rencontres, il ne manqua pas de me faire remarquer d'un ton goguenard que je faisais bon usage de son avion. J'avoue sans peine ni remords que les exigences de la fonction m'ont conduit à l'adopter.

C'est un Airbus A330 doté d'une autonomie de 7 300 km qui évite ainsi les inconvénients des escales. Il est divisé en trois compartiments, le premier pour les ministres et les délégations. Le deuxième comprend une salle à manger où l'on peut tenir à une douzaine. Le troisième est composé d'un petit bureau et d'une chambre, dotée d'un grand lit et d'une salle de douche. Cette organisation permet au président de travailler dès qu'il arrive dans l'avion, de dîner tranquillement avec les membres de la délégation et d'être en liaison constante avec Paris car il peut téléphoner à tout moment du voyage. Il est ainsi à pied d'œuvre dès le début de la visite.

La nuit de Minsk

Au cours de mon mandat, j'ai rencontré la plupart des dirigeants de la planète et sondé leur personnalité.

Le plus difficile fut à coup sûr Vladimir Poutine. C'est un homme tout en muscle et en mystère, aussi chaleureux et attentif qu'il peut être glacial et brutal, opposant toujours à son interlocuteur ce regard bleu qui lui sert tantôt à séduire tantôt à inquiéter, expansif dans ses éclats de rires et cynique dans ses raisonnements, prononçant d'une voix placide les mots les plus acides.

Comment ne pas se souvenir de cette longue nuit du 11 février 2015 passée dans une grande salle sans âme du palais de l'Indépendance à Minsk, en Biélorussie ? Nous étions au plus fort de la crise qui frappait l'Ukraine depuis la destitution du président pro-russe Viktor Ianoukovitch à la suite d'émeutes provoquées par son refus de signer un accord d'association avec l'Union européenne.

En juin 2014, en marge des cérémonies d'anniversaire du Débarquement de 1944, j'avais suscité une rencontre à quatre, Angela Merkel, Vladimir Poutine, et Petro Porochenko le nouveau président ukrainien. Ce « format Normandie », qui réunissait les deux principaux dirigeants de l'Union européenne et les deux protagonistes essentiels du conflit, allait devenir le cadre efficace de sa résolution. Issu de la révolution de Maïdan, le président ukrainien entendait faire prévaloir son autorité sur l'ensemble du pays alors que les deux provinces de l'Est, Donbass et Lougansk, soutenues par la Russie, étaient entrées en sécession. Déjà heurtée par la séparation de la Crimée, province ukrainienne qui avait choisi la Russie, l'Europe ne pouvait accepter cette partition.

Les intentions de Vladimir Poutine étaient limpides. Il voulait conserver son influence sur ces régions russophones et affaiblir autant que possible le pouvoir pro-européen en place à Kiev. Après l'échec d'un premier cessez-le-feu, les combats faisaient de nouveau rage entre les troupes ukrainiennes et les milices séparatistes.

Ce jour-là à Minsk, l'urgence est de conclure un arrêt des hostilités et de dégager un compromis institutionnel qui puisse préserver l'unité de l'Ukraine. La conférence qui se tient au premier étage du palais traîne en longueur, sans résultat. C'est le but recherché du côté russe. J'ai vite compris que Poutine veut gagner du temps et différer le cessez-le-feu le plus tard possible pour permettre aux séparatistes d'encercler l'armée ukrainienne et de conquérir des positions supplémentaires. Avec Angela Merkel, nous proposons alors de reprendre la négociation dans un format plus réduit, de faire l'impasse sur le dîner et de nous mettre vite au travail.

Angela Merkel ne craint pas Vladimir Poutine, elle le connaît bien et depuis longtemps. Elle sait lui parler. Lui ne renonce jamais à l'intimider par un mélange de menaces, de compliments et de souvenirs. Quand il la recevait à Sotchi, il lui imposait la présence de ses chiens. Il savait pertinemment qu'elle ne les aimait guère. Mais elle a de la patience et une longue habitude des négociations. De plus, elle a cette faculté extraordinaire de n'être jamais gagnée par le sommeil.

« Nous ne mangeons pas », dit Angela, ce qui me paraît un sacrifice désagréable mais nécessaire. On nous sert des sandwiches de méchante mine et nous nous asseyons en cercle autour d'une table basse malcommode. Merkel prend un papier et tient la plume. Porochenko reste intraitable sur la souveraineté de son pays tandis que Poutine défend l'autonomie nécessaire des deux provinces et cherche à repousser de trois semaines la fin des combats. Il est d'autant plus raide qu'il nie avoir un contact direct avec les chefs des séparatistes et, prétextant qu'il ne peut décider à leur place, exige qu'ils soient consultés avant tout accord. Tout cela se passe sur fond de drame humanitaire : le conflit a déjà causé la mort de 10 000 personnes. Quelques mois plus tôt, en juillet 2014, un missile tiré par les milices pro-russes a abattu par erreur un avion de Malaysia Airlines dans la région de Donetsk tuant les 298 passagers dont 80 enfants.

Au fil des arguments, Angela Merkel ne laisse à personne d'autre, même à ses conseillers, le soin de rédiger les articles de l'accord. C'est son tempérament et sa méthode, sérieuse, appliquée, vigilante. Plusieurs fois le ton monte entre Porochenko et Poutine, lequel s'énerve soudain et menace d'écraser purement et simplement les troupes de son interlocuteur. Ce qui revient à avouer la présence de ses forces à l'est de l'Ukraine. Il se reprend aussitôt.

Le théâtre Poutine

Nous ramenons la discussion sur le texte. Angela penchée sur son papier, moi plaidant sans relâche, captant l'approbation de nos deux protagonistes qui acquiescent progressivement tout en soulevant d'innombrables objections. La nuit se prolonge. Nous avançons lentement. À 7 heures du matin, après avoir accepté de mauvaise grâce nombre de dispositions, Poutine s'accroche toujours à l'idée d'un cessez-le-feu lointain. Nous faisons remarquer que la Russie est sous le coup de sanctions européennes et que, si nous échouons, une nouvelle salve de rétorsions sera adoptée par l'Union. Il fait mine de n'en avoir cure. Puis, après nous avoir tenus en éveil toute la nuit il accepte *in extremis* un arrangement. Nous nous mettons d'accord pour laisser un délai de quatre jours avant l'arrêt des hostilités. Nous décidons du retrait des armes lourdes qui sera suivi de l'échange des prisonniers. L'autonomie des provinces est consacrée, une révision constitutionnelle permettra l'adoption d'une loi électorale par Kiev qui retrouvera le contrôle de sa frontière avec la Russie, assortie d'une zone démilitarisée.

Mais au moment de conclure, Vladimir Poutine déclare soudain qu'il faut consulter les chefs des milices. Un de ses émissaires va les rejoindre pour recueillir leur avis : où sont-ils ? Dans un hôtel à Minsk comme il nous est dit ou dans un bureau proche du nôtre ? En tout cas nous ne les verrons jamais…

Tandis que Poutine se retire, nous nous affalons sur les fauteuils et le sommeil nous gagne. Le temps passe, rien ne vient. Puis nous apprenons que les séparatistes récusent l'accord et le subordonnent à toutes sortes de précisions et de garanties. Il est déjà 9 heures, Angela Merkel et moi-même devons nous rendre à Bruxelles où un Conseil européen a été convoqué. Cette fois nous perdons patience. Il ne peut être question d'accepter l'échec. Nous exigeons de retrouver le président russe pour un ultime entretien. Pendant que nous somnolions dans notre salle d'attente, il s'est installé dans un grand bureau doté d'un lit qui semble confortable… Il s'y est visiblement reposé pendant les deux heures de battement. Il reparaît, plus frais que nous.

Avec Angela Merkel, nous nous exprimons d'une même voix. Au milieu de ce bras de fer, malgré la fatigue, je constate que ce matin-là il n'y a pas seulement l'Allemagne et la France dans la négociation. Il y a l'Europe, l'Europe unie et déterminée. Je vais droit au but : « Nous n'avons pas fait tout ce travail pour nous arrêter là. Il y va du sort de centaines de milliers de personnes, qui dans l'Est de l'Ukraine sont déplacées et épuisées par le froid et la faim. Il faut conclure maintenant. » D'un ton coupant, Angela Merkel prévient Vladimir Poutine que la Russie sera isolée pour longtemps. Lui-même est perplexe. Il voulait gagner encore du temps. Mais sans doute pense-t-il qu'un accord lui permettra de retrouver sa place au sein des grands pays et de reprendre son souffle. Grâce à l'escalade belliqueuse qu'il a engagée depuis plusieurs mois, il a absorbé la Crimée et ses féaux se sont installés dans l'Est de l'Ukraine. Plus tôt il m'a confié en marge des discussions qu'il ne voulait pas la partition de l'Ukraine mais seulement protéger les russophones. En fait, son but est d'affaiblir le pouvoir de Kiev pour espérer plus tard l'arrivée d'une nouvelle équipe plus accommodante à l'égard de la Russie et plus distante vis-à-vis de l'Europe. Il veut surtout empêcher que l'Ukraine rejoigne l'Alliance atlantique et bénéficie de livraisons d'armes qui pourraient changer le rapport de force.

Après avoir monté cette scénographie tragi-comique, il décide d'accélérer. Une ultime réunion se tient entre les présidents russe et ukrainien en notre présence. Je propose un compromis sur la date d'entrée en vigueur du cessez-le-feu. Angela Merkel plaide pour que l'on ne change qu'à la marge le texte élaboré patiemment dans la nuit. Vladimir Poutine s'isole pour téléphoner. Quelques minutes plus tard, il nous confirme l'accord donné par les chefs séparatistes, ceux-là même qu'il prétendait ne pas connaître au petit matin.

Ce texte dit « Minsk II » est toujours en vigueur. Il est appliqué avec plus ou moins de bonne volonté par les parties, même si de nouveaux affrontements, plus sporadiques, ensanglantent encore la région. Il a ramené un semblant de paix et préservé l'unité de principe de l'Ukraine. Le pire a été évité.

On a présenté ces tensions comme les prémices d'une nouvelle guerre froide entre Russie et Occident. C'est inexact. Certes Vladimir Poutine cherche à rétablir la zone d'influence qui était celle de l'empire soviétique. Mais il ne s'agit plus d'un affrontement entre deux systèmes sociaux radicalement opposés. C'est une lutte d'intérêts nationaux. Poutine veut autour de son pays un glacis d'États soumis. Sa tactique consiste à encourager les conflits de ses amis avec ses adversaires, puis à les geler. Une zone grise s'établit alors à la frontière de l'Ukraine, de la Géorgie, de la Moldavie, de l'Azerbaïdjan. Ces États restent indépendants. Mais ils sont affaiblis et sujets du même coup à l'attraction russe.

Autrement dit, les compromis passés à chaud sont nécessaires mais ils ne règlent pas les questions de fond : une paix fragile s'installe, le fait accompli imposé par les Russes devient progressivement la norme. On évite la guerre mais on pérennise la domination. Si Vladimir Poutine menace c'est pour mieux négocier. Il ne conquiert pas, il grignote. Le dramatique exemple de la Syrie en est une preuve supplémentaire.

Le baril du Moyen-Orient

La même méthode, toute d'ambiguïté, de manœuvres et d'offensives plus ou moins retenues, lui a permis de rétablir la présence de son pays au Moyen-Orient. Le renoncement de Barack Obama, au moment des attaques chimiques menées par le régime syrien, a été compris par Vladimir Poutine comme le signe d'un désengagement des Américains d'une région où, sous George W. Bush, ils avaient déjà causé de nombreux dégâts. Il a évalué les conséquences de cette décision sur l'ensemble des acteurs de la région. Les pays du Golfe se sont mis à douter de leur allié principal. Les Iraniens se sont autorisés à agir directement sans crainte d'une rupture des discussions sur le futur accord sur le nucléaire. Le régime syrien s'est senti encouragé à poursuivre le massacre, l'opposition modérée brusquement lâchée s'est radicalisée. La voie fut donc ouverte pour que la Russie reprenne contact avec tous et décide d'intervenir elle-même, pour la première fois depuis la sinistre expérience de l'invasion de l'Afghanistan en 1979.

À chaud, le président russe joue les intermédiaires et fait mine d'obtenir la destruction des stocks d'armes chimiques syriennes. En fait, le régime en garde une bonne partie qu'il utilise encore de loin en loin. Au bout du processus, Assad est remis en selle grâce aux milices pro-iraniennes et à l'appui de l'aviation russe. Daech s'effondre mais c'est grâce à la coalition arabo-kurde soutenue par la coalition internationale. Ainsi, faute d'une action diplomatique vigoureuse à la hauteur de leur engagement militaire, les Occidentaux laissent la Russie tirer seule les bénéfices politiques de cet imbroglio. C'est elle qui convoque l'opposition syrienne ou ce qu'il en reste pour tenter une réconciliation avec le régime. C'est elle qui s'allie avec la Turquie et la laisse écraser les Kurdes qui ont pourtant été les héros de la victoire contre Daech. C'est elle qui gèle tout règlement global de la crise au Moyen-Orient pour mieux justifier son retour dans cette région.

Cette longue séquence est une douloureuse leçon pour les démocraties. Elles font face à des dirigeants qui ont une vision à long terme de leurs intérêts, peu de considération morale sur les moyens employés, guère de contrainte d'opinion, et qui disposent de tout leur temps pour atteindre leur objectif stratégique. Vladimir Poutine est l'un des dirigeants du monde qui peut s'enorgueillir de la plus impressionnante longévité et nulle limite ne semble s'opposer à la pérennité de son pouvoir. Aussi regarde-t-il ses homologues avec un mélange de condescendance et de curiosité. Il pense au fond de lui qu'ils ne sont que de passage et qu'ils sont soumis à des aléas médiatiques et politiques qui les rendent vulnérables. Il les juge pusillanimes ; lui ne connaît pas d'état d'âme. Il emprunte à la formation communiste reçue dans sa jeunesse des raisonnements forgés dans l'empire soviétique et il voue aux États-Unis une aversion héritée de la guerre froide. Il se pose aussi en défenseur ombrageux de la chrétienté face au péril de l'islamisme et en héraut des valeurs morales menacées par le désordre des mœurs venus d'Occident.

J'en ai une illustration lors du voyage officiel que j'effectue en Russie à la fin du mois de février 2013. Vladimir Poutine me reçoit au Kremlin. Une importante délégation ministérielle m'accompagne. C'est l'heure du déjeuner. Le repas qui nous est servi respecte avec tact les canons de la gastronomie française. Vladimir Poutine est manifestement heureux de nous accueillir dans cet immense palais qui associe les souvenirs du tsarisme et du stalinisme, avec ses plafonds haut perchés et ses murs épais et décrépis. Nous parlons de nombreux sujets. Au moment où j'aborde celui de la Syrie, je ne mâche pas mes mots pour dénoncer les excès du régime. Je critique l'impasse représentée par le soutien que la Russie lui accorde. Je stigmatise le blocage qu'elle provoque en Conseil de sécurité par le veto qu'elle inflige à toute résolution impérative. Il me laisse parler, le visage fermé. Soudain, il se lance dans une critique véhémente de l'indolence supposée des Occidentaux envers l'islamisme. « Mais enfin, me dit-il, vous avez déjà vécu tout cela, vous les Français. La guerre d'Algérie, ne vous a-t-elle pas servi de leçon ? » Je lui rétorque sur le même ton que cette guerre était d'abord une guerre d'indépendance, qu'elle n'avait rien de religieux et que nous étions alors une puissance coloniale en butte à une insurrection nationale. Il sourit d'un air sceptique, conscient d'être allé trop loin en voulant justifier sa politique envers les Tchétchènes ou d'autres minorités.

Double dîner

Un an plus tard, le 5 juin 2014, c'est à mon tour de le recevoir. Nous sommes à la veille des commémorations du 70ᵉ anniversaire du Débarquement. Les tensions se sont exacerbées. Le G8 qui devait se tenir à Sotchi a été annulé. Il a été décidé de suspendre la participation de la Russie à cette instance après l'annexion de la Crimée. J'ai néanmoins décidé d'inviter le président russe pour les cérémonies prévues en Normandie. Malgré les tensions en cours, comment aurait-il été possible d'oublier le sacrifice de millions de soldats de l'Armée rouge ? En retenant les Allemands sur le front de l'Est, en résistant héroïquement à Stalingrad puis en infligeant de lourdes pertes aux nazis, ils ont rendu possibles le Débarquement et la libération de notre pays. C'est aussi l'occasion de faire asseoir Vladimir Poutine aux côtés du nouveau président ukrainien pour qu'il en reconnaisse la légitimité. J'ai prévu de les réunir avec Angela Merkel dans un salon du château de Bénouville qui accueillait pour le déjeuner la vingtaine de chefs d'État et de gouvernements présents. Ainsi le Débarquement, soixante-dix ans après, devait une fois encore servir la cause de la paix.

À Paris, peu avant les cérémonies de Normandie, j'ai convié le président Barack Obama dans un grand restaurant. Il est des moments où la diète est incompatible avec la politique et où, selon la célèbre formule de Talleyrand au congrès de Vienne, les cuisiniers viennent au secours des diplomates. Ce fut doublement vrai ce jour-là car je voulais, le même soir, m'entretenir aussi avec le président russe. Il ne restait qu'une possibilité, un deuxième souper, donné cette fois à l'Élysée. Ainsi fut fait. À 19 heures, avec nos ministres des Affaires étrangères respectifs, Laurent Fabius et John Kerry, Barack Obama et moi-même dégustons les plats préparés par le célèbre chef Guy Savoy et entreprenons de faire un examen approfondi des questions planétaires en cet été 2014. Côté français nous économisons notre gourmandise sachant que nous devrons aussi faire honneur aux recettes du chef de l'Élysée un peu plus tard, avec Vladimir Poutine.

Le président Obama est un homme qui ne doute pas de son charisme, lequel est incontestable. Comme me l'avait soufflé un conseiller qui le découvrait, il est d'abord « Barack Obama », un personnage, une icône, une page d'histoire, le premier président noir américain. C'est un orateur exceptionnel qui sait faire surgir une émotion par la magie de la parole, un intellectuel capable des raisonnements les plus charpentés et les mieux informés. Mais la chaleur qu'il fait partager à des foules et cette simplicité souriante qu'il affiche avec un talent rare et un sens élaboré de la communication s'effacent dans des réunions plus intimes ou dans les contacts personnels. Il n'aime guère se confier et encore moins exhiber ses sentiments. Il est un convive amical mais sur la réserve. Il mange peu et soigne sa ligne. Il ne finit jamais ses desserts et, quand je lui fais servir un plateau de fromages, il coupe précautionneusement un petit bout de chèvre qu'il abandonne ensuite sur le bord de son assiette. Comme s'il craignait de nous donner un avantage dans la négociation commerciale qui s'ouvre entre l'Europe et les États-Unis sur les produits agricoles… Car Barack Obama, aussi universaliste soit-il, n'oublie jamais de servir les intérêts américains.

Le sac de Vladimir

Une heure plus tard, changement de décor, d'interlocuteur et d'ambiance. Laurent Fabius et moi-même attendons à l'Élysée Vladimir Poutine et son ministre

Sergueï Lavrov. Pour briser la froideur de l'échange, le président russe n'a pas lésiné sur les moyens. Je ne parle pas des avancées qu'il s'apprête à consentir sur des dossiers brûlants, mais des attentions qu'il entend manifester à notre endroit. Mon regard se porte sur un sac isotherme qu'il tient à la main. Je découvre qu'il contient une bouteille de vodka qu'il veut nous faire partager, veillant à ce qu'elle soit à bonne température. Il montre un fort bon appétit et rien ne paraît entamer sa bonne humeur. Il multiplie les toasts à la gloire de l'amitié franco-russe, de la victoire sur les nazis, et même des Américains qu'il appelle pour l'occasion « les Yankees », avec une ironie à peine dissimulée.

Napoléon à la rescousse

Vorace, Vladimir Poutine est aussi un coriace. Ce soir-là, il veut être aimable et, incontestablement, il parvient à l'être. Quand la situation l'exige, il sait trouver les formes et ménage ses surprises. Un autre exemple de cette recette éprouvée m'est donné au retour d'un voyage que j'effectue au Kazakhstan, le 6 décembre 2014. Le président de ce pays, ami de la France depuis que François Mitterrand y avait fait une visite officielle au lendemain de sa déclaration d'indépendance, tient à me faciliter la tâche dans ma recherche d'une médiation sur l'Ukraine. Il me propose de solliciter un entretien avec le président russe et il se fait fort de le convaincre d'assouplir sa position. Il propose de m'organiser ce rendez-vous à Moscou, sur le chemin me ramenant vers Paris. Je lui réponds que je ne suis pas demandeur et que c'est à Vladimir

Poutine de faire ce geste, qui n'a de sens que s'il a une proposition à me soumettre pour dénouer la crise. Le président Nazarbaïev accepte d'intercéder et se fait fort d'obtenir une avancée.

Au moment de partir, il me demande de revêtir la tenue traditionnelle de son pays, un manteau beige et une chapka assortie du plus bel effet, en gage de l'excellence de notre relation. J'y souscris de bonne grâce, aussitôt affublé de la tenue en question. Une photo allait immortaliser l'événement et contribuer à ma notoriété sur les réseaux sociaux. La diplomatie valait bien de consentir à ce péché d'élégance.

J'ai sciemment posé mes conditions pour la rencontre avec Vladimir Poutine. Elle doit se faire dans un cadre informel, non au Kremlin mais dans un salon de l'aéroport où je ferai escale. Nous atterrissons à Moscou et au bas de l'avion Vladimir Poutine m'accueille pour me conduire avec ma délégation dans une salle préparée pour l'occasion et dotée d'un décor franchement sinistre. Nous entamons notre discussion. Elle n'est pas prévue pour durer plus de deux heures ; elle s'éternise. Nous sommes conscients qu'une initiative pour l'Ukraine est nécessaire mais qu'elle doit pouvoir déboucher sur un résultat concret. Il est l'heure du goûter, me prévient Poutine. Il m'invite à rejoindre un autre salon bien plus confortable où une table a été dressée avec soin. Le temps s'écoule. Du goûter, nous passons sans transition au dîner où rien ne manque, surtout pas le superflu. Au moment de nous séparer, le président russe veut me remettre un cadeau pour sceller notre réconciliation. Un de ses collaborateurs apporte alors un échantillon des meilleurs vins russes. Poutine est détendu, il plaisante. Il fait mine de croire que je suis déçu, comme si je dédaignais par nature un cépage qui ne viendrait pas de France. Les échanges de bonnes manières continuent et Poutine m'a réservé une autre surprise. Il ménage son effet. Une boîte a été posée près de lui, mystérieuse. Il en sort soudain un document enveloppé d'un emballage richement orné. Je l'ouvre. C'est une lettre de Napoléon écrite pendant la campagne de Russie. La pièce est rare. Poutine me dit l'avoir achetée lui-même auprès d'un collectionneur. L'avait-il depuis longtemps dans ses archives, ou l'avait-il acquise dans la perspective de notre rendez-vous ? Il entendait en tout cas marquer, par cette attention à l'égard de la France, le respect qu'il attachait à notre histoire commune.

Tel est le dirigeant russe, froid et déterminé, imprévisible, et délicat. Il s'accommode de l'Europe dès lors qu'elle est faible et divisée. Il joue avec les uns, usant de l'arme économique et énergétique et avec les autres en plaçant ses armées aux frontières. Il respecte la force, dont celle des États-Unis, mais il a montré qu'il ne répugnait pas à employer tous les moyens, y compris les plus indicibles, pour semer le trouble au cœur même de la démocratie américaine.

À la Maison Blanche

La France a une relation singulière avec les États-Unis. L'histoire de nos pays plonge dans nos révolutions respectives. Chacune de nos deux nations a l'ambition de porter partout dans le monde la cause de la liberté. Nous n'oublions rien de ce que nous nous devons mutuellement : l'indépendance.

Depuis que les États-Unis sont devenus la première puissance de la planète, la France a toujours été une alliée loyale mais jamais un pays vassal. Elle a été solidaire lorsque l'Amérique a été éprouvée pour les valeurs qu'elle défendait le 11 septembre 2001. Elle a été présente quand il s'est agi, au nom d'une légitime défense collective, de poursuivre en Afghanistan les groupes terroristes qui l'avait frappée. Elle a été distante, critique même, quand une décision contraire au droit et à la vérité l'a conduite à intervenir en Irak une deuxième fois, avec les conséquences que l'on sait.

Au-delà des alternances, la France a toujours considéré qu'elle pouvait parfois agir différemment des États-Unis, même s'il n'y a pas de problème mondial qui puisse se passer d'une réponse américaine. Ce fut le cas au cours de mon quinquennat pour la recherche d'une solution aux deux grands défis de la période : la prolifération nucléaire et le réchauffement climatique.

C'est conscient de cet héritage et de ces enjeux que je rencontre pour la première fois, le 18 mai 2012, le président Obama. J'entre à la Maison Blanche, chargée des souvenirs de Franklin Roosevelt, l'homme du New Deal, l'acteur décisif de la victoire alliée, et de John Kennedy dont je me souviens avoir vu les images de l'assassinat à la télévision alors que j'avais à peine une dizaine d'années. Aujourd'hui c'est Barack Obama qui m'accueille dans le bureau Ovale. Il est conforme à l'image que j'en ai : tout en hauteur, avec une agilité qui décuple son élégance, un sourire qui éclaire une familiarité jouée aussi pour l'extérieur.

Barack Obama entame toutes les discussions par une longue explication qui circonscrit l'échange et paraît le clore avant même qu'il ne se soit engagé.

Je lui annonce que j'ai décidé de retirer les troupes françaises d'Afghanistan, conformément à la promesse formulée pendant ma campagne. Il s'est préparé à cette décision. Il la comprend. Il avait lui-même honoré sa parole en désengageant ses soldats d'Irak. Nous établissons un calendrier. Les militaires français resteront jusqu'à la fin de l'année puis n'assureront plus que la protection de l'aéroport de Kaboul, avant de s'effacer.

Nous parlons de la relance de la croissance qui est son souci autant que le mien. Il évoque le risque de l'éclatement de la zone euro et des désordres monétaires qu'il pourrait engendrer. Il est sincèrement inquiet mais je mesure aussi au fil de la conversation qu'il regarde davantage vers la Chine que vers l'Europe. Il voit la première comme une puissance concurrente dont il veut se rapprocher. Il nous regarde comme un continent sans gouvernance efficace. Je m'emploie à en faire un allié dans le concert des nations. Ensemble, nous pouvons définir des mécanismes de régulation de la finance, lui rappelant tout de même que la crise qui nous frappe a son origine dans le dérèglement du système bancaire américain. Nous nous promettons d'agir pour le climat et de joindre nos efforts pour convaincre l'Iran de renoncer à l'arme nucléaire. Puis il me raccompagne à la porte de la Maison Blanche.

Avec Laurent Fabius, nous nous dirigeons de l'autre côté de l'avenue où se dresse le bâtiment du département d'État alors dirigé par Hillary Clinton. C'est une femme volontaire, directe, qui connaît bien notre pays. Elle l'a visité plusieurs fois comme « first Lady » puis comme secrétaire d'État. Elle est loyale à l'égard de Barack Obama qui l'a pourtant défaite à la primaire. Elle marque plus d'insistance que lui sur la nécessité d'agir en Syrie avant que le terrorisme s'y soit installé. Elle a parcouru le monde ces trois dernières années et elle ne cache pas qu'elle va bientôt s'arrêter pour préparer une campagne dont on ne peut pas imaginer en mai 2012 qu'elle se conclura par la victoire de Donald Trump.

Angela, Barack, Mario et moi

Quelques jours plus tard j'arrive à Camp David, la résidence d'été du président américain qui sert de cadre au sommet du G8. C'est un vaste parc semé de petites villas sans apprêt où sont installées pour l'occasion les délégations étrangères des pays invités. Le soir, nous nous retrouvons dans le pavillon central. Obama me voyant arriver plaisante sur ma cravate, que j'ai conservée alors que les autres chefs d'État ont revêtu une tenue moins formelle. Je me suis toujours gardé de cette fausse décontraction pour aborder les questions les plus brûlantes du monde. Comme si la cordialité tenait à un attribut vestimentaire. Je ne m'en offusque pas et me mets dans la tenue locale. À Rome, on fait comme les Romains.

Les G8 obéissent à un rituel immuable. On fait d'abord travailler nos représentants spéciaux (appelés sherpas) pour aboutir à un texte qui sera amendé le cas échéant par les chefs d'État. Chaque mot est pesé : les journalistes en disséqueront toutes les nuances pour diagnostiquer une avancée réelle ou un obscur compromis. Les conversations restent générales et visent surtout à démontrer que les huit pays les plus riches du monde convergent sur l'essentiel. À ce sommet de mai 2012, la Russie est alors représentée par le président Medvedev. Il achève un long intérim de cinq ans permettant à Vladimir Poutine de respecter la constitution russe qui lui interdit d'accomplir plus de deux mandats consécutifs et ainsi se préparer à en faire deux autres de plus après. Je sens que les marges de manœuvre de Medvedev sont limitées et qu'il entend laisser la place en ne s'engageant sur rien. Barack Obama le ménage comme s'il espérait qu'il puisse encore jouer un rôle. David Cameron colle au président américain à mesure qu'il doute de l'Union européenne. Mario Monti attend de Barack Obama un appui. Quant au Canada, représenté par le Premier ministre Stephen Harper, il est content d'être là.

Après le dîner, nous nous retrouvons, Barack Obama, Mario Monti, Angela Merkel et moi-même pour évoquer la situation de la zone euro. Monti et Obama souhaitent voir l'Europe sortir de sa léthargie. Je pointe le rôle décisif que l'Allemagne peut jouer pour desserrer les contraintes budgétaires. Prise sous une pluie d'arguments, la chancelière est manifestement contrariée. Elle n'apprécie pas cette méthode qui l'oblige à se justifier devant un arbitre extérieur à l'Union. Je ne me plains pas du renfort américain pour faire prévaloir la croissance sur l'austérité. Cette parole mérite d'être entendue y compris en Allemagne ! Mais j'estime comme elle que nous devons, *in fine*, nous déterminer entre Européens. Cette nuit-là, Barack Obama aura aidé, involontairement, l'Europe à prendre son destin en main.

Les relations entre la France et les États-Unis auront été apaisées tout au long de mon mandat, marquées par une même conception des valeurs qui nous unissent, avec un seul regret néanmoins : que cette entente historique indissoluble, dont nous nous plaisons à cultiver l'intensité, n'ait pas débouché sur une action plus cohérente en Syrie où la juste position de la France n'a pas été soutenue au moment crucial par les États-Unis.

Nous en avons vu les conséquences. Certes Barack Obama pourra faire valoir que les armes chimiques ont été détruites, que le droit a prévalu et que sa parole de ne pas engager les États Unis sur un théâtre extérieur a été respectée. Il n'empêche : face à la barbarie, l'action est légitime et l'inertie coupable. C'est encore vrai aujourd'hui.

Nous en reparlerons plusieurs fois avec Barack Obama et notamment lors du dernier entretien téléphonique que nous avons eu à l'occasion de son départ de la Maison Blanche. Ensemble nous avions réussi à conclure un accord avec l'Iran qui a jusqu'à présent été appliqué sans accrocs. Ensemble nous avions formé une coalition internationale qui a été décisive pour chasser Daech de ses sanctuaires. Ensemble nous avions travaillé à un accord général sur le climat lors de la COP21 et rien n'aurait été possible sans le concours du président Obama. Il n'a manqué qu'une réponse commune sur la Syrie pour que la période pendant laquelle nous avions été l'un et l'autre aux responsabilités soit l'une des plus fécondes dans l'histoire récente des relations entre nos deux pays.

Donald Trump au téléphone

Je n'ai pas eu le temps de travailler avec Donald Trump. Juste six mois entre son élection et mon départ. Avec deux échanges téléphoniques. Au cours du premier, il me déclara son amour pour la France, alors même qu'au moment des attentats qui nous avaient frappés il avait déclaré sans précaution que la « France n'était plus la France » et que « Paris n'était plus Paris ». Il me parla de notre gastronomie, de nos vins, de nos monuments, s'abstenant de toute allusion à nos autres atouts. Interrogé sur le climat, il me dit qu'il avait été élu par les Américains à qui il n'entendait pas faire payer quoi que ce soit pour une cause qu'il ne soutenait pas. Et que c'était aux Chinois et aux Européens de montrer l'exemple. Il ramenait tout à des questions d'argent et j'étais pris par le vertige des « billions » de dollars dont il souhaitait faire l'économie.

Lors de notre second et ultime échange téléphonique, il se voulut plus conciliant et pour mieux témoigner de la confiance qu'il me portait, il me demanda si je ne connaissais pas quelques conseillers qui pourraient utilement rejoindre son équipe présidentielle. J'avoue que la proposition m'avait laissé perplexe, presque interdit ! Comment y répondre ? Par le rire, discrètement étouffé. Puis par un sérieux de façade à la hauteur de son aimable provocation. Imperturbable, je lui glissai après réflexion le nom d'Henry Kissinger, l'ancien secrétaire d'État sous Richard Nixon et Gerald Ford de 1973 à 1977 et encore plein de sagacité malgré ses quatre-vingt-quatorze printemps. Je venais de le rencontrer. Un long silence suivit ma suggestion. Il comprit que j'avais compris. Nous n'irions pas plus loin. Et aujourd'hui je mesure que son problème ne se limite pas à son seul entourage.

Au Saint-Siège

Ma première rencontre avec le pape François fut plutôt fraîche. Elle se situait dans un contexte où les relations entre le Vatican et la France s'étaient tendues à l'occasion de la loi sur le mariage pour tous. Le pape avait néanmoins accepté de me recevoir. Je me rends donc au Saint-Siège et dans ce décor solennel rehaussé par mille ans d'histoire, nous nous tenons de part et d'autre d'un austère bureau de bois. Le pape François a trop de finesse pour aborder de front les sujets qui fâchent, même si la hiérarchie catholique joua quelque rôle lors des manifestations contre notre réforme. Nous cherchons un point de convergence sur la dignité humaine, qui est le but ultime de tout engagement spirituel. Ce sont ces objectifs qui justifient à mes yeux d'élargir les droits des individus au nom des principes de liberté et d'égalité. De même, la lutte contre la pauvreté qu'il a placée au premier plan de son pontificat est un objectif qui nous est commun. La régulation des excès de la mondialisation, la lutte contre la montée des inégalités, les désordres climatiques et les mouvements migratoires appellent à une prise de conscience dont il est heureux que le pape François ait décidé d'être un acteur majeur. Je l'invite à venir en France quand il lui plaira. Il reçoit poliment cette proposition, mais il me précise que ses prochaines destinations le conduiront là où les crises sont les plus aiguës. Il ira à Cuba, au Moyen-Orient, en Afrique, usant de son influence sur des foules immenses dans le sens de la paix. Après le malentendu sur la nomination d'un ambassadeur de France au Vatican dont il avait été révélé par quelque source intéressée qu'il

93

était homosexuel, nos relations s'étaient peu à peu réchauffées.

Quand en juillet 2016 le père Hamel est assassiné dans l'église de Saint-Étienne-du-Rouvray, j'appelle le pape François. Il tient à apporter à la France soutien et solidarité. Il insiste sur le mot comme pour me faire comprendre que le sacrifice de ce prêtre doit nous unir et non nous diviser. Il appelle à l'apaisement, au dialogue, à la concorde. Il entend promouvoir l'œcuménisme dans un moment où tout peut se déchirer. Nous convenons de nous parler plus longuement et il m'invite à venir le voir avant la fin du mois. Il m'accueille dans un bureau beaucoup moins solennel que le précédent avec pour seul témoin son interprète. Il me réitère l'affection qu'il a pour la France, un pays « spirituel » où les idées ont une vocation universelle. Il salue le sang-froid et le courage avec lequel les Français ont surmonté les attentats. Puis il me parle de l'exil des chrétiens d'Orient, du massacre des musulmans, premières victimes du terrorisme et de notre responsabilité planétaire. Croire au ciel ou à la seule vie terrestre, c'est toujours croire en l'Homme. Nous étions loin de la diplomatie mais la France, pays laïque, était à sa place dans cette conversation.

Au cœur de la jungle

La rencontre la plus étrange fut celle que je fis, dans la forêt colombienne, en compagnie du président Santos, avec les représentants des Forces armées révolutionnaires de Colombie (les FARC), ceux-là même qui avaient retenu pendant plus de six ans Ingrid

Betancourt et mené une guérilla meurtrière pendant plus de quarante ans contre les autorités de leur pays. Le président colombien avait tenu à ma présence pour que la France se porte caution de l'accord de paix qui avait été conclu avec ce mouvement armé. Au milieu des grands arbres, des hautes herbes et des fleurs multicolores, plusieurs bâtiments de fortune ont été prévus pour accueillir les combattants des FARC venus rendre leurs armes et se préparer au retour à la vie civile. Dans une tente dressée pour l'occasion, les trois principaux dirigeants des FARC se tiennent en face de nous. Le président colombien entame la discussion en rappelant les engagements qui ont été souscrits. Le processus semble irréversible.

Une scène exceptionnelle se déroule sous mes yeux. Les soldats de l'armée colombienne et les militants des FARC, avec le concours de l'ONU, organisent le désarmement dans une région où il y a encore quelques mois des combats se déroulaient. Au moment où un dirigeant des FARC s'exprime, le président colombien me confie à l'oreille que c'était l'un des combattants les plus durs. Peu de temps auparavant, ses soldats l'avaient eu au bout de leur fusil mais n'avaient pu le neutraliser. Aujourd'hui il est là, à la même table que nous, pour négocier la paix, la réconciliation, l'ordre démocratique. Et la France en était le témoin actif et privilégié

Le jardin de Fidel

J'ai voulu également que la France prenne à travers mes déplacements des initiatives symboliques. Ce fut le cas en Algérie, en Tunisie, au Sénégal, à Madagascar

95

pour reconnaître nos responsabilités dans la période de la colonisation. En Arménie pour commémorer le centenaire du génocide arménien le 24 avril 2015 à Erevan. Au Chili pour me recueillir sur la tombe de Salvador Allende. En Haïti pour évoquer la dette de l'esclavage. Et enfin, à Cuba pour en appeler à la fin de l'embargo américain qui empêche ce pays de tirer tous les bénéfices de l'ouverture internationale qu'il a engagée. Premier chef d'État occidental à me rendre à La Havane, j'ai mesuré l'attente des Cubains pour rompre un isolement qui leur coûte et leur aspiration à sortir d'un conflit avec les États-Unis qui s'est prolongé bien après l'effondrement de l'Union soviétique.

Le président Raúl Castro me reçoit avec maints égards. Nous n'écartons aucun sujet, y compris celui des droits de l'homme. Une marque supplémentaire de reconnaissance m'a été accordée : il m'est proposé de m'entretenir avec Fidel Castro alors qu'il vit retiré dans sa maison, au milieu d'un quartier résidentiel de La Havane. Le « leader Maximo » me reçoit en compagnie de son épouse et de son fils. Il n'a plus la superbe d'antan. Il est éprouvé par la maladie, même si elle n'a pas altéré son insatiable volubilité, moins sonore que par le passé mais toujours inépuisable. Il est plus apaisé, comme s'il était mis à l'écart d'un monde qu'il avait fracturé au point de le mener au bord du précipice en 1962 lors de la crise des fusées. Il convoque l'histoire, non pas seulement celle de la révolution cubaine mais aussi la bataille séculaire de l'île pour son indépendance. À ma surprise, plutôt que de revenir sur ses combats dans la Sierra Madre ou sur le différend qui l'a opposé à l'Amérique durant son interminable présidence, il préfère me parler du rôle que les botanistes français ont joué dans le développement de son pays. Et notamment le frère Léon, qui mit au jour la richesse de la diversité naturelle de Cuba sur laquelle le pouvoir cubain s'appuya plus tard pour conjurer pendant des années l'embargo qui privait les habitants de l'île de produits indispensables à leur alimentation. Et voilà que Fidel Castro me parle de la culture légumière plutôt que de celle de la révolution pour souligner le rôle essentiel de la France dans l'émancipation de Cuba. À peine suis-je sorti de ce rendez-vous ébouriffant à plus d'un titre que la droite française multiplie les communiqués pour critiquer l'idée même du déplacement. Quelques mois plus tard, c'est Barack Obama qui effectue le voyage historique à Cuba, laissant entrevoir la levée des sanctions américaines aujourd'hui remise en cause par Donald Trump. Il est des visites qu'il vaut mieux avoir faites les premiers.

La France lointaine

Les Outre-mer offrent à la France une présence sur les cinq continents et un rayonnement dont sa diplomatie peut chaque jour tirer avantage. La France dispose grâce à cette géographie héritée de l'Histoire du deuxième espace maritime du monde, ce qui lui confère une responsabilité environnementale majeure mais aussi la capacité de valoriser des ressources pour promouvoir la « croissance bleue ».

Je n'ai donc jamais considéré les territoires lointains de la République comme de simples legs ou comme l'addition d'extraordinaires aventures humaines, encore moins comme un fardeau. Les Outre-mer pèsent bien davantage que les 2,7 millions d'habitants qui y habitent. Plusieurs centaines de milliers d'entre eux vivent également en métropole et leur apport à notre économie, à notre culture et à nos réussites sportives est considérable.

Derrière ce tableau flatteur, il y a aussi une réalité plus sombre avec des retards, des inégalités, des discriminations et des séquelles de l'Histoire. Je me suis attaché à visiter, au cours de mon mandat, toute la France donc tous les territoires d'Outre-mer, y compris Wallis et Futuna où aucun président n'était venu depuis le général de Gaulle et dont la boisson locale, le kava aux vertus bienfaisantes est, dit-on, le « symbole de l'équilibre du monde ». J'aurais eu tort de m'en priver.

Chacune de ces régions est singulière. Sait-on que la Polynésie française s'étend sur une superficie aussi large que l'Europe, que la Nouvelle-Calédonie a le plus grand lagon du monde, que les Antilles françaises représentent une population qui atteint plus d'un million d'habitants, comme la Réunion qui a elle seule en compte 900 000 et que Saint-Pierre-et-Miquelon (6 500 habitants), dernier vestige de la Nouvelle-France perdue lors de la guerre de Sept ans, fut la première terre française à rallier la France libre ?

Guyane et Mayotte : le chaudron

Tous attendent beaucoup de la métropole mais deux territoires me paraissent exiger une attention particulière : la Guyane et Mayotte. Ils font face à des courants migratoires considérables qui menacent leur équilibre social. Le premier qui, avec le centre de Kourou, donne à la France sa modernité fait l'objet d'un pillage de ses ressources, aussi bien pour la pêche que pour l'or. Il fait face à l'arrivée de migrants clandestins venant du Surinam, du Brésil et d'Haïti, ce qui ne peut manquer de provoquer des troubles à l'ordre public au sein d'une population où le taux de chômage est deux fois plus élevé qu'en métropole et dépasse 45 % chez les jeunes. Les mouvements qui s'y sont produits en mars 2017 n'avaient pas d'autres causes. À Mayotte, la situation est encore plus explosive, avec une insécurité grandissante, liée à la présence de jeunes migrants venant des Comores voisines. Déposés là par des parents qui pensent que leurs enfants seront moins malheureux en France que chez eux, ils survivent dans des conditions misérables et forment des bandes dont les rapines deviennent le seul moyen de subsistance. La question scolaire est lancinante, la moitié de la population à moins de vingt ans. Les écoles et les collèges craquent sous la pression démographique. Rien de surprenant, même si c'est désolant, que le Front national y ait atteint en 2017 des scores de dix points supérieurs à la moyenne nationale.

Il nous faut en tirer la leçon. En Guyane comme à Mayotte, les frontières doivent être sécurisées, les reconduites des clandestins doivent être systématiques et les forces de sécurité bien plus présentes. Sinon c'est un déchaînement de violence qui est à craindre dans les prochaines années, auquel on ne saurait répondre par la seule répression. Ces territoires sont dans la République. La République doit résolument être dans ses territoires.

De ces voyages à travers le monde, de ces rencontres avec les principaux dirigeants de la planète, je tire une vérité. Elle est simple. L'histoire et la géographie commandent la diplomatie. Chaque nation cherche un âge d'or enfui, avec des moyens plus ou moins conformes à son ambition. Il en ressort des prétentions exagérées ou des frustrations dangereuses.

C'est muni de ces données que les relations personnelles entre chefs d'État trouvent leur place. Il en est heureusement qui savent maîtriser les crispations identitaires de leur peuple pour s'élever au niveau des enjeux de la paix, de la stabilité et de la préservation de la planète. Il en est d'autres qui en jouent cyniquement et ne sont mues que par la recherche de succès immédiats ou d'effets d'opinion, au risque d'aggraver encore les déséquilibres du monde. J'ai également fait la différence entre les dirigeants dont j'ai pu lire la stratégie, sans qu'elle me rassure toujours, et ceux qui, par tempérament ou par calcul, sont imprévisibles dans leurs réactions. Ce ne sont pas les moins inquiétants.

La sympathie, la convivialité, la compréhension sont utiles en diplomatie mais elles ne doivent pas créer l'illusion. Il faut toujours savoir à qui l'on a à faire. Le péché en cette matière c'est de croire davantage en ses qualités personnelles que dans les rapports de force. L'arrogance n'est jamais loin de la naïveté.

La France dispose sur la scène internationale d'une position avantageuse parce qu'elle ne parle pas seulement au nom d'elle-même mais d'une idée et parce qu'elle a les moyens de son indépendance. Elle doit, coûte que coûte, les préserver.

4

Faire face

Patrick Pelloux m'appelle sur mon téléphone portable. Sa voix est déformée par l'horreur. « C'est un massacre ! Ils les ont tous tués ! » Je suis saisi d'effroi – qui a été tué, où ? – j'essaie d'en savoir plus mais Patrick peut à peine parler, étouffé par les sanglots. C'est à Charlie, les tueurs ont fait un carnage. Je suis dans mon bureau avec Patrick Pouyanné, le patron de Total, qui venait me parler énergie. J'interromps aussitôt l'entretien et je demande à me rendre immédiatement sur les lieux. Les services de sécurité tentent de m'en dissuader. Je pars tout de même, essayant d'imaginer ce qui a pu se produire. J'arrive au milieu d'un attroupement boulevard Richard Lenoir, les officiers de police m'ouvrent le chemin. Pelloux sort hagard et tombe dans mes bras en pleurs. Les assassins sont partis, ils ont froidement exécuté un policier à terre dans la rue. Ahmed Merabet était de confession musulmane.

À l'étage, dans la salle de rédaction, les corps gisent dans le sang ; les secours sont au travail, il y a des blessés. Je ne veux surtout pas gêner les évacuations, je reste à l'extérieur, les survivants sortent un à un, le regard vide. La foule est grave, cherche à comprendre.

Les forces de l'ordre sont sur le qui-vive. D'autres terroristes peuvent être cachés. Je m'exprime devant les caméras qui ont été cantonnées au bout de la rue. Je dis la gravité de l'attaque, le sens qu'elle revêt. Charlie incarne la liberté, l'impertinence, le rire salvateur. Je parle de ces hommes et de ces femmes, que nous admirions et qui ne sont plus. Je convoque la première réunion de crise.

Les amis de Charlie

Je mesure le choc que cette tragédie va provoquer dans le pays et dans le monde. Charlie n'est pas seulement un journal. C'est un symbole. Ses dessinateurs ont accompagné plusieurs générations depuis les années soixante quand ils moquaient le général de Gaulle, les préjugés, les pouvoirs. Au fil des années, ils se sont installés au cœur de notre culture de satire et d'insolence envers les puissants. Bien au-delà de leurs idées, de leurs lecteurs, ils sont devenus l'emblème d'un certain esprit français, goguenard, provocant, indépendant, généreux aussi.

Je connaissais bien cette rédaction. Quelques semaines plus tôt, elle était venue me voir pour me parler des difficultés financières de Charlie. J'avais examiné avec Charb et ses amis les moyens de les aider en améliorant le dispositif de soutien à la presse. J'avais des liens amicaux avec plusieurs d'entre eux.

J'avais témoigné en 2007 dans le procès que la mosquée de Paris et l'UOIF leur avaient intenté après la publication des dessins satiriques représentant le prophète. Cabu m'avait interrogé, avec son équipe pour le film qu'il préparait sur cette affaire et qui sera primé à Cannes. Je repense à son crayon dont il ne se séparait jamais et qui lui servait en toute occasion. Il n'a pas eu le temps de le brandir face à ses assassins. Il leur aurait fait honte. Je rentre vite à l'Élysée où m'attendent Manuel Valls, Bernard Cazeneuve, Christiane Taubira, les responsables de la DGSI et de la DGSE, le chef d'état-major, les chefs de la police et de la gendarmerie. Les tueurs se sont enfuis en voiture vers le nord de Paris. Dans un véhicule accidenté, ils ont laissé leur passeport : de toute évidence, ils ont décidé de mourir, abandonnant toute précaution. Ils peuvent s'attaquer à d'autres cibles, ou même tirer à l'aveugle dans une foule. Leur nom a été communiqué à la presse, ce qui gêne un peu plus les investigations lancées dans leur entourage.

Ce sont deux frères au parcours chaotique, une enfance meurtrie, un placement dans un centre de Corrèze que je connais bien pour l'avoir visité comme élu. Puis la délinquance, la prison pour l'un, des voyages au Moyen-Orient pour l'autre témoignant d'une radicalisation progressive. Des loups solitaires ? Cette thèse m'a toujours laissé sceptique. Ceux-là sont les héritiers de la bande de Khaled Kelkal, un terroriste sanglant des années 1990, auteur des premiers attentats islamistes consécutifs à la guerre civile qui ravageait à l'époque l'Algérie. Ils sont en contact avec Al Qaida au Yémen. On glosera ensuite sur les facteurs qui expliquent leurs actes. Les uns invoquent l'emprise de l'intégrisme, qui s'étend à l'échelle mondiale ; les autres préfèrent mettre en exergue l'exclusion sociale et la fuite dans l'isla-misme comme pour marquer une rupture définitive

103

avec une République qui ne les reconnaîtrait pas. Pour moi l'affaire est claire : les causes sociales et les difficultés personnelles jouent un rôle dans leur itinéraire bien sûr mais c'est le fanatisme religieux qui déclenche leur violence.

Le processus de radicalisation n'est pas continu. Il peut être très rapide, comme dans le cas du tueur de Nice dont personne n'a pu établir un lien quelconque avec un groupe islamiste, ni détecté le moindre comportement suspect avant qu'il passe à l'acte terroriste. Mais il est souvent progressif, favorisé par l'adhésion au salafisme, par la fréquentation de leaders engagés depuis longtemps dans le prosélytisme islamiste dans les quartiers, dans les mosquées ou en prison. Régulièrement depuis mon élection, arrivaient sur mon bureau des rapports sur les départs en Syrie qui touchaient un nombre de jeunes limité mais néanmoins effrayant. Tous ceux-là étaient ensuite endoctrinés, habitués au maniement des armes et à la violence la plus extrême. Les frères Kouachi entraient dans cette catégorie, ce qui redoublait notre préoccupation. Il y avait probablement derrière eux des commanditaires, des manipulateurs de l'ombre, c'était une opération appuyée sur un groupe dont seuls deux membres, à ce stade, étaient entrés en action.

La génération du terrorisme

Depuis l'affaire Merah, les attaques avaient marqué une pause. Mais nous savions que ce n'était qu'une accalmie. Notre intervention au Mali, notre engagement en Syrie et d'une manière générale le symbole que représentait la France avaient encore accru la menace. Le terrorisme est une histoire ancienne. Nos parents et nos grands-parents ont vécu la guerre. Nous vivons avec les attentats. Au moment de mes études, c'était le terrorisme d'extrême gauche qui dominait. L'Italie était ensanglantée par les « années de plomb ». L'Allemagne aussi avec la « bande à Baader ». En France, Action directe avait assassiné des personnalités qui représentaient la puissance de l'État. Certains groupes palestiniens ou bien des activistes commandités en Iran, en Syrie ou en Turquie avaient eux aussi commis des attentats meurtriers. Le terrorisme avait ressurgi dans les années 1990 avec une série d'opérations sanglantes. Un commando avait même tenté bien avant le 11 Septembre de jeter un avion sur Paris, il avait été arrêté dans son élan par le courage des gendarmes français qui ont donné l'assaut à Marignane où l'appareil s'était posé.

Il faut noter au passage qu'aucune de ces entreprises n'a atteint ses objectifs politiques. Les peuples, au-delà de l'angoisse immédiate, ont gardé leur sang-froid et n'ont rien cédé de substantiel à ceux qui voulaient les subjuguer par la violence. Il en ira de même avec l'entreprise terroriste islamiste qui sévit sur notre territoire. L'État, dans le respect du droit, est plus fort que les groupes qui le défient. Nos forces de sécurité et de renseignement veillent avec efficacité et l'armée française inflige à l'extérieur des revers cruels à ceux qui nous ont déclaré la guerre. Rappelons-nous l'histoire récente : au XXe siècle les démocraties, malgré les tragédies sans nom, ont abattu le nazisme et le fascisme, ont triomphé du communisme totalitaire et de la plupart des régimes autoritaires. On critique parfois leur pusillanimité, leur lenteur à réagir aux agressions. C'est leur résilience et leur capacité à répliquer aux attaques qui dominent. Appuyées sur l'attachement des peuples à la liberté, les démocraties gagnent les guerres. C'est la leçon du siècle dernier ; ce sera celle du siècle qui commence.

Nicolas Sarkozy à l'Élysée

Réuni dans l'heure, le Conseil de défense prend toutes les mesures nécessaires pour appréhender les deux terroristes en fuite. Je reçois un appel de Barack Obama qui m'exprime sa solidarité et me confirme nos informations. C'est au Yémen que se situent les vrais inspirateurs de l'attentat.

Je vais ensuite à l'Hôtel-Dieu au chevet des femmes qui étaient présentes dans la rédaction pendant l'attaque. Elles se demandent comment elles sont encore en vie et elles trouvent la force de raconter les quelques mots échangés avec les frères Kouachi lors de l'attaque. Elles craignent que Charlie ne soit anéanti, que son aventure se termine là. Bouleversé par ces témoignages, je tente de les soulager, et leur promets que leur journal ne mourra pas.

Le soir à la télévision, j'appelle les Français à faire bloc et j'annonce que je consulterai les chefs de tous les partis politiques. L'idée d'une grande manifestation de solidarité se fait jour, je l'encourage. Dans la nuit, j'apprends que la police a traqué les deux hommes à Reims, à Charleville mais que les recherches n'ont rien donné. On me renseigne minute par minute. Toujours rien.

Le lendemain, je reçois Nicolas Sarkozy qui revient à l'Élysée pour la première fois depuis sa défaite de 2012. Il plaide pour la plus grande fermeté et le refus de toute concession, ce dont il n'avait pas besoin de me convaincre. Puis égal à lui-même, il fustige le laxisme supposé des uns ou des autres, critique obliquement Christiane Taubira, évoque une déclaration d'Emmanuel Macron sur « l'envie des jeunes français d'être milliardaires », ce qui me semble hors sujet. Il s'enquiert à juste raison de l'organisation de la manifestation et me confirme qu'il entend y participer. Je lui réponds qu'il sera évidemment dans le carré de tête du cortège à mes côtés, que tout sera fait pour préserver l'unité nationale. Plus tard dans le même bureau, Marine Le Pen se plaindra de ne pas être la bienvenue et exprimera sa crainte des réactions hostiles. Je lui assure que sa sécurité sera garantie et que toutes les personnalités qui voudront venir manifester pourront le faire. Elle décidera finalement de défiler ailleurs, dans un village du Sud. Ce sera la seule à adopter cette attitude.

Avec Manuel Valls, Bernard Cazeneuve, Christiane Taubira, nous nous retrouvons au fur et à mesure des événements, formant ainsi l'équipe qui aura à prendre les décisions cruciales dans les heures qui viennent. Manuel Valls est tout en concentration. Sa connaissance des rouages de la Place Beauvau facilite les rapports avec Bernard Cazeneuve qui l'a remplacé et qui en quelques mois a acquis une maîtrise impressionnante des dossiers tout en gardant un flegme qu'il teinte d'humour pour soulager la tension ; Christiane Taubira sait fort bien retenir son exubérance impétueuse pour analyser froidement les implications judiciaires des décisions que nous prenons. Les liens qui se créent entre nous au cœur du drame ne se briseront jamais quelles que soient les suites que nous donnerons à nos engagements respectifs.

L'amie Angela

Le jeudi 8 janvier au matin, j'apprends la mort inexpliquée d'une policière, Clarissa Jean-Philippe, abattue dans la rue à Montrouge par un individu cagoulé armé d'un fusil mitrailleur kalachnikov et d'une arme de poing, et qui a aussi touché dans la fusillade un agent de voirie municipale. Le Conseil de défense interprète vite cet assassinat comme un acte terroriste. Le tueur a opéré contre la policière à deux pas d'une école juive ; il y a lieu de penser que c'était sa cible. Les recherches redoublent d'intensité. Une descente de police manque d'arrêter Amedy Coulibaly, que nos services ont identifié comme le suspect. Mais il vient de quitter son refuge. Vers 9 h 30 le même jour, les frères Kouachi ont été aperçus dans une station-service des environs de Villers-Cotterêts. Le niveau « alerte-attentats » déclenché à Paris dès l'attaque du 7 est aussitôt étendu à la Picardie. Une chasse à l'homme commence dans la région, avec barrages, patrouilles en forêt et visites des maisons où les deux fugitifs auraient pu se cacher.

Entre-temps, les principaux chefs d'État du monde entier m'ont appelé au téléphone pour témoigner de leur soutien. Angela Merkel a été la première. Nous discutons en anglais, elle a un ton grave, même si sa voix est douce, presque maternelle. Nous devions nous voir dans quelques jours à Strasbourg. « Le mieux, dit-elle tout à trac, c'est que je vienne à la manifestation. » Son geste est spontané, irréfléchi même, ce qui est rare chez elle. Il est sincère, généreux, politique aussi, car il va déclencher une exceptionnelle mobilisation internationale. Quand elle raccroche, je sais que notre relation ne sera jamais plus la même. C'est un hommage à la France et un signe d'amitié sans mélange. Dans les heures qui suivent, tous les chefs d'État ou de gouvernement m'informent qu'ils viendront eux aussi défiler à Paris. Un mouvement se forme. Irrépressible. Le président Keïta du Mali, suivi par beaucoup d'Africains, annonce qu'il viendra. Les Européens seront là au complet et aussi plusieurs dirigeants arabes dont la présence est si importante dans cette circonstance. Dans la soirée du samedi, Benyamin Netanyahou propose lui aussi de venir. Je lui réponds que Mahmoud Abbas, le président de l'Autorité palestinienne, a fait la même démarche et que leur présence à tous les deux serait un beau symbole de paix face au fanatisme. Il en convient. Je mesure en ces instants que, dans la tragédie, notre nation représente toujours aux yeux du monde la terre de la liberté. Seul Barack Obama empêché, manquera à l'appel. Il l'a regretté mais John Kerry, le chef du département d'État, à la fois francophone et francophile sera là.

L'assaut

Vendredi 9 janvier, nous réussissons à localiser les deux tueurs. Vers 8 heures le matin, ils sont sortis d'un bois pour braquer un automobiliste à Nanteuil-le-Haudouin et prendre la direction de Paris. Ils font face à une patrouille de gendarmerie à Dammartin-en-Goële. Ils ouvrent le feu sur les militaires qui ripostent. Un des deux terroristes est blessé à la gorge. Ils se retranchent bientôt dans une imprimerie où ils retiennent le chef d'entreprise. C'est un homme d'un courage aussi élevé que son humanité est grande. Il a réussi à engager le dialogue avec les frères Kouachi. Il a soigné celui qui était blessé. Pendant ce temps, un des deux employés présents – l'autre a réussi à s'enfuir – se cache sous un évier dans une des pièces du bâtiment. L'indiscrétion d'un imbécile fait sortir l'information, ce qui accroît notre inquiétude. L'imprimeur valeureux a néanmoins été relâché. La gendarmerie et le GIGN mettent le siège autour du local.

À 13 heures, le ministre de l'Intérieur m'informe qu'un terroriste, sans doute Coulibaly, s'est introduit dans l'Hyper Cacher de la porte de Vincennes. Des coups de feu ont été entendus, une quarantaine de clients et employés seraient pris en otage. Je fais le lien avec ce qui se produit au même moment à Dammartin. Je réunis dans mon bureau Manuel Valls, Bernard Cazeneuve et Christiane Taubira. Jean-Pierre Jouyet, le secrétaire général de l'Élysée, et le général Puga nous assistent. Pendant ce temps les policiers, à la porte de Vincennes, engagent une impossible négociation avec le terroriste. Nous avons donc affaire à deux opérations distinctes mais reliées l'une avec l'autre, dont les protagonistes peuvent communiquer entre eux. S'il apprend que nous donnons l'assaut à Dammartin, Coulibaly exécutera probablement les otages de la porte de Vincennes. Les télévisions en continu diffusent les images des deux sièges et donnent toutes sortes d'informations. Pour occuper un temps qui semble interminable, je regarde sur l'écran les experts qui se succèdent pour nous délivrer des conseils que pour beaucoup je me garderai de suivre. Mais comment retenir ce flot d'images ? La presse est libre. Elle doit seulement prendre conscience de ses responsabilités. J'aurai à le rappeler plus tard. Je redoute notamment que soit révélé que plusieurs clients de l'Hyper Cacher sont cachés dans le sous-sol de la supérette.

Faut-il parlementer ? Je suis d'accord de tout entreprendre pour sauver les otages, mais je ne veux pas laisser se prolonger l'attente au-delà de quelques heures. Nous sommes en face de meurtriers décidés à mourir. Comme l'a montré l'itinéraire de Mohammed Merah, abattu au terme d'un interminable siège alors qu'il cherchait une nouvelle fois à tuer des policiers, rien ne sert de tenter de les fatiguer et encore moins de les convaincre de se rendre. Quant à envisager des concessions, un marchandage, il n'en est pas question. Avec des fanatiques, la discussion est vaine et la République défiée dans sa raison d'être ne doit donner aucun signe de tergiversation. Je donne l'ordre de préparer deux assauts simultanés pour ne pas laisser la moindre initiative au preneur d'otage de l'Hyper Cacher.

À Dammartin vers 17 h 30, les frères Kouachi entrouvrent la porte de l'imprimerie et tirent sur les gendarmes. Ils répliquent par des grenades qui n'arrêtent pas immédiatement le feu des terroristes. Les deux hommes, surarmés, sont neutralisés dans les secondes qui suivent. Aussitôt à l'Hyper Cacher, une fois levé le rideau de fer de la boutique, un policier admirable de courage pénètre dans la boutique, ses camarades en appui derrière lui. Les otages sont sauvés. Le terroriste est mort. Dans les deux cas, les gendarmes et policiers ont fait preuve d'un dévouement et d'un professionnalisme inouïs. Deux sont blessés. J'ai une pensée particulière pour le premier qui est entré dans le magasin en affrontant le meurtrier. Face à un terroriste armé d'un fusil automatique, ses chances de survie étaient bien faibles. Il n'a pas hésité une seconde.

À l'Élysée, nous attendons fiévreusement les résultats des actions que j'ai ordonnées. Le premier retour de Dammartin nous arrive rapidement. Il faut patienter plusieurs minutes pour connaître le second. Elles nous paraissent des heures. Bernard Cazeneuve est en liaison avec les responsables des opérations, il est muni d'un petit téléphone dont j'ignore la marque mais qui semble appartenir à une ancienne génération de portable dont je ne savais plus qu'elle était encore en service. Mais qu'importe l'instrument, il fonctionne. L'information qu'il nous donne nous délivre. Dans ce bureau, solennel, debout au milieu de la pièce, nous nous étreignons longuement.

Aucun triomphalisme dans cette pure émotion. Tous quatre, nous mesurons l'abîme devant lequel nous étions. Plus tard quand je me rendrai à l'Hyper Cacher, je constaterai la terrible exiguïté du lieu et la minuscule distance qui séparait les otages de leur bourreau. Peu à peu la tension retombe. Il nous faut veiller à l'évacuation des otages, au sort des blessés et surtout s'assurer qu'aucun autre groupe n'est lancé dans une troisième opération.

Une alerte à Montpellier nous inquiète. Elle ne sera pas confirmée. Nous nous gardons d'une inadmissible euphorie, celle qui oublierait qu'à la porte de Vincennes, quatre innocents sont morts.

Le sursaut français

Le lendemain j'appelle une à une les familles des victimes. Leur chagrin est déchirant. Chacune me livre son incompréhension face au malheur et sa crainte de ne plus pouvoir vivre dans le pays qu'elle aime par-dessus tout.

Le dimanche je leur parlerai, lors de la cérémonie à la grande synagogue. Un jeune garçon pleure à chaudes larmes, il est le fils d'un des juifs tué par Coulibaly. Je l'embrasse et lui murmure à l'oreille que c'est à lui de vivre pour que son père se perpétue dans la réalisation de son propre destin.

Ce même dimanche, une mer de solidarité et de fermeté tranquille envahit Paris et submerge la France. La foule est innombrable, imposante dans sa dignité, inattendue dans sa force, émouvante dans son silence. Sur le boulevard Voltaire, je prends la tête du cortège avec les dirigeants venus du monde entier. Partant de l'Élysée où je les ai réunis et au moment de monter dans le car qui doit nous transporter sur les lieux, Benyamin Netanyahou, qui porte un gilet pare-balles sous son costume, me demande si le véhicule est blindé, si les appartements sur le parcours ont été visités, si les forces de police sont en nombre suffisant. Je réponds oui à toutes ses questions au soulagement de sa protection. Car ce défilé est exceptionnel, inédit. Selon les normes de sécurité les plus strictes, il n'aurait jamais dû avoir lieu. C'était une performance inouïe que de regrouper sur une grande avenue parisienne l'équivalent en représentation de l'Assemblée générale de l'ONU. Fallait-il que la solidarité soit à la hauteur de l'attaque pour que le monde se déplace et défile ainsi dans nos rues !

J'ai tant de fois manifesté dans ma vie sur ce boulevard qui va de la République à Nation mais je n'aurais imaginé le faire au bras d'Angela Merkel, Ibrahim Keïta, suivi par une cohorte de chefs d'État et de gouvernement qui acceptent d'interrompre le temps d'un élan fraternel la froide âpreté des relations entre États pour se souder les uns aux autres au nom de la liberté. Un frisson, une fierté me saisissent quand levant la tête, je regarde au loin la mobilisation du peuple français soudain rassemblé pour refuser d'un même geste toute concession à l'islamisme et toute expression d'intolérance. Un tel peuple, avec une telle foi dans ses valeurs, ne peut être vaincu quelle que soit la dureté des épreuves que lui impose le fanatisme.

Encore faut-il agir. Une tâche immédiate s'impose : renforcer les moyens de défense de l'État sans atteindre les libertés. Nous préparons une loi sur le renseignement, qui reste notre arme principale. Il s'agit de faciliter la surveillance des individus susceptibles de basculer dans l'action violente. Pour lever les doutes sur sa conformité à la Constitution, je décide de la déférer au Conseil constitutionnel qui en valide le contenu. Il s'agit de surveiller les échanges sur les réseaux sociaux et, grâce à des algorithmes complexes, de repérer certains mots, certaines tournures de phrases qui peuvent révéler des projets terroristes.

D'aucuns pensent que cette recherche de renseignements s'exerce indistinctement sur tous les citoyens et que la lutte contre le terrorisme débouche mécaniquement sur le développement d'un État tutélaire capable d'espionner à tout moment n'importe qui, n'importe où ! Rien n'est plus faux. Les services concernés d'ailleurs ne demandent rien de tel. Outre que cette surveillance massive mobiliserait une armée de fonctionnaires et encombrerait inutilement nos canaux d'information, elle discréditerait l'action de l'État, sans efficacité pour notre sécurité. À l'inverse, à ceux qui nous demandent d'enfermer tous les fichés S je réponds avec la même assurance que ce serait contraire à nos principes de droit – puisque la privation de liberté suppose la décision d'un juge –, et surtout que ces arrestations prématurées empêcheraient nos services de mener les investigations susceptibles de démanteler des filières. Sans compter l'image désastreuse qui consisterait pour la France à ouvrir des camps de suspects au moment où les États-Unis ne savent que faire de Guantanamo.

Quant aux écoutes qui suscitent tant de fantasmes dans la vie politique, elles obéissent à des règles précises qui écartent désormais toute intrusion du pouvoir. Soit elles sont sollicitées par les « services » et elles sont décidées par le Premier ministre après l'avis de la Commission nationale de contrôle des interceptions de sécurité dont l'indépendance est garantie par sa composition. Soit elles sont décidées par un juge dans le cadre de ses investigations et leur renouvellement répond à des conditions précises.

Dans notre démocratie, je peux en témoigner, le président n'écoute personne et n'est destinataire d'aucun procès-verbal de surveillance. Les polémiques en cette matière si sensible se retournent toujours contre leurs auteurs. Mon prédécesseur, Nicolas Sarkozy, était convaincu qu'une forme de conspiration s'était organisée pour lui nuire et que des juges à la solde du pouvoir, par leur affiliation syndicale j'imagine, s'empressaient de lui chercher quelque affaire et que, ce matériau remontait sur le bureau de la Chancellerie. Rien n'est plus faux. Ces élucubrations offrent aux complotistes une matière première dont ils font le pire usage. La réalité est plus simple. Encore davantage depuis la loi votée en 2015.

La guerre est déclarée

Nous savions que nous étions à la merci d'une nouvelle attaque. Plusieurs opérations avaient été déjouées à Verviers en Belgique grâce à des perquisitions offensives alors même qu'un groupe s'apprêtait à passer à l'action. Nous avions renforcé nos coopérations avec nos alliés et en particulier les pays européens. Nous faisons face à un afflux de réfugiés et nous savions qu'au milieu de ces malheureux chassés par la guerre se glissaient des éléments envoyés par Daech pour nous frapper. Nous redoublions de vigilance. Nous demandions à croiser les fiches des pays d'accueil ou de transit pour détecter les liens qui se nouaient à ces occasions mais la menace était là, au niveau le plus élevé. Daech avait ciblé la France, nous le savions. À Saint-Quentin-Fallavier, en juin, un fanatique avait décapité son employeur et tenté de faire exploser une usine. En août, un individu avait été empêché par trois jeunes américains de commettre un carnage dans un Thalys.

Le soir du 13 novembre 2015, j'assiste au Stade de France à un match amical entre la France et l'Allemagne. Quoique sans enjeu, cette rencontre était dominée par le souvenir du match de Séville en 1982 quand l'équipe de France avait échoué à se qualifier pour la finale de la Coupe du monde au terme d'une partie extrêmement tendue. J'avais invité mon ami Frank-Walter Steinmeier, alors ministre des Affaires étrangères, aujourd'hui président de la République fédérale d'Allemagne, pour partager ce moment d'amitié. Mais ce qui devait être une fête devint un cauchemar.

Peu après le coup d'envoi, une explosion retentit. Elle semble se produire à l'extérieur du stade. Le joueur en possession de la balle marque un temps d'arrêt. Aucun signe, aucune fumée n'apparaît. La partie continue. Je veux croire qu'il s'agit d'un pétard. L'instant d'après, une deuxième détonation s'ajoute au bruit des supporters sans les troubler. Pour ma part, je n'ai plus guère de doute. Sophie Hatt la cheffe du GSPR, c'est-à-dire le groupe d'une soixantaine de policiers et de gendarmes qui assurent ma protection, me confirme ce que je redoutais. Deux engins ont explosé aux abords du stade et deux personnes seraient mortes dont l'une portait un gilet d'explosifs. Ce n'est pas un accident. Je quitte ma place pour monter au PC de sécurité du Stade de France où sont réunis les policiers, les pompiers et les groupements de protection civile. Manuel Valls m'appelle. Il est chez lui et vient d'apprendre que des attaques seraient en cours dans Paris. Je demande à Bernard Cazeneuve de me rejoindre immédiatement à Saint-Denis.

Si l'information se répand dans les gradins, une panique générale débouchera sur une bousculade dont il y a tout à craindre qu'elle se révélera désastreuse. Est-ce l'intention des terroristes ? Y en a-t-il encore qui se seraient glissés parmi les spectateurs et qui attendraient la fin de la rencontre pour frapper ? À la mi-temps, je demande aux officiels présents, le président de l'Assemblée nationale Claude Bartolone et le ministre allemand, de rester à leur place : leur départ précipité aurait signalé au public la survenance de graves événements. Jugeant la situation maîtrisée à l'intérieur du stade, je m'éclipse avec Bernard Cazeneuve pendant que le match reprend. Nous partons à grande vitesse vers Paris. Je peste quand j'entends la radio annoncer que j'ai été exfiltré, ce qui pourrait inquiéter les spectateurs. Heureusement au coup de sifflet final la foule se rassemblera spontanément sur la pelouse, démontrant un remarquable sang-froid alors que les informations sur les attaques de Paris commencent à se diffuser.

J'arrive dans la salle d'opérations de la Place Beauvau. C'est une petite pièce aux murs nus qui se situe dans les sous-sols du ministère de l'Intérieur, avec une simple table au milieu où nous nous installons. Manuel Valls est déjà là entouré des représentants des services qui sont au travail, préfecture de police, direction générale de la gendarmerie, DGSI, pompiers de Paris, personnels d'urgence et hospitaliers, serrés les uns contre les autres, terrifiés par le bilan qui s'alourdit terrasse après terrasse. Ils me fournissent avec sang-froid les informations dont ils disposent et attendent les instructions que nous arrêtons pour les mettre en œuvre le plus rapidement possible. Par une incroyable coïncidence, les hôpitaux avaient organisé le matin même un exercice de répétition si une catastrophe devait toucher la capitale. Médecins, infirmières, urgentistes ont été rappelés. Cette réactivité est décisive : la quasi-totalité des blessés qui ont pu être évacués vers un hôpital seront sauvés.

Tandis que les secours se déploient, les forces de sécurité tranquillisent la population des quartiers attaqués. Nous savons déjà depuis une heure qu'un groupe de terroristes s'est introduit dans la salle du Bataclan et s'est livré à un carnage. Il retient une quinzaine de personnes dans une petite salle menaçant de tout faire sauter. Je lance immédiatement l'ordre de donner l'assaut. La BRI a été dépêchée sur place. L'accès est difficile, l'opération exige du temps pour être menée à bien. L'attente est interminable pour nous qui espérons mettre un terme à l'attaque. Inhumaine pour les otages qui font face aux terroristes pendant plus de deux heures. Ils me confieront plus tard que les deux fanatiques leur avaient déclaré qu'ils étaient venus se venger de leur président et leur avait demandé pour qui ils avaient voté. C'est le seul jour où j'ai souhaité ne pas avoir d'électeurs. Tout nous le laisse penser, le nombre et la détermination des terroristes, les armes utilisées : nous sommes face à une opération d'envergure préparée de longue main et disposant de larges complicités. Nous ne pouvons imaginer qu'il n'y aura pas de réplique.

Le Premier ministre me propose de déclarer l'état d'urgence pour donner aux forces de sécurité le droit de perquisitionner sans délai et de procéder à des assignations à résidence. Face à une attaque de cette ampleur, j'approuve la mesure. Elle exige de convoquer

119

le Conseil des ministres. Puis il appartiendra au Parlement de confirmer le recours à cette procédure et d'en prolonger l'application. Je décide aussi de fermer les frontières du pays pour le cas où les assassins tenteraient de fuir à l'étranger, ce qui sera d'ailleurs le cas. Toutes ces dispositions sont prises dans un lourd silence, seulement coupé par les comptes-rendus qui me sont faits. Je n'avais jamais vécu une aussi grande pression dans une aussi petite salle. Les mots sont rares, les visages fermés, les regards embués. Rien ne se dit qui n'est pas immédiatement utile.

J'ai convoqué un Conseil des ministres à minuit tandis que la BRI a mis fin au calvaire du Bataclan et neutralisé les derniers terroristes qui y sévissaient. Le préfet de police nous renseigne au fil des événements. Il est sur place. Cet homme qui traîne dignement une longue carcasse est un remarquable serviteur de l'État. J'ai toute confiance en lui. J'ai connu Michel Cadot, il y a quarante ans sur les bancs de l'ENA. Il dirige comme il convient les opérations. Je fais, avec Manuel Valls et Bernard Cazeneuve, les quelques pas qui séparent la place Beauvau du palais de l'Élysée. Les ministres nous rejoignent pour le Conseil, il ne durera pas plus d'un quart d'heure. Bon nombre de participants découvrent l'étendue de la tragédie. À son issue, je prononce une allocution pour informer les Français sur l'attaque qui vient de les frapper. Je dis toute l'horreur que j'éprouve. Des fanatiques ont tué des innocents. Des barbares s'en sont pris à des lieux où la vie est joyeuse et l'humanité rayonnante. Ils veulent nous diviser et nous mettre à l'épreuve. J'appelle les Français à préserver leur cohésion. J'ajoute que la République sera implacable dans la traque et le châtiment des assassins et qu'en tout état de cause, elle fera face. Mon émotion est grande. Je reçois de nombreux messages émanant de mes proches mais aussi de responsables politiques. Tous comprennent à cet instant que le pays peut basculer. Une guerre nous a bien été déclarée. Les morts se comptent par dizaines, les blessés par centaines.

Visite de l'enfer

Je songe en père au malheur qui va s'abattre sur tant de familles, ces jeunes gens fauchés par des tirs de rafale, abattus froidement, ont l'âge de mes enfants. Les miens habitent les quartiers qui ont été ciblés, fréquentent les mêmes terrasses, les mêmes lieux de spectacle. Je les appelle un à un. En même temps, je pense à ces parents dont les appels sonnent dans le vide. L'opération du Bataclan est terminée. Je m'y rends.

Je ne vois autour de moi que des cars de police et des ambulances. Un camp de fortune a été installé. Partout, des brancardiers transportant des blessés ensanglantés qui sont pris en charge par des personnels de santé autour du chef du SAMU lesquels procèdent aux premiers soins. Des cellules psychologiques s'affairent pour accueillir les personnes traumatisées qui sortent du Bataclan. C'est une véritable armée de campagne dédiée non à la guerre mais à la vie. Des policiers au casque brillant dans la nuit protègent le périmètre. Je croise des couples indissolublement liés et qui ne savent plus dans quel monde ils vivent et s'ils vivent encore. J'emprunte la rue Oberkampf pour rejoindre le Bataclan, un homme à sa fenêtre, me voyant passer avec le cortège des personnalités qui m'accompagnent m'interpelle : « Pourquoi n'avez-vous rien fait pour empêcher ça ? » Je comprends sa détresse. Face à un terrorisme diffus, sa question est néanmoins la mienne. Tout faire ne suffit pas. Le nombre des attentats déjoués démontre l'efficacité de nos services. Mais que pèse cette réponse face à l'attaque qui n'a pu être empêchée faute d'un renseignement recueilli au bon moment ou de la surveillance défaillante d'un service étranger.

J'arrive devant le Bataclan. Des grappes humaines en sortent encore. Ceux-là ont survécu à l'enfer. Je leur parle. Ils me répondent à peine. Ils sont pris en charge par la protection civile et un long chemin les attend avant de retrouver la sérénité. J'en reverrai certains lorsque je réunirai les associations de victimes. Ce sont les blessures psychologiques qui mettent le plus de temps à guérir. Celles de la mémoire saignent encore.

Puis je reviens sur mes pas et vais à la rencontre de la presse qui a été repoussée un peu plus loin. J'exprime ce que j'ai vu, la mort, la souffrance, l'effroi mais aussi la formidable mobilisation des services de secours, l'efficacité et le courage de la police, la dignité des victimes. Je répète que la France saura trouver la réponse face à cette attaque d'une ampleur inégalée. En pertes de vie, c'est le bilan humain le plus lourd que nous ayons à déplorer depuis la Seconde Guerre mondiale. Je mets aussi en garde contre tout esprit de vengeance, tout amalgame, toute surenchère. Je pense à nos compatriotes musulmans, eux aussi horrifiés par la tragédie mais que des esprits faibles ou pernicieux voudraient compromettre en confondant l'islam et l'islamisme. J'annonce que nos armées redoubleront leurs frappes en Syrie et en Irak pour châtier les commanditaires des assassins.

L'après Bataclan

L'état d'esprit a changé depuis l'attentat contre Charlie. Point d'unanimité spontanée, pas d'appels à des manifestations, guère d'unité des forces politiques autour du drame. Le consensus se lézarde. Les clivages reprennent. Les passions montent. Une fois l'accablement surmonté, l'embrasement est possible. Certes la population française est plus résiliente que ceux qui la représentent. Mais le coup est rude. Il ébranle notre édifice démocratique. Notre mode de vie a été attaqué. Notre jeunesse a été frappée. Des quartiers dédiés à la convivialité et la culture ont été choisis à dessein. Enfin Paris, notre capitale, la cité des droits de l'homme a été prise pour cible. Je suis conscient des dangers qui s'annoncent : la cassure du pays, son éclatement en fractions, une confrontation entre religions. C'est ce que cherchent les terroristes. Je dois y répondre en ajoutant à notre fermeté la force des symboles. Je décide de réunir dès le lundi suivant le Parlement à Versailles dans sa formation la plus solennelle.

Je proposerai des mesures utiles, propres à recueillir l'approbation entière des parlementaires. Dans les semaines qui suivent, je suis accaparé par l'enquête lancée contre les auteurs de l'attentat. La piste nous conduit en Belgique avec des ramifications et, au bout du compte, les terroristes seront tués ou arrêtés grâce au professionnalisme des polices françaises et belges.

Quant à Daech, il sera chassé dans ses repaires en Syrie et en Irak, et justice devra être faite pour punir les djihadistes français qui l'ont rejoint.

Hommage aux policiers

Je n'en ai pas terminé avec ce fléau. Quelques mois plus tard, nos ennemis agissent de nouveau. À Magnanville près de Paris le 13 juin 2016, un terroriste a suivi chez lui Jean-Baptiste Salvaing, commandant de police. Il l'égorge, lui puis sa compagne qu'il laisse agoniser devant leur fils de cinq ans. Toujours, à l'énoncé de ces actes barbares, revient cette question : comment des individus formés dans les écoles de notre République peuvent-ils se laisser aller à de telles cruautés, l'assassinat d'un couple devant son enfant ? Comment se réclamer d'un dieu, en ne respectant pas l'innocence fragile du plus jeune âge ? Il y faut une haine sans limite, un endoctrinement fanatique, un aveuglement absolu qui justifie le pire par le meilleur, qui glorifie sans cesse la miséricorde divine pour en priver aussitôt leur victime. Comment la barbarie que l'on pensait avoir terrassée dans le chaos de deux guerres mondiales peut-elle ressurgir sous d'autres formes aujourd'hui ? le Moyen Âge au temps d'Internet. Des têtes coupées exhibées sur les réseaux sociaux. Et des jeunes, ceux de nos villages et de nos quartiers, enrôlés dans un combat qui n'est pas le leur. Oui il faut essayer de comprendre pour mieux éradiquer. Oui il faut éduquer, rééduquer autant qu'il sera nécessaire mais nous ne pourrons échapper au combat, c'est-à-dire à l'usage de la force, qui est légitime, qui est indispensable.

Comment le meurtrier et ses éventuels complices connaissaient-ils le commandant Salvaing ? Comment avaient-ils eu son adresse ? Un policier a été tué non dans l'exercice de ses fonctions mais après son travail. Ces hommes et ces femmes à qui nous confions notre sécurité, notre vie, sont donc menacés jusqu'à leur domicile. Je comprends l'émoi qui s'empare de ces fonctionnaires à qui nous ordonnons de mettre en péril leur existence pour nous protéger et qui veulent l'être en retour. Aussi, je décide l'anonymisation des policiers dans les procédures, pour éviter que les criminels qu'ils arrêtent puissent un jour les retrouver. Nous changerons également les règles de légitime défense, sans délivrer je ne sais quel permis de tuer.

Lors de la cérémonie d'hommage à ces deux fonctionnaires admirables, j'ai un long échange avec la famille du commandant Salvaing, son père, médecin à Pézenas, qui, avec son épouse, est d'une dignité exceptionnelle. Mais aussi, ses enfants dont le courage et l'envie de vivre m'éblouissent. Le plus grand m'accompagnera dans tous les matchs de l'équipe de France lors de l'Euro 2016. Apprenant la présence du jeune garçon, les joueurs lui offriront un ballon constellé de leurs signatures.

Au moment où je passe en revue les policiers présents, tandis que j'en salue de nombreux l'un d'eux reste les deux bras plaqués sur le corps. Je passe sans mot dire. Il expliquera plus tard qu'il était trop chargé d'émotion pour me tendre la main. Ce geste signale, par le silence, que les forces de l'ordre sont à cran et prêtes à se mettre en mouvement. Avec Bernard Cazeneuve, nous déciderons d'accroître les moyens en matériel et en effectifs de la police et de la gendarmerie et que l'imprudente parcimonie instaurée par mes prédécesseurs, eux qui avaient pourtant toujours le mot sécurité à la bouche, avaient dangereusement réduits.

J'apprécie l'humanité avec laquelle Bernard Cazeneuve sait s'adresser aux forces de l'ordre, sans jamais se départir de son autorité. Je me souviens de l'attention qu'il avait portée à la situation d'un policier atteint, lors d'une intervention en Seine-Saint-Denis, de plusieurs balles tirées à bout portant par un dangereux récidiviste. Il est plongé dans un coma profond dans un hôpital parisien. Son pronostic vital est engagé. Bernard Cazeneuve lui rend régulièrement visite, sans en faire état auprès de quiconque.

Je l'ai accompagné un soir. Il était tard. Sans connaissance, le blessé gisait immobile sur son lit. Son père, un ancien policier, était à ses côtés. Comme les membres de sa famille chacun à son tour, je lui parlai sans attendre de réponse. Je lui tenai la main en essayant de lui prodiguer du réconfort par la pression que j'exerçais sur sa paume, comme si je lui intimais l'ordre de vivre. La médecine y a heureusement contribué davantage. Plusieurs semaines plus tard, le policier a repris sa conscience. Après des mois de rééducation, il a récupéré l'essentiel de ses facultés. Ce sont parfois des attentions simples plutôt que des proclamations tapageuses qui font que des ministres suscitent le respect. Bernard Cazeneuve parle tout bas, ce qui lui donne de la hauteur.

Je n'ai jamais admis que, dans notre pays, certains s'en prennent à la police dont les membres sont pratiquement tous dévoués à la cause nationale et aux valeurs républicaines, exerçant pour un salaire mince un métier éprouvant et dangereux. « Tout le monde déteste la police », allait-on entendre dans certaines manifestations. Il n'y a pas slogan plus stupide et plus dangereux. Il ne s'agit pas de tolérer les manquements au droit ou à l'honneur quand des fonctionnaires se livrent à des violences sans rapport avec les menaces qui pèsent sur eux ou à l'occasion de contrôles dont le caractère excessif finit par excéder. J'ai veillé à ce qu'à chaque fois les responsabilités soient établies et la justice saisie. Plutôt que de mettre en place des récépissés pour limiter le nombre de vérifications d'identité, j'ai préféré équiper les policiers de petites caméras qui permettent de garder la trace de tout incident car j'estime que la qualité des rapports police/population est une des conditions du respect de la loi et de la vie en commun.

La confiance. Elle ne vaut pas que pour l'économie. Elle est la clé de tout. Confiance dans l'État, dans la loi, dans la justice, confiance dans les forces de sécurité. Et c'est lorsqu'elle est mise en cause sans raison valable que notre ensemble démocratique peut vaciller et que le doute civique s'installe dans la population.

Un 14 juillet de sang

Le soir du 14 juillet 2016 après avoir présidé sur la place de la Concorde le défilé de nos armées, toujours impeccable de rigueur et de professionnalisme et qui éblouit chaque fois nos visiteurs étrangers, je suis en Avignon pour assister à la représentation donnée dans la cour d'honneur par Ivo Van Hove. Je dîne en présence d'Audrey Azoulay avec plusieurs directeurs de théâtres quand, vers 22 h 30, j'apprends qu'un camion a écrasé dans une course folle des dizaines de personnes massées sur la promenade des Anglais à Nice pour regarder le feu d'artifice. Accident ? Attentat ? Le nombre des victimes qui s'égrène de minute en minute ne laisse plus de place au doute : c'est une nouvelle attaque terroriste. Je m'entretiens au téléphone avec Christian Estrosi qui sous le choc, la voix blanche, fait face. Bernard Cazeneuve part immédiatement sur place. Revenu à Paris, je préside la cellule de crise de Beauvau. C'est le premier attentat de cette ampleur dans une grande ville française. Le mode opératoire est diabolique. Il sera imité ailleurs, notamment à Londres et à Berlin. Le conducteur du camion a été tué. On ne détecte aucun complice ni aucune autre action en cours. Il s'avérera qu'il a agi seul, sans qu'aucun signe avant-coureur de sa radicalisation ait pu être décelé.

Dans les jours qui suivent, une mauvaise polémique s'est invitée autour de la protection du feu d'artifice : aucune défaillance de l'État n'a pourtant pu être établie. Et comment pouvait-on prévenir une attaque de ce genre, un soir de 14 Juillet, alors que dans toutes les villes de France les foules se rassemblent ? Il n'y avait aucun moyen d'anticiper son projet criminel. À la cérémonie d'hommage aux victimes qui sera organisée à l'automne à l'invitation de la ville de Nice, Julien Clerc interprète sa belle chanson, « Utile ». Comment être utile en effet face à tant de malheur ? Je parle longuement avec les familles dans un jardin attenant à l'esplanade où vient de se dérouler l'hommage. Elles demandent plus que des droits ou que des compensations. Elles réclament un accompagnement, un suivi, une attention qui ne se réduisent pas à une prise en charge. C'est ce qui m'a conduit à créer un secrétariat d'État aux Victimes, pour coordonner l'action de l'État et harmoniser le droit européen, et simplifier les procédures. Il a été supprimé depuis. J'ai regretté ce choix même si une délégation interministérielle s'y est substituée. Car la question des droits des victimes exige à mes yeux une incarnation politique.

La victoire du père Hamel

Le terrorisme ne nous a jamais laissé de répit. Après Nice, c'est à Saint-Étienne-du-Rouvray que la barbarie resurgit. Je suis à l'Élysée quand on m'avertit qu'une prise d'otages est en cours dans une église. J'apprends qu'un prêtre, respecté de ses paroissiens et de toute la population, a été égorgé. Saint-Étienne-du-Rouvray est une ville proche de Rouen, j'y suis né. Je la connais bien. J'ai effectué mon service militaire à Oissel, non loin de là. C'est une commune ouvrière où vivent de nombreux descendants des travailleurs immigrés employés à l'usine de Flins. Son maire communiste la défend comme il peut avec réalisme et dévouement. Il m'accueille en tee-shirt dans une chaleur accablante. Il se tient au milieu de ses administrés sidérés par le drame qui s'est produit dans leur église. Les deux terroristes ont été abattus par la police. L'un est connu, il habite la ville. C'est un petit délinquant qui s'est radicalisé. L'autre est « fiché S ». Il habite à plusieurs centaines de kilomètres de là. Ils se sont connus par Internet et se sont organisés sournoisement pour commettre leur crime. Le maire me conduit vers la supérette, où ont été rassemblées les personnes présentes dans l'église au moment de l'assassinat. Ce sont des femmes, plusieurs sont des religieuses, venues prier comme chaque matin. Elles m'expliquent qu'elles ont tenté de dissuader les deux assaillants de passer à l'acte, en vain. Les terroristes leur avaient déclaré qu'ils ne feraient pas de mal aux femmes mais qu'ils tueraient les hommes. Il n'y en avait que deux. Le prêtre et le mari de l'une d'entre elles. Puis tout était allé très vite. Elles sont là, abasourdies et sans haine. Elles prient pour le prêtre assassiné, pour l'homme blessé dont l'épouse ne sait s'il pourra survivre en raison de son grand âge. Plus tard je m'entretiendrai avec lui et il me confiera que s'il a pu échapper à la mort, c'est pour prononcer les mots que le père Hamel aurait voulu exprimer. Face au fanatisme qui détourne un dieu pour semer la mort, la foi de ces sœurs vient faire entendre la voix de la miséricorde et du pardon. Elles prient aussi pour les fanatiques. Ce geste de piété me transporte sans me rassurer. Ce crime horrible perpétré sur un paisible curé peut aussi déclencher l'intolérance et même la vengeance. Il n'en sera rien. Des cérémonies œcuméniques auront lieu à l'église et à la mosquée de la ville. Des fidèles y seront invités sans distinction. L'évêque de Rouen viendra prononcer une homélie poignante. Le soir je déclarerai qu'assassiner un prêtre, c'est s'attaquer à la République, celle qui protège la liberté des cultes. Grâce à l'effort de tous, des élus comme des représentants des cultes, les heurts que je redoutais ne se produiront pas.

Blessé dans sa chair le peuple français n'aura cédé ni à la peur ni à la haine. L'État, la République, ses responsables à tous niveaux auront rempli leur mission. Leur volonté de vivre pacifiquement l'aura emporté sur l'effroi. Force sera restée à la République. Le calcul des terroristes aura échoué.

De nouveaux drames se produiront, cette guerre n'est pas finie. Mais ma confiance dans notre victoire est totale. L'expérience que j'ai vécue au sommet de l'État, face à ces crimes répétés, m'en donne la certitude.

5

Vivre

Je suis pudique : c'est mon caractère et c'est un principe. J'ai appris tout jeune à garder mes émotions pour moi. Elles transparaissent parfois, à mon corps défendant. Mais c'est à l'abri d'une affabilité sincère et d'une réserve protégée par l'humour, celui qui rend la vie à mon sens plus agréable, qui préserve de l'ennui ou de la solennité, qui atténue la nature tragique de l'existence humaine. C'est une morale qui me semble juste : épargner aux autres sa tristesse ou sa colère, ses états d'âme, ses propres malheurs : ils en ont assez eux-mêmes.

On parle de mystère, il n'y en a pas. Je me suis souvent amusé des tentatives que l'on hasarde pour le percer. Au vrai, je suis un homme comme les autres avec ses joies, ses bonheurs, ses peines, et ses doutes. J'évite seulement de les imposer à autrui. Je préfère leurs épanchements aux miens. J'aime les gens, j'aime les écouter, les confesser, les comprendre, les encourager ou les réconforter. Mais je ne demande pas qu'ils me rendent la pareille. Au demeurant, je considère que je n'ai pas à me plaindre de la vie. Elle m'a donné tant de choses. Une famille avec des enfants que le passage à l'âge adulte n'a pas changés dans la relation tendre qu'ils entretiennent avec leurs parents. Et une vie publique qui a correspondu à mes rêves d'action et mes engagements de jeunesse. J'aurais mauvaise grâce à étaler mes états d'âme quand les autres si souvent ont de meilleures raisons de les confier. Il y a une politesse à ne pas gémir quand c'est votre interlocuteur, bien plus que vous, qui est en droit de le faire.

C'est aussi un principe. La politique est affaire de service autant que d'ambition. On est élu parce que le citoyen a confiance, qu'il approuve un programme, une direction, une démarche. Non en fonction des choix relatifs à sa vie personnelle. J'ai toujours répugné à jouer de mes sentiments pour gagner la sympathie. J'ai toujours pensé que j'avais le devoir de préserver les miens de la curiosité publique. La vie privée ne l'est déjà plus quand elle se déroule sous les projecteurs. La pleine lumière peut blesser, heurter, fausser les rapports d'affection.

Élu président, je n'ai jamais admis que mes enfants, que j'aime le plus au monde, puissent être soumis à cette exposition. Ils n'ont rien demandé. Ils n'ont d'ailleurs rien reçu sinon de l'affection. Ils mènent leur vie professionnelle en toute indépendance. Ma position leur a coûté davantage qu'elle a pu à aucun moment les avantager. Ce qu'ils ont réussi, c'est par leur travail et leur seul mérite. Je conçois la vie familiale seulement sous la protection d'un voile, qui laisse les miens libres de leurs mouvements et de leurs choix.

Mon quinquennat sous ce rapport fut un cruel paradoxe. Moi qui ai horreur d'afficher ma vie privée, j'ai dû m'en expliquer devant le pays, m'en défendre, subir sans ciller sa mise au jour. Par ma faute, assurément, mais aussi par celle d'un système qui fait de l'intrusion sa méthode et de la curiosité un vice.

Les coussins de Brégançon

J'ai pu en faire l'amère expérience dès le premier été. Comme les présidents l'ont toujours fait, une fois les grandes orientations arrêtées, les premières décisions prises et la loi de finances rectificative adoptée par le Parlement, j'accorde au gouvernement comme il est de tradition chaque été quelques jours de repos au cœur du mois d'août. Ils sont bienvenus. La campagne électorale a duré plus d'un an, les législatives ont requis de nouveaux efforts et les premières semaines de gouvernement ont été chargées. Dans une certaine improvisation, je me convaincs d'aller passer une dizaine de jours au fort de Brégançon, résidence présidentielle depuis que Charles de Gaulle en avait décidé sans jamais y venir sauf, dit-on, une fois.

Brégançon est une enceinte militaire aux hautes murailles grises qui domine le bleu de la Méditerranée, austère à l'extérieur, modeste à l'intérieur – quelques pièces éclairées par des meurtrières, avec une décoration qui date des années 1970 et n'a guère été retouchée depuis Georges Pompidou. Ensuite Valéry Giscard d'Estaing ou Jacques Chirac y avaient maintes fois séjourné. François Mitterrand et Nicolas Sarkozy, plus rarement. Le lieu est entretenu mais n'est plus occupé depuis plusieurs années lorsque Valérie Trierweiler visite les lieux avant mon arrivée. Elle constate que les coussins du mobilier extérieur sont notoirement usés et défraîchis. Elle suggère qu'ils soient changés.

Ce fut la seule dépense – de quelques centaines d'euros – que nous avons occasionnée pour la préparation de ce déplacement. Mais par l'effet d'une indiscrétion de presse, cet aménagement pourtant dérisoire ouvre une polémique. Ce ne sera pas la dernière. Comment un président « normal » qui prétend faire des économies sur le train de vie présidentiel peut-il se lancer dans de tels aménagements ? À croire que mes coussins étaient brodés avec du fil d'or. On glose sur un caprice déplacé quand le pays est appelé à l'effort... Je ne prête guère attention aux échos qui paraissent ici et là. J'ai tort. Il ne faut jamais rien laisser sans réponse, surtout quand il s'agit de médiocrité. On ne s'y abaisse point. On s'en délivre.

Au bas du fort s'étend une large plage où le public peut accéder librement faisant monter vers les remparts la rumeur joyeuse d'une foule adonnée aux plaisirs des bains de mer. Soucieux de montrer que le président n'est nullement enfermé dans sa tour, Valérie et moi nous y promenons en saluant les estivants qui viennent au-devant de nous. De nombreuses photos sont prises. Qu'avions-nous fait là ? J'avais abandonné sur le sable mon magistère. Je m'étais trempé dans une eau qui n'était pas la mienne. J'avais préféré les châteaux de sable aux palais de la République. Que mes prédécesseurs aient cédé aux mêmes rites ne comptait pour rien. C'était la preuve qu'une « présidence normale », ne pouvait être à la hauteur de cette fonction hiératique.

À l'appui de ce procès en illégitimité, on insinuait qu'il était inconcevable qu'un président puisse prendre quelques congés. De mémoire, tous mes prédécesseurs y compris la première année de leur mandat y avaient cédé, parfois même à l'étranger et pour plusieurs semaines. Je n'avais pas le souvenir que ces libertés prises avec leur agenda aient choqué ces mêmes commentateurs. C'était d'ailleurs une tradition bien établie de suspendre le Conseil des ministres des deux premières semaines d'août.

J'ajoute que chez nos voisins européens, les chefs de gouvernement s'accordent des vacances dans des résidences bien loin de leur capitale sans susciter la moindre observation. Angela Merkel a ses habitudes. Elle va à la montagne pour marcher. Elle m'a confié qu'elle imposait à ses collaborateurs de ne la joindre qu'à certaines heures. Quant au président américain, il part près de trois semaines, le plus souvent à Camp David et il faut une cause majeure pour l'en faire revenir. L'argument était d'autant plus infondé que lorsque le président se déplace, il est toujours accompagné d'un aide de camp, d'un médecin, d'un opérateur muni de son transmetteur, qui garantit le secret des communications, et d'un groupe de sécurité plus ou moins nombreux selon la disposition des lieux. À Brégançon, tout est d'ailleurs organisé pour que le président puisse se détendre et travailler comme s'il était à son bureau. Il peut être joint à tout moment par ses collaborateurs, organiser des conférences téléphoniques avec ses ministres ou ses homologues étrangers.

Aussi durant l'été 2012 j'ai multiplié les contacts sur la crise syrienne avec le Premier ministre du Liban comme avec le roi de Jordanie sur l'accueil des réfugiés qui affluaient dans les camps. Il a suffi que Nicolas Sarkozy, sans doute dans un esprit constructif, fasse savoir qu'il avait eu un entretien avec un opposant syrien pour que je sois sommé par mes opposants de régler cette crise majeure avant la fin du mois. Car il devait être dit et écrit qu'un président, *a fortiori* socialiste, ne devait pas partir en vacances. En tout cas pas celles-là, en ce début de mandat.

« On se réveille ! »

Dès notre arrivée, une tendance éditoriale s'était installée dans la presse magazine pour dénoncer notre supposé « immobilisme ». Les plus sincères avouaient que c'était un filon. Me mettre en « une » faisait vendre. Je ne cède pas à cet instant à un narcissisme rétrospectif. Je garde ma lucidité. Car le succès éditorial supposait de me représenter avec une montre à l'envers, le cheveu décoiffé, le regard perdu ou la cravate de travers. Un hebdomadaire connu pour son sérieux avait titré dès le 5 juillet, « On arrête les bêtises ». Quoi qu'on puisse penser de notre politique, on ne les avait pas commencées puisque les élections législatives venaient d'avoir lieu. Un autre le même mois nous enjoignait de nous « secouer ». Nous étions au travail depuis un mois. Un troisième titrait « on se réveille ! ». Nous avions le sentiment de ne pas avoir fermé l'œil. Comment comprendre cet acharnement moutonnier, ce parti pris, au-delà des intérêts commerciaux ? Pour certains, le regret d'en avoir trop fait contre mon prédécesseur et donc le louable souci de rééquilibrer les critiques pour que l'on soit bien sûr que, de la droite comme de la gauche, rien ne puisse sortir de bon !

Pour d'autres, c'était plus idéologique. Nous ne faisions pas les réformes qu'ils attendaient, c'est-à-dire celles qui font mal. Entendons, au plus grand nombre. Nous ne touchions pas, disaient-ils, à ces « privilégiés », ceux qui gagnent le SMIC, ont un statut et revendiquent même un emploi, mais nous nous attaquions aux « pauvres », comprenez aux « détenteurs de patrimoine ». Enfin, il y avait ceux qui nous demandaient de faire en quelques jours ce que mes prédécesseurs n'avaient pas voulu entreprendre en cinq ans, de rétablir en un instant les comptes qu'ils avaient dégradés continûment. Notre crime était pendable. Nous refusions d'infliger au peuple français la purge de l'austérité : alors il nous fallait boire le calice de l'impopularité jusqu'à la lie. Ils allaient y travailler. Quant à la presse de gauche, elle ne voulait pas être en reste de peur de perdre son indépendance. Ce procès permanent m'a irrité jusqu'au jour où ces excès et ces outrances n'ont plus provoqué chez moi qu'un sourire amusé. J'en ai tiré une autre leçon. Je ne me suis autorisé qu'une semaine de vacances par an durant tout mon mandat. Les mêmes qui m'avaient critiqué firent donc mine de s'étonner de la servitude que je m'imposais. Elle n'était pas une pénitence mais une conséquence du quinquennat, où le temps est compté.

L'impossible liberté

On s'en doute : la vie de l'Élysée laisse peu de place aux moments personnels. Ils sont brefs et rares, souvent interrompus par l'incessant battement des événements. J'avais imaginé, au début, bien séparer affaires publique et privée. Comme certains de mes prédécesseurs, j'avais décidé de rentrer le soir chez moi, de sortir de temps en temps pour marcher dans Paris ou pour aller au théâtre. Illusion. Le président ne peut pas – ou ne peut plus – quitter son poste, ou s'en éloigner beaucoup. Les menaces exigent un lourd appareil de sécurité. Une simple promenade dans les rues oblige à prévoir une équipe de protection qui, pour ne pas être visible, doit être nombreuse. C'était au demeurant une drôle d'escapade qu'une marche surveillée par plusieurs policiers devant, derrière et sur les côtés quelle que soit leur discrétion. Je me souviens de deux gendarmes du groupement de sécurité présidentielle, une femme et un homme, qui pour ne pas attirer l'attention jouaient un couple d'amoureux, main dans la main juste derrière moi. Les ruses policières ont leurs bons moments. Mon arrivée dans un théâtre ou dans une salle de cinéma supposait une longue préparation avec reconnaissance préalable de la salle, déminage, agents disséminés dans le public, armes portées sur les lieux et prêtes à l'emploi. Très vite, je n'ai pas voulu ajouter aux voyages officiels qui exigeaient tant de précautions, des déplacements d'agrément qui auraient prélevé de lourds moyens à la République. Ma vie privée fut vite confinée aux bâtiments publics.

Situés au premier étage de l'aile ouest, les appartements de l'Élysée sont confortables, fonctionnels, élégants mais austères. Un grand salon plutôt sombre, un petit bureau, deux chambres sobres aux hautes fenêtres. Par un long couloir décoré de tableaux prêtés par les musées nationaux, le président accède en une minute à son cabinet de travail, où il entre pour treize à quatorze heures chaque jour. Un personnel dévoué et de longue expérience organise la vie quotidienne qui s'écoule sans à-coups, sans perte de temps, chaque minute du temps présidentiel étant utilisée au mieux. L'Élysée s'ouvre sur un parc majestueux planté d'essences nombreuses et que j'ai doté de ruches pour préserver un peu la diversité des espèces au cœur de Paris. J'avais plaisir à m'y promener et respecter les six mille pas par jour conseillés par Michel Cymes pour préserver ma santé. Je fus accompagné à la fin par Philae.

Par tradition, les anciens combattants canadiens offrent à chaque président français un Labrador, après chaque déplacement qu'il effectue dans la belle province qu'est le Québec. Une jeune femme se présente donc un jour à la porte de l'Élysée pour me remettre le précieux présent : il s'agit d'une chienne de quelques semaines que je fais appeler Philae, du nom d'une île égyptienne, qui est aussi celui d'un processus technique de l'agence spatiale européenne pour atterrir sur la surface d'une comète. Philae avait donc atterri à l'Élysée. Elle y fut adoptée par l'ensemble des personnels.

Un peu plus tard, elle donna naissance à dix chiots qui furent placés un à un auprès de mes collaborateurs ou d'amis bienveillants. Quelques mois avant de quitter l'Élysée, mon service de communication me suggère de laisser la presse prendre une photo de cette portée attendrissante et leur mère. Je sens que les Français ont une affection particulière pour les animaux domestiques. Mais je refuse l'exercice. Les chiens aussi, pour moi, ont droit à leur vie privée.

On trouve aussi dans le palais une salle de sport ouverte à tous les collaborateurs – elle ne fut guère encombrée de ma présence –, une salle de cinéma qui peut recevoir une quarantaine de personnes, et une crèche ouverte à tous les membres du personnel qui y laissent leurs enfants dans la journée, ajoutant une touche de candeur à cette atmosphère de travail. J'y passais de temps en temps, avec un peu de nostalgie, me rappelant les jours où Ségolène Royal, alors conseillère du président Mitterrand, y conduisait les nôtres dans leur plus jeune âge. À cette époque, je le confesse, le partage des tâches familiales était comme on dit aujourd'hui « genré ». Et Ségolène Royal, mère formidable, prenait plus que sa part.

Le président n'est pas chez lui à l'Élysée. Il est l'hôte de la République. Il est de passage, locataire pour cinq ans, sauf en cas de renouvellement de bail. J'ai donc refusé toute transformation coûteuse. Georges Pompidou, Valéry Giscard d'Estaing avaient modifié la décoration du palais pour l'adapter à leur goût. C'était en d'autres temps. Aujourd'hui le montant des travaux réalisés dans le palais de l'Élysée est rendu public. La Cour des comptes y veille scrupuleusement chaque année. Cette transparence conduit d'ailleurs à reporter des travaux que l'usure du temps rendrait pourtant nécessaires. Un jour, le service des monuments historiques me dit que le bureau du président, appelé « le Salon Doré », a besoin d'une profonde rénovation. Je m'informe du devis : pour le remettre dans son état initial et lui faire retrouver son lustre d'antan, il en coûterait pas moins d'un million d'euros. Je décline la proposition. Je me suis engagé à réduire les frais de fonctionnement de l'Élysée, ce n'est pas pour lancer des travaux ruineux. J'ai à l'esprit les critiques véhémentes qui se sont abattues sur d'autres lors d'aménagements dispendieux faits dans des bureaux bien moins prestigieux que celui de l'Élysée. J'aurais pu prétendre que ce n'était pas ma personne qui réclamait cet investissement mais le lieu lui-même. On m'aurait vite rappelé à ma promesse d'une « présidence normale ».

Les voisins d'en face

Pour accueillir chaque visiteur de marque, le président se place sur le perron qui donne sur la cour de l'Élysée. Pendant une minute ou deux il reste immobile, regardant s'ouvrir les portes de la rue du Faubourg-Saint-Honoré et le cortège pénétrer dans l'enceinte présidentielle avant de saluer l'hôte du jour à sa descente de voiture. Sa vigilance ne doit jamais l'abandonner. Qu'il lève les yeux pour contempler le ciel, qu'il regarde une fraction de seconde le sol à ses pieds, qu'il esquisse un rictus, qu'il mette une main dans sa poche ou qu'il replace d'un geste furtif une mèche rebelle agitée par le vent, il est aussitôt saisi dans une pose qui sera implacablement diffusée par les photographes alignés autour de la petite esplanade de gravier. C'est leur métier.

De l'autre côté de la voie se dressent les façades haussmanniennes de la rue du Faubourg-Saint Honoré. La belle boutique qui fait face à l'entrée du palais fut longtemps un magasin de lingerie qui exposait en vitrine des sous-vêtements féminins qui ne manquaient pas de susciter la curiosité des passants. Je trouvais ce voisinage cocasse. Faute de rencontrer le succès escompté, le magasin fit de mauvaises affaires et cessa son activité. Pendant plusieurs mois fut alors apposé sur la devanture le panneau « À louer », dont on pouvait se demander à quel immeuble il faisait effectivement référence. Celui-là ou celui d'en face ?

À force de garder cette position, les yeux rivés sur l'immeuble en vis-à-vis, je finis par nouer une courtoise familiarité avec les occupants des appartements dont le balcon donne directement sur la cour. Au deuxième étage, un couple charmant dont l'âge apparent me laissait penser qu'ils avaient dû suivre les visites les plus illustres avait pris la joyeuse habitude de m'adresser des signes d'encouragement. Je ne pouvais y répondre autant de fois que la politesse l'aurait imposé sans risquer de surprendre mes interlocuteurs officiels. Sauf à laisser penser que j'adressais un signe cordial aux tireurs d'élite postés sur les toits. Pour me faire pardonner, j'ai convié cette famille à une cérémonie à l'Élysée. Je compris alors que ce couple avait eu l'insigne privilège de saluer tous mes prédécesseurs, à commencer par le général de Gaulle. Ils n'avaient jamais révélé aucun des secrets dont ils avaient été les témoins. Aussi loin que remontait leur mémoire, ils avaient été impressionnés par la venue de Barack Obama. Elle avait attiré une foule nombreuse retenue par les barrières dressées sur le trottoir. Mais aucune visite n'avait suscité autant de curiosité que celle que me fit la reine d'Angleterre.

Elizabeth II entra à l'Élysée au milieu d'une cohue joyeuse et fervente massée tout au long de son itinéraire. Elle parle le français avec un accent léger qui ajoute encore à son élégance. Elle connaît notre vie politique depuis plus de soixante ans ce qui entretient une conversation ponctuée d'anecdotes savoureuses. Le protocole de l'Élysée avait prévu de lui montrer un ensemble de photos la représentant en compagnie des présidents successifs qui l'avaient reçue. Elle me dit en confidence que celui qu'elle gardait en mémoire avec le plus d'émotion parce ce fut le premier et qu'elle était encore une jeune fille était Vincent Auriol. Savait-elle qu'il avait été ministre des Finances au temps du Front Populaire ? L'eût-elle su qu'elle n'en aurait pas paru surprise. Les présidents passent, elle demeure.

Les présidents à la Lanterne !

Il est un lieu de la République qui offre à son occupant de précieux moments de détente. Il s'agit du pavillon de la Lanterne, situé dans l'immense parc du château de Versailles. Il fut longtemps mis à la dis-position des Premiers ministres mais Nicolas Sarkozy avait décidé en 2007 de l'affecter au service de la pré-sidence. Je dois confesser que c'est une des décisions de mon prédécesseur auxquelles j'adhère sans mélange. Les pièces sont charmantes : trois chambres, une salle à manger et un salon, disposées en fer à cheval autour d'un jardin bien ordonné. On y pénètre par une porte d'acier discrète située au bord d'une nationale à l'écart des curieux. Le pavillon est équipé d'un court de ten-nis et d'une piscine chauffée, fermée pendant les mois d'hiver et difficile à entretenir car un peu vétuste. J'y allais, pour autant que mon agenda m'y autorisait, dans un relatif isolement seulement troublé de loin en loin par les photographes de la presse dite *people* – populaire serait un compliment – qui avait réussi à se ménager un angle de prise de vue en grimpant au sommet d'un arbre, d'où les services de sécurité les faisaient régulièrement descendre.

Retour en Corrèze

Je ne suis pas allé autant que je l'aurais voulu dans ma ville de Tulle dont j'avais été le maire, ni en Corrèze dont j'avais été le président du conseil général. Jusqu'à mon élection, j'avais l'habitude chaque samedi d'y faire le marché. J'en ramenais surtout les réflexions, les humeurs, les doléances des familiers que je croisais. Souvent, je lisais leurs pensées sur leurs visages et je décryptais leur opinion à travers les mots de tous les jours. J'avais mon code. Leurs interpellations même vives étaient autant d'encouragements sincères, leurs plaintes des appels à agir et si les nouvelles du jour étaient mauvaises, leurs bavardages de subtils subterfuges pour éviter les commentaires désagréables. Chaleureuses ou tendues, nos conversations étaient une façon de renouer nos liens pour ne jamais nous perdre.

C'était leur silence qui m'inquiétait. Quand ils faisaient semblant de ne pas m'avoir vu ou qu'ils s'empressaient de faire leurs emplettes comme s'ils avaient été appelés par quelque urgence domestique, je comprenais leur message. Je n'ai jamais eu besoin d'enquêtes savantes pour sentir l'opinion, ni de sondages pour jauger les humeurs. Devenu président, j'ai regretté que les journalistes même si c'était leur métier ne me lâchent pas quand j'entreprenais cette balade pour ressentir les émotions d'hier et les mettre en regard des sentiments d'aujourd'hui. Ils faisaient obstacle à cette quête du regard, à cette plongée dans les cœurs. Ce que mes électeurs de toujours avaient à me dire, ils ne souhaitaient pas le faire entendre à d'autres. Nous avions nos secrets.

Parfois des visages tant de fois embrassés, des mains si généreusement serrées disparaissaient. Je m'enquérais de leur absence. L'âge avait fini par les emporter. Je pense à cette amie qui me racontait des histoires égrillardes en patois pour me faire rire et que je ne comprenais qu'à moitié, partie sans crier gare. Je me souviens de ce résistant si fier de me rappeler ses exploits, toujours révolté d'avoir vu accrochés aux balcons de Tulle ses quatre-vingt-dix-neuf camarades que la division Das Reich avait pendus en juin 1944. J'avais veillé à revenir tous les 9 juin à la cérémonie qui rappelle leur martyre. Sophie Dessus, cette fidèle amie, était partie elle aussi. Elle m'avait remplacé à l'Assemblée nationale après mon élection. C'est pour elle que Jacques Chirac avait manifesté devant les caméras une amitié si débordante qu'elle avait fait sourire la France entière. Elle a été dévorée par la tumeur qui avait pris possession de sa tête pourtant si bien ordonnée. C'est souvent quand on est loin que les plus proches s'en vont, comme s'ils n'avaient pas supporté la séparation.

J'ai passé ainsi trente années de ma vie à sillonner les mêmes paysages, à goûter les mêmes plats, à arpenter les mêmes rues, à respirer les mêmes odeurs. La présidence n'a pas interrompu cette douce habitude mais elle en a modifié le cours. Plus rien ne pouvait plus être comme avant. Avec un président les rapports se figent, les gestes sont plus retenus, une limite apparaît qui ne s'efface pas, même quand on a quitté l'Élysée.

Les confidences de Jacques Chirac

J'imagine que Jacques Chirac a connu la même frustration. Il avait nourri pour la Corrèze des sentiments sans retenue et reçu de ses partisans fidèles d'innombrables marques d'affection. Pour lui aussi la rupture fut sûrement déchirante. Je l'avais mesuré alors qu'il retrouvait son département d'élection après avoir quitté l'Élysée. Il cherchait ses repères, des visages connus, des amis disparus. Nous avions noué une relation étrange et pleine de respect. J'avais été son concurrent – malheureux – lors des élections législatives de 1981, quand j'avais 26 ans. Je ne l'avais pas ménagé alors qu'il était président. Puis nous nous étions rapprochés à mesure qu'il s'éloignait du pouvoir et que je me préparais à y accéder. Il me confiait ses réflexions, me relatait ses voyages et me peignait une galerie de portraits de la vie politique. Le tableau le plus savoureux était celui de Silvio Berlusconi, la visite de sa luxueuse maison et surtout de son étrange salle de bains qui l'avait laissé éberlué. La décence veut que je n'aille pas plus loin dans le récit de ses commentaires.

Un jour Jacques Chirac m'avait invité dans son château de Bity, celui-là même qui lui avait valu une polémique dont il se serait bien passé, au temps de Georges Pompidou, quand on l'avait surnommé « Château-Chirac ». C'est une demeure sombre et froide qui ouvre sur des vallées et des bois magnifiques en automne. Elle avait été occupée avant-guerre par un ancien colonel britannique dont Jacques Chirac m'assurait qu'il avait été membre des services secrets et qu'il avait accueilli Leon Trotsky pendant plusieurs mois en 1933. Nous avions bien ri de ce patronage qui donnait à sa demeure un parfum révolutionnaire. Durant mon quinquennat j'ai pris régulièrement de ses nouvelles auprès de Bernadette Chirac et de sa fille Claude. Il montre face à la maladie des qualités de résistance admirables. Chirac est un lutteur.

Il le restera jusqu'au bout. J'ai pu à plusieurs reprises échanger des confidences avec lui. Je voyais à ses yeux qu'il comprenait mes propres difficultés. Ce furent aussi les siennes.

Mariage pour tous, sauf pour moi

Jusque-là les intrusions dans le jardin secret de mon intimité avaient été plutôt contenues. Ma vie commune avec Ségolène Royal était certes connue de tous. Nous nous étions rencontrés à l'ENA. Entrés en politique ensemble, nous avions travaillé tous deux à l'Élysée, nous avions été élus députés la même année. Nous nous abstenions autant qu'il était possible de toute exhibition. C'est peu de dire que nos styles étaient différents. Avec le mien, plus traditionnel, dirigeant de parti, orateur de meetings, j'occupais les médias par la joute et par une inclination pour les questions économiques. D'un tempérament raisonnable j'avançais à mon pas, quand Ségolène prisait les coups d'éclat et les initiatives audacieuses, cristallisant autour d'elle un phénomène d'opinion qui l'avait conduite à être la candidate du Parti socialiste pour la présidentielle de 2007, déjouant les pronostics et restant insensible aux remarques parfois blessantes de ses contradicteurs.

Nous n'étions pas mariés, nous avions quatre enfants et cet engagement familial valait tous les parchemins. Féministe qui voulait donner l'exemple, elle avait souhaité faire connaître sa maternité. Elle entendait montrer qu'une ministre pouvait parfaitement concilier sa vie de famille avec l'exercice de fonctions éminentes. Elle avait laissé publier une photo d'elle prise dans une maternité tenant dans ses bras notre fille Flora. Je la soutenais sans réserve. Son intention était louable et aujourd'hui serait jugée presque banale. Elle était la première femme membre d'un gouvernement à mettre un enfant au monde, elle a été depuis suivie par d'autres.

Le syndrome de la « première dame »

Notre séparation survint en 2007. Elle n'avait rien à voir avec la politique. Soucieuse de clarté, Ségolène annonça elle-même notre rupture au soir du second tour des législatives. Pour l'un comme pour l'autre, ce fut douloureux, déchirant, tant notre union avait été longue et intense.

En 2011, nous sommes tous deux candidats à la primaire du PS. La situation était inédite. Ségolène fut la première à se désister en ma faveur pour le second tour, faisant preuve d'une rectitude remarquable et démontrant ainsi que les intérêts du pays l'emportaient sur toute autre considération. Séparés, nous étions capables de nous unir pour le bien commun. C'est dans cet esprit et avec l'indépendance qui la caractérise qu'elle rejoignit le gouvernement en mars 2014 pour prendre le ministère de l'Écologie et préparer la COP21, mission difficile qu'elle a menée avec succès. Elle fit voter plusieurs lois qui contribueront pour longtemps à l'amélioration de notre environnement.

Depuis cinq ans, j'avais reconstruit ma vie avec Valérie Trierweiler. C'est donc avec elle que je menai campagne et que j'entrai à l'Élysée. Notre République ne prévoit pas de statut pour le conjoint du président, aucun texte ne fixe de règles. Le protocole s'en arrange mais les moyens qui lui sont confiés ne sont prévus nulle part. Selon les personnalités, les situations conjugales et l'évolution des mœurs, le rôle et la place de la première dame ont varié au cours de la Ve République. Pour ma part, j'ai toujours considéré que les Français élisaient un président et non pas un couple ni une famille. Sur le bulletin de vote, ne figure qu'un nom et un prénom. Seul le chef de l'État détient la légitimité du suffrage. Sa compagne – ou demain son compagnon – voit sa vie forcément changer mais ne reçoit aucune autre mission que celle dont elle voudra elle-même se charger.

La souffrance de Valérie

Valérie Trierweiler est une journaliste reconnue pour ses qualités professionnelles. Grand reporter à *Paris Match*, elle a signé des portraits et des enquêtes qui témoignent de son talent. Du fait de mon engagement, elle s'était mise en retrait du service politique pour tenir une chronique sur l'actualité littéraire. Elle animait également depuis plusieurs années une émission de débats sur une chaîne de la TNT. Devait-elle au prétexte de mon élection renoncer à son métier, à son journal, et subsidiairement à ses revenus ? C'est-à-dire mettre sa carrière entre parenthèses et perdre son indépendance ? Je comprenais ses interrogations. Elle pensait qu'il était possible de tout concilier, elle cherchait à convaincre qu'elle ne défendait pas sa position mais une conception, celle de l'indépendance féminine. En vain. Elle souffrait de l'incompréhension

151

qu'elle suscitait, peinant à trouver sa place malgré la sincérité dont elle faisait preuve dans ses initiatives. J'avoue que le fait de ne pas être mariés ne lui a pas facilité la tâche. D'autant que les milieux conservateurs qui s'insurgent contre le mariage pour tous avait trouvé là un sujet de polémique supplémentaire.

Le tweet dans lequel elle apportait son soutien au concurrent de Ségolène Royal lors des élections législatives de 2012 déclencha un véritable embrasement. Je voulais proscrire la confusion des genres et voilà qu'elle surgissait de façon inappropriée, mêlant politique et sentiments. J'avais tracé une ligne de séparation entre vie personnelle et vie publique : elle l'effaça en un instant. Valérie mesura vite l'impact de son intervention dans le débat public et le trouble qu'elle avait engendré dans notre relation. Quelque chose s'est brisé ce jour-là. J'espérais l'apaisement en laissant le temps s'écouler dans l'espoir d'une sérénité retrouvée.

Plusieurs mois plus tard Julie Gayet est entrée dans ma vie. Notre relation fut révélée dans les pires conditions, pour ma personne et pour la fonction. J'en porte la responsabilité même si je ne saurai jamais comment et par qui une presse sans scrupules a pu être orientée et guidée de cette sorte. Je n'ai pas voulu attaquer en justice le journal qui s'était livré à cette intrusion. Protégé moi-même par l'immunité présidentielle, j'avais prévenu que je ne poursuivrais personne pour des litiges privés. Il reste que ce qui s'est produit est une transgression intolérable. En rompant notre tradition de respect de la vie privée, elle a valeur de précédent.

Le choc fut rude. Valérie en fut profondément meurtrie. Notre séparation et les conditions de son annonce à laquelle elle n'a pas voulu s'associer ajouta à la cruauté de la situation. Plus tard, dans un livre dont le succès fut retentissant, elle mit au jour ses blessures et exprima avec ses mots ce qu'elle avait vécu. Ils m'ont fait mal. C'était sans doute son intention. Nous avons mis du temps pour échanger de nouveau. Mais j'ai été sensible au mot délicat qu'elle m'a adressé le dernier jour de mon mandat.

Julie la militante

Julie Gayet, productrice, actrice, est une femme dont l'engagement remonte à loin. Elle n'a jamais caché ses convictions. Elle a soutenu des causes justes et nombreuses. Elle a exprimé son soutien au Parti socialiste à chaque fois qu'elle a été sollicitée. C'est tout naturellement qu'elle s'est impliquée dans ma campagne dès les primaires en 2011. Elle avait réuni autour d'elle de nombreux artistes, souvent des personnalités du cinéma, pour discuter et enrichir notre programme culturel. C'est ainsi que je l'ai rencontrée, sans que notre relation aille alors au-delà d'une sympathie réciproque.

Durant notre vie commune à l'Élysée elle a veillé à poursuivre son travail, s'interdisant la moindre incursion dans la vie de la présidence, demeurant physiquement avec une abnégation jamais prise en défaut dans les appartements privés du palais. Elle n'a même jamais assisté aux projections de films où sa présence aurait été légitime, laissant Audrey Azoulay, alors ma conseillère, accueillir les invités qu'elle connaissait pourtant fort bien. Elle n'a en aucune façon interféré dans les décisions prises, ni dans les choix de personnes.

Malgré toutes les contraintes nées d'une publicité dont elle se serait bien passée, Julie Gayet s'est appliquée à continuer de jouer et de produire des films. Nous étions d'accord et nous étions convenus de passer du secret à la discrétion, sans jamais tomber dans l'exhibition et sans jamais accepter l'intrusion. Pourtant il y en eut beaucoup. Jusqu'à nous photographier à l'intérieur de l'Élysée ou bien à la guetter pendant des jours et des nuits à son domicile. Je peux le dire aujourd'hui : la tendre et délicate affection de Julie a été durant ces trois dernières années un inestimable soutien. Solidaire, présente mais suffisamment éloignée de la scène publique pour rester elle-même. Sans avoir besoin de jouer un rôle, elle était là, avec cette aspiration au bonheur qui rend la vie plus douce. Même à l'Élysée.

6

Négocier

Dans le train du 23 mai 2012 pour Bruxelles, je roule vers mon premier Conseil européen avec une idée simple : réorienter la politique européenne, c'est-à-dire donner la priorité à la croissance tout en prodiguant des gages de confiance en mettant de l'ordre dans nos comptes. Plusieurs pays sont au bord de l'implosion. L'austérité a étouffé l'activité sans réduire les déficits. Il y a urgence.

Les coutumes de Bruxelles

Dans la salle qui accueille le Conseil informel convoqué pour entendre mes priorités, je m'assois à la place marquée d'un petit carton à mon nom. C'est une vaste pièce circulaire au décor de verre et d'acier, tapissée d'une moquette bigarrée où s'étalent les couleurs des vingt-huit pays en rectangles disparates et vifs disposés en étoile. Autour d'une couronne de bureaux courbes en bois beige hérissés de micros les chefs d'État et de gouvernement prennent place après avoir échangé des paroles cordiales devant les caméras et les photographes. Aucun journaliste ne peut décrypter le sens de leurs conciliabules dont le but est de rassurer sur l'ambiance qui règne entre les participants et si les visages sont fermés, de montrer que l'on entre dans le dur des discussions. La presse n'en saura pas davantage. Elle quitte les lieux et attend.

J'écoute le propos introductif d'Herman Van Rompuy, le président du Conseil, qui me félicite pour mon élection. Alternant le français et l'anglais, il insiste sur la nécessité de trouver des convergences pour rassurer les peuples et les marchés. Il pense néanmoins qu'aucune décision ne sera prise et qu'il faudra attendre le Conseil du 28 juin pour que de nouvelles mesures soient arrêtées pour faire face à la crise. Curieuse procédure. Les banques suffoquent, les marchés doutent, les économies glissent vers la récession mais il n'est pas prévu d'agir tout de suite ! Un mois de travail ne sera pas de trop, me dit-on d'un ton rassurant, pour analyser les propositions et formuler des conclusions.

Chacun doit parler environ cinq minutes. Je calcule qu'à vingt-huit cette entrée en matière va durer plus de deux heures et demie. En fait, je me trompe. Peu de participants respectent leur temps de parole et comme ils ne sont pas interrompus par le président de séance, on dépassera de loin les trois heures d'introduction. Ce soir-là le Premier ministre portugais, Pedro Passos Coelho, qui voulait sûrement se montrer bon élève alors que son pays subissait la tourmente a dépassé la demi-heure, sans en tirer le moindre avantage.

La contrainte du consensus

S'il est un lieu qui symbolise la négociation, c'est bien le Conseil européen. Les décisions y sont prises par consensus, c'est-à-dire en fait à l'unanimité. Conçu à l'origine pour des réunions réservées aux grandes orientations, il s'est emparé au fil du temps de questions de plus en plus techniques dont les ministres ne parvenaient plus à traiter. Avec la succession des crises, il a été convoqué à une fréquence de plus en plus réduite pour des discussions qui peuvent durer jusqu'à deux jours et une nuit. À côté du Parlement et de la Commission, le Conseil s'est progressivement imposé comme la principale instance de décision alors que son organisation, ses méthodes et sa lourdeur ralentissent tout. Ce qui explique à mes yeux le retard avec lequel il a répondu aux graves turbulences qu'a connues l'Europe ces dernières années.

Prenant la parole, je m'en tiens à l'essentiel. Je propose que l'Union européenne mette en place un plan d'investissement à partir de financements existants – mais peu ou pas utilisés – à hauteur de 100 milliards d'euros. J'ajoute que l'Europe pourrait, par l'intermédiaire de la Banque européenne d'investissement, lancer un emprunt afin d'améliorer la compétitivité des entreprises. Enfin, j'émets l'idée – que je sais inacceptable pour la chancelière – d'une mutualisation des dettes futures pour permettre aux pays les plus en difficulté d'accéder aux marchés avec des taux d'intérêt plus bas que ceux qu'ils sont obligés de consentir aujourd'hui avec leur seule signature. Je reçois une écoute polie. Je mesure surtout l'écart, pour ne pas dire le fossé, qui me sépare d'un bon nombre de dirigeants.

Non qu'ils ne me comprennent pas, mais ils viennent d'adopter non sans mal dans chacun de leur pays le pacte budgétaire européen. Ils ne veulent pas le mettre à mal de peur de compliquer encore leurs équilibres politiques. Le débat se poursuit, interminable. Il est bientôt minuit. Tout le monde se lève. La proposition d'un plan d'investissement est retenue, elle sera mise en œuvre en 2013. Le résultat est maigre. Mais j'ai avancé mes pions.

Ai-je été trop sage ? Devais-je menacer, interrompre, bousculer la discussion ? Partir ? Ce n'est pas ma méthode. Mieux vaut négocier car il n'y a pas de solution solitaire. En fait, je dois convaincre l'Allemagne : les autres suivront. Si nous divergeons avec la chancelière, nous avons besoin l'un de l'autre. Il faut trouver une réponse aux difficultés des banques et parer les risques qui pèsent sur les États. Je dois donc établir un rapport de force, quitte à agiter l'hypothèse d'un rejet du traité budgétaire européen par le Parlement français, même si je mesure que cette arme de dissuasion est conçue pour ne pas servir : elle aboutirait à faire exploser la zone euro. Je dois chercher des alliés pour ensuite nouer le compromis.

Super Mario

L'avenir de l'Europe est donc renvoyé au Conseil européen du 28 juin. Il se tiendra après le G20 prévu à Los Cabos au Mexique et d'ici là je me serai entretenu avec les chefs de gouvernement espagnol et italien, Mariano Rajoy et Mario Monti qui ne sont pas loin de partager mes positions, au-delà de nos divergences politiques. Si l'un est conservateur et l'autre libéral, ils sont tous deux dans une situation financière inextricable.

Ainsi va l'Europe en cette année 2012 où le pire est devenu possible mais où la lenteur des procédures nous impose d'interminables discussions et de fragiles compromis. Est-ce un mal, au fond ? Avant l'Union chacun passait beaucoup de temps à ourdir des plans militaires et à chercher des alliances contre ses voisins. On a remplacé cette diplomatie agressive par des consultations incessantes et laborieuses à Bruxelles. La paix a rendu la politique européenne prosaïque. C'est un fait que la paix distille l'ennui. À moins que ce ne soit l'ennui lui-même qui garantisse la paix.

À la fin du mois de juin, je retrouve le même cérémonial dans cette même salle. À 16 heures donc, la séance s'ouvre avec l'exposé du président du Parlement européen, qui est plutôt un baroud d'honneur puisqu'aussitôt sa sage péroraison prononcée il s'éclipsera. À 17 heures, c'est la photo dite de famille, les dirigeants des vingt-huit pays montent sur une estrade, les deux pieds encadrant le sparadrap blanc qui marque leur place. Ils sourient face à des photographes actionnant tant et plus leur appareil alors même que de mémoire je n'ai jamais vu un journal en reproduire un seul cliché. À 18 heures, les choses sérieuses commencent. Et voilà que l'on reprend le tour de table de la dernière fois, tout aussi interminable.

C'est là que l'événement se produit. Tranchant sur les discours lénifiants qui ont suivi mon plaidoyer réitéré en faveur d'une politique volontaire, Mario Monti prend la parole. Le président du Conseil italien est un homme austère et respecté. Il a été de 1995 à 2004 un commissaire européen redouté pour son acharnement à faire prévaloir les règles de la concurrence. Il a été appelé à la tête du gouvernement de l'Italie en novembre 2011, Silvio Berlusconi ayant perdu tout crédit. Connu pour sa rigueur et son calme, il lance en exergue d'une voix ferme : « Tout cela ne peut pas durer ! » La torpeur qui engourdissait l'assistance s'évanouit. En phrases courtes aux accents dramatiques, Monti explique que son pays comme plusieurs autres est asphyxié, que des banques séculaires sont menacées de faillite, que les taux d'intérêt sur les dettes souveraines engendrent des charges exorbitantes et que l'économie risque de s'effondrer faute de liquidités. Il demande que le Conseil annonce des mesures fortes à l'issue de ses travaux. Aussitôt, il est approuvé par plusieurs responsables du Sud de l'Europe. Quant à Mario Draghi, le président de la Banque centrale européenne (BCE), muet comme une carpe depuis le début du Conseil, il hoche la tête discrètement. Je me dis que c'est sans doute l'indice le plus spectaculaire que les choses vont changer.

Angela Merkel toujours pleine de sang-froid a compris qu'elle doit jeter du lest, sans toutefois paraître céder sur les règles d'orthodoxie budgétaire. Voyant le rapport de force évoluer, je demande que notre dîner soit consacré aux mesures susceptibles de rétablir la confiance dans la zone euro. Il s'agit d'adopter des dispositions pour la supervision des banques privées qui permettront à la BCE d'assouplir le moment venu et en toute indépendance sa politique monétaire. Nous sommes entrés dans le cœur de la négociation, elle durera une grande partie de la nuit. Aucun détail ne sera négligé. Monti et moi, sur des tons différents, avons présenté cette réunion comme celle de la dernière chance. La tactique paie. On aboutit cette fois à des décisions majeures : les fondements de l'union bancaire sont posés. Ce ne seront plus les contribuables qui combleront les défaillances des banques mais les établissements financiers eux-mêmes. Ils feront l'objet d'une évaluation constante et d'une surveillance permanente pour prévenir toute vulnérabilité. Nous créons un fonds commun destiné à venir en soutien aux États en difficulté. C'est le Mécanisme européen de stabilité (MES). Enfin, une certaine flexibilité est laissée à la Commission pour juger du respect par les États des objectifs de réduction des déficits. Le communiqué final traduit ces avancées, avec un balancement qui permet à chacun de sauver la face. La lutte contre le chômage est placée au même niveau d'exigence que la mise en œuvre des réformes structurelles. Derrière l'introduction de mécanismes complexes et de techniques financières élaborées, c'est une nouvelle solidarité qui s'instaure au sein de la zone euro. Le résultat sur le moment n'impressionne pas outre mesure les marchés ni ne convainc les peuples. Tout juste retient-on que l'alliance entre la France, l'Italie et l'Espagne a eu raison de l'intransigeance allemande. Ce qui n'est pas exact : Angela Merkel a joué le jeu européen. Elle a bataillé sur ses thèses, refusé les approximations, combattu les facilités mais elle a admis que la solidarité concourait à la stabilité. Ainsi procède la chancelière. Elle tient fermement sa position mais sait faire les compromis. Elle défend les intérêts de son pays, ce qui est bien le moins, mais elle n'oublie jamais de faire avancer l'Europe. Elle met parfois du temps,

161

trop de temps, pour parvenir à la bonne décision. Mais elle ne prend jamais la mauvaise.

Cette nuit-là, notre souci de faire vivre le couple franco-allemand a préservé la monnaie unique, desserré l'étau de la spéculation et surtout offert au président de la Banque centrale l'occasion d'un assouplissement de la politique monétaire. Un mois plus tard, au cœur de l'été, le 26 juillet 2012, Mario Draghi déclare « qu'il fera ce qu'il faut pour sauver l'euro ». Nous décidons de publier, Angela Merkel et moi-même, un communiqué conjoint le lendemain. Ce jour-là a commencé la fin de la crise de la zone euro. Le sommet européen du 28 juin 2012 a été historique. L'a-t-on suffisamment dit ?

Sauver la Grèce

Celui de juillet 2015, trois ans plus tard, le fut aussi. Les difficultés de la Grèce, ce pays qui incarne la civilisation dont l'Europe est issue, occupaient sans cesse les discussions du Conseil depuis 2010. La révélation de ses déboires financiers avait exigé la mise en place de plans de sauvetage dont la Commission européenne, la Banque centrale et le FMI, appelé contre toute logique européenne à la rescousse, surveillaient l'exécution. Malgré ce soutien, le peuple grec se voyait infliger régulièrement des purges qui avaient fini de discréditer les gouvernements successifs. En janvier 2015, lors des élections législatives, la colère populaire porte au pouvoir un parti de la gauche radicale, Syriza, conduit par Alexis Tsipras.

Ce jeune dirigeant est déterminé à renégocier les conditions imposées à la Grèce par les trois institutions affublées du charmant nom de « Troïka ». La question de la sortie de la Grèce de l'euro est une nouvelle fois posée. À voix de moins en moins basse, plusieurs pays la réclament. Je ne peux me résoudre à ce scénario. Il exclut un pays qui est entré dans l'Union en 1981 à l'initiative de la France. Il implique l'abandon d'un peuple qui a commis le seul crime de n'être pas d'accord avec la majorité des vingt-huit. Il punit un dirigeant qui n'a encore rien dit de ses intentions. Je demande à Angela Merkel de lui laisser sa chance et de le juger sur ses actes. Une fois encore, la chancelière qui déteste les emballements fait preuve d'ouverture. Elle attendra de voir et fera tout ce qu'elle pourra pour convaincre Tsipras de rester dans les clous. Ces clous pour l'instant, le Premier ministre grec est assis dessus...

Le 4 février 2015, je suis le premier dirigeant européen à recevoir Alexis Tsipras. Col ouvert, abord affable, parlant un anglais universitaire avec un délicieux accent grec, il est doté d'une solide expérience politique, même s'il avoue, sans risque d'être démenti, être un néophyte dans les arcanes de l'Union. Éloquent, intelligent, il fait preuve d'un calme apparent qui cache mal son inquiétude. Il pense que le vent de la démocratie grecque souffle en sa faveur mais il perçoit aussi que la tempête qu'il a levée peut le faire chavirer. Je lui prodigue mes conseils : ne pas exiger tout de suite un moratoire sur la dette, pour mieux assouplir le plan de sauvetage et en écarter les dispositions les plus insupportables. Je lui suggère des alliés possibles : Jean-Claude Juncker, le président de la Commission qui veut offrir un autre visage de l'Europe que celui présenté par son prédécesseur, et Mario Draghi, le président de la BCE, qui tient à la cohésion de la zone euro.

Je sens qu'il est encore dubitatif, tant il a critiqué l'Europe durant sa campagne. Je l'informe sur l'état d'esprit d'Angela Merkel. Elle le soumettra à une épreuve de vérité. Mais si elle est convaincue de sa bonne foi, elle cherchera comme toujours une solution. Elle ne me démentira pas. Dans les réunions qui suivront, elle sera constante dans cette attitude. Point essentiel : Alexis Tsipras m'assure avec force qu'il veut que son pays reste dans la zone euro, dès lors qu'il obtiendra un allégement du fardeau. J'informe Michel Sapin de cette ligne de conduite et lui donne toutes les instructions pour qu'à l'Eurogroupe, qui rassemble les ministres des Finances de la zone euro, il travaille dans cette direction.

Le oui-non de Tsipras

Comme je l'avais prévu, Angela Merkel soumet Tsipras, venu à Berlin lui rendre visite, à un exercice de pédagogie intensive. Elle a consigné dans un cahier tous les engagements souscrits par le gouvernement grec lors de la mise en place du plan de sauvetage. Elle les passe en revue l'un après l'autre pour s'assurer de leur respect et pour évaluer les manquements aux objectifs prévus. Puis les jours passent : Tsipras et Merkel pensent tous deux en tirer avantage. À mesure que l'on s'approchera du gouffre, pensent-ils, une solution surgira pour arrêter cette course folle.

À l'Eurogroupe, les vaticinations de Yanis Varoufakis, le ministre des Finances grec, irritent ses collègues. Professoral, systématique, il leur fait la leçon. Venant d'un représentant d'un pays qui ne peut plus régler ses échéances, son discours passe mal.

Tandis qu'à l'Eurogroupe les choses piétinent et que Yanis Varoufakis amuse de moins en moins la galerie, nous nous retrouvons plusieurs fois avec Angela Merkel et Alexis Tsipras à Bruxelles ou dans les capitales européennes. Le Premier ministre grec fait preuve de bonne volonté mais escompte en échange un geste significatif. La chancelière fait montre d'une bienveillante patience. Mais à l'expiration du programme d'aide à la Grèce, prévue à la fin du mois de juin après quatre mois de négociations infructueuses, nous sommes au pied du mur. L'attentisme comme toujours débouche sur la crise qu'il prétendait éviter.

Au sommet européen du 25 juin, Tsipras étale son jeu. Je mesure le chemin qu'il parcourt à cet instant, même s'il a traîné les pieds jusque-là. Je le soutiens, tout en lui demandant encore quelques gestes, notamment sur la fiscalité et sur la réforme de l'administration. Angela Merkel veut qu'il aille plus loin encore sur les retraites et les privatisations. En face à face, nous l'exhortons à faire le dernier pas pour trouver un accord avec la Commission. Je le sens embarrassé. Il rencontre les pires difficultés avec une partie de sa majorité. Je n'ai pas de mal à me mettre à sa place. Décidément les frondeurs ignorent les frontières. Mais je ne me résous pas à la fatalité. C'est pourtant l'espoir des partisans de la sortie de la Grèce de la zone euro. Ils se recrutent au sein même du gouvernement allemand et chez bon nombre de nos partenaires excédés par les palinodies qui accompagnent depuis trop longtemps la gestion de ce dossier. Nous nous approchons de la ligne de rupture.

Elle est franchie le 26 juin tard dans la soirée. Très officiellement, Alexis Tsipras demande à tenir une conférence téléphonique avec la chancelière allemande et le président français. Son ton est grave. Il n'est sans doute pas seul dans son bureau. Il feint la colère et utilise un vocabulaire vindicatif qu'il n'avait pas employé jusqu'à présent. Il nous annonce qu'il refuse les dernières propositions européennes et nous informe tout de go qu'il va appeler le peuple grec à se prononcer par référendum.

— Quelle sera la question ? dis-je
— C'est tout simple, répond Tsipras : acceptez-vous l'accord négocié à Bruxelles ?
— Et quelle sera ta réponse ? demande Angela Merkel
— Non.

Un long silence s'installe. Je devine que pour la chancelière, la confiance est rompue. Il lui sera même reproché dans son camp de l'avoir accordée. Tsipras sans doute acculé cherche par ce vote à retrouver le soutien de son peuple, sans savoir encore ce qu'il en fera. Je tente une ultime opération : suspendre le référendum pour laisser du temps à de nouveaux pourparlers. Mais les dés sont jetés. Le 6 juillet, le résultat de la consultation est sans appel. À plus de 60 %, les Grecs rejettent le plan de sauvetage. J'appelle Tsipras le soir même. À sa voix, je comprends qu'il ne triomphe guère. Je lui dis cette chose simple :

— Tu as gagné mais la Grèce a perdu. Tu as fourni par l'ampleur même du vote les derniers arguments qui manquaient aux adversaires de ton pays pour l'exclure de la zone euro.

Je lui pose alors la seule question qui vaille :

– Veux-tu sortir, ou bien tenter une nouvelle négociation, quitte à en payer le prix ?

– J'y suis prêt.

– Alors aide-moi à t'aider. La France ne pourra rien faire seule et sans ton concours.

Je mets à sa disposition une escouade de hauts fonctionnaires français animée par le directeur du Trésor pour préparer avec ses experts les nouvelles propositions que la Grèce adressera à l'Eurogroupe dans les jours qui viennent. Le soir même, Angela Merkel vient à Paris pour un dîner de travail. Il s'agit de préparer le Conseil européen qui sera décisif. Pour la première fois, elle me déclare qu'il est de notre devoir de travailler sur un scénario de sortie de la Grèce de la zone euro. Il faut d'ores et déjà envisager les mesures techniques qui encadreront le processus. Il serait irresponsable, dit-elle, de ne pas préparer de plan B. Je ne refuse pas mais je lui demande, en retour, de joindre nos efforts pour aller jusqu'au bout de l'hypothèse du maintien.

Nous avons l'un et l'autre nos contraintes politiques. Elle dans un gouvernement où son ministre des Finances, Wolfgang Schäuble, a fait son deuil de la Grèce mais où ses alliés sociaux-démocrates appuient ma position. En France où la droite dans toute sa diversité est prête à lâcher la Grèce et où la gauche m'imputerait l'échec si j'y consentais. Jean-Luc Mélenchon, parmi d'autres, m'envoie des messages pour m'exhorter alors à soutenir Tsipras. Il prêche un converti. Il me met en garde en termes vifs contre les manœuvres allemandes, à ses yeux maléfiques. Sur ce point il se trompe. La chancelière en dépit de ses préventions est plutôt une alliée dans cette bataille.

Nuit de Grèce

Le 12 juillet, une nouvelle nuit nous attend à Bruxelles. Pour échapper à la pression des marchés, le sommet des dirigeants de la zone euro a été convoqué un dimanche. La veille, l'Eurogroupe n'a pas pu se mettre d'accord. Wolfgang Schäuble a clairement plaidé pour le Grexit qu'il qualifie de « temporaire » pour n'effrayer personne, ce que conteste le président de la BCE. Plutôt que d'acter l'échec Michel Sapin obtient que les travaux soient suspendus et les responsabilités renvoyées aux chefs d'État et de gouvernement.

La discussion s'ouvre dans ce contexte, où le pire est désormais probable. La tendance n'est pas bonne. Tsipras l'a compris et évite toute provocation. Angela Merkel respecte notre pacte. Elle veut un accord mais il n'est pas encore mûr. Avec les dix-neuf membres autour de la table, il est vain d'espérer poursuivre une discussion qui exigera d'entrer dans de nombreux détails. Je propose une méthode : une discussion à trois en présence du président de la Commission et du président du Conseil européen.

En petit comité donc nous examinons le plan de sauvetage de la Grèce et les contreparties que Tsipras doit accepter. Les différentes dispositions sont corrigées ou confirmées. La mort dans l'âme mais décidé à rester dans la zone euro, Tsipras accepte cette nuit-là ce qu'il avait refusé la veille. Courageusement il prend ses responsabilités. Il s'engage même à ce que la plupart des mesures soient votées par son Parlement dans les jours qui suivront le Conseil. La négociation progresse. Parfois dans la nuit il consulte ses équipes regroupées dans les bureaux de sa délégation. S'y trouvent des dirigeants politiques mais également des experts dont j'apprendrais plus tard qu'ils sont liés à des banques américaines et même françaises. La finance se rémunère aussi sur ses propres errements. Au cours d'une interruption, Tsipras me confie son amertume. Je le vois proche du renoncement mais je l'exhorte à poursuivre la discussion jusqu'à son terme.

À 5 heures du matin tout se focalise autour du fond de privatisation qui doit servir à gager le soutien de l'Europe. L'organisme aurait son siège au Luxembourg et ses produits seraient entièrement affectés au désendettement. C'est inacceptable pour Tsipras. Comment peut-il admettre que la Grèce perde sa souveraineté sur son patrimoine ? D'interruption en interruption nous nous retrouvons dans un petit bureau à côté de la salle du Conseil où nous attendent les dirigeants européens plongés dans un demi-sommeil. Nous cherchons avec Angela Merkel une formule rédactionnelle qui offre aux Grecs une capacité d'investissement pour l'avenir. À 9 heures du matin, nous y sommes. La chancelière prend sa part de la rédaction du texte. Sa vigilance n'est jamais prise en défaut mais son engagement européen non plus. Tsipras ne crie pas victoire. Il appréhende ce qui l'attend. Lui aussi devra convaincre. Mais l'accord est trouvé.

La France a réussi à faire prévaloir l'intérêt général de l'Europe. Il passait par le sauvetage de la Grèce. Aurais-je cédé là-dessus que c'en était fait de la solidarité au sein de la zone euro et donc de son avenir. Rien n'aurait été possible sans Angela Merkel mais rien n'aura été acquis sans nous.

Dans les mois qui suivent la Grèce tiendra parole. Elle sortira plus rapidement que prévu de la situation dramatique où son endettement faramineux l'avait jetée. La croissance y est revenue. Elle a de nouveau accès au crédit international. Les taux d'intérêt qu'elle obtient sur sa dette n'ont plus rien d'usuraires. J'ignore si Alexis Tsipras sera récompensé de ses choix courageux. Mais je peux témoigner qu'il a agi en Européen et en homme de gauche.

Europe sans âme. Europe désarmée

Toutes les négociations ne débouchent pas sur des succès. Il en est une dont l'échec a révélé les divisions profondes de l'Europe et des manquements à ses valeurs fondamentales. Je veux parler du traitement de la crise migratoire. Rappelons les faits. Au début de l'année 2015, les catastrophes humanitaires s'ajoutent les unes aux autres. Venant de Libye notamment les réfugiés s'entassent sur des esquifs de fortune. Déjà plus de 800 morts sont à déplorer au large de Lampedusa après qu'un bateau a chaviré. Les naufrages se multiplient. Le président du Conseil européen, Donald Tusk, convoque en toute hâte un sommet extraordinaire sur l'immigration. Le chef du gouvernement italien Matteo Renzi, jeune dirigeant plein de fougue, use à la différence de beaucoup de ses collègues d'un langage direct sans se perdre dans des circonlocutions. Il est le plus jeune parmi nous. Ce qui, à ses yeux, lui donne des droits supplémentaires. Il croit que son charme qui est réel et sa faconde peuvent tout balayer. Il est à la mode dans son pays où il promet une réforme par mois et même une révision de la Constitution. Elle aura finalement raison de lui. Il ne le sait pas encore. Mais au moins il dit tout haut ce que nous pensons tous et que beaucoup ne veulent voir : « La situation sur les côtes italiennes est insoutenable. » Son pays ne pourra plus assumer seul cette charge. Il conteste les règles dites « de Dublin » qui obligent le demandeur d'asile à s'inscrire dans le premier pays européen où il est accueilli. Il demande un partage du fardeau entre les différents membres de l'Union. Jean-Claude Juncker, le président de la Commission européenne, ne mâche pas non plus ses mots. Il allie une expérience considérable – il siège au Conseil européen depuis vingt ans – à une sensibilité de démocrate-chrétien, avec ce qu'elle représente d'humanité même si elle paraît en ces circonstances un peu surannée. Il est redoutablement intelligent au point de ne pas avoir besoin de le paraître. Il est passé maître dans l'art de la combinaison « bruxelloise ». Mais il a ce que beaucoup n'ont pas et qui s'appellent des convictions. À un moment, elles éclatent. Il avance le chiffre de 40 000 réfugiés dont les pays européens pourraient assurer l'installation par une sage répartition. Cette idée de quotas suscite aussitôt une levée de boucliers de la part des pays de l'Est. Ceux-ci revendiquent avec hauteur leur souveraineté et proclament qu'ils refusent

171

d'assumer les séquelles de la colonisation dans laquelle ils n'ont aucune part.

Je ne pensais pas avoir à vivre de tels échanges. Le drame humain n'en est qu'à ses prolégomènes : l'Europe se déchire sur son histoire et sur les principes mêmes qui avaient jusque-là fondé son existence : la liberté, la dignité, le droit d'asile. Et cette rupture vient des dirigeants de nations que nous avons accueillies au lendemain de la chute de Berlin au nom de ces mêmes valeurs ! Nous entendons de la bouche de chefs de gouvernement avec lesquels nous négocions sans trop barguigner sur la venue de travailleurs détachés ou sur la libre circulation des ressortissants européens que « leur pays n'accepte pas de cultures étrangères ». Voilà qui suscite chez moi un malaise – pour ne pas dire un haut-le-cœur – alors même que j'admets les nécessités d'un contrôle des frontières. Pour trouver une issue honorable, nous décidons que la relocalisation des 40 000 réfugiés se ferait sur une base volontaire. La France y prendra sa part.

En août 2015, Angela Merkel insiste pour passer à une étape supérieure. Je plaide pour la construction de centres d'enregistrement des demandeurs d'asile en Grèce et en Italie, gérés par l'Union européenne. La chancelière approuve ma proposition. Elle est prête à un effort financier pour épargner à l'Italie et à la Grèce la charge de l'accueil. J'accepte en retour l'instauration de quotas obligatoires. Je sais qu'une fois encore le temps joue contre l'Europe. Celle-ci ferme les yeux sur une réalité dont elle pense qu'elle trouvera sa solution loin de ses frontières alors que celles-ci craquent de partout. La Méditerranée à l'ouest comme à l'est charrie chaque jour, chaque nuit, son lot d'hommes et de femmes prêts à tout pour rejoindre l'Europe. J'ai averti depuis des mois le Conseil européen des massacres perpétrés en Syrie, de la montée de Daech en Irak, du chaos qui s'est installé en Libye. J'ai eu droit à une écoute courtoise, à des compliments sincères sur le rôle de la France au Sahel comme au Moyen-Orient et à un soutien renouvelé pour la recherche d'une solution politique en Syrie. Mais ces manifestations de compréhension masquent la sous-estimation des difficultés gigantesques dans lesquelles se débattent les pays voisins de la Syrie malgré le soutien du Haut-Commissariat pour les réfugiés.

La Turquie a fait face jusque-là. Elle n'en peut plus. Le président Erdogan a compris le parti qu'il peut tirer de cette situation auprès de l'Europe. Le 2 septembre, la publication de la photo du petit Aylan noyé au large des côtes turques, le visage collé sur le sable, provoque une émotion mondiale. La mer avait déjà renvoyé sur des plages des milliers de malheureux et fracassé les embarcations qui transportaient des familles entières, provoquant d'innombrables noyades. Cette fois, c'est l'image de trop et le terrible symbole de notre indifférence. La mauvaise conscience jusque-là contenue s'exprime sans retenue sur les réseaux sociaux. Avec la chancelière, nous nous adressons à Jean-Claude Juncker pour lui confirmer notre soutien à un plan européen global comportant des quotas obligatoires. Angela Merkel me prévient qu'elle va ouvrir ses frontières. Elle ne peut laisser à la porte de son pays la masse des réfugiés qui s'y pressent après avoir cheminé des jours durant, épuisés et implorants, sur la route des

Balkans. C'est par dizaines de milliers qu'ils entreront en Allemagne.

La France ne peut rester spectatrice. Je propose d'accueillir ceux qui voudraient demander l'asile en France. En fait, ma conviction est arrêtée depuis long-temps. Seule une solution globale soutenue par toute l'Europe sera efficace et digne. Elle ne sera pas mise en œuvre avant plusieurs mois. L'Italie et la Grèce répugnent à laisser se créer des centres « hot spot » sur leur territoire de crainte, comme le dit Matteo Renzi, de créer « des prisons à ciel ouvert ». Les pays réunis dans « le groupe de Visegrad », la Pologne, la Hongrie, la République tchèque, et la Slovaquie, récusent tout « diktat » européen. Sur cette question qui relève de leur souveraineté, je leur réponds qu'il y a des règles humanitaires élémentaires que je suis prêt à appliquer sans eux. Mais je précise aussitôt qu'ils devront peut-être se passer de nous pour les politiques européennes auxquelles ils sont attachés et que nous finançons.

Il aura fallu attendre le printemps 2016 pour qu'un règlement global soit adopté. Il comprend un accord avec la Turquie, un soutien à la Grèce, et la fermeture de la route des Balkans. Entre-temps, les migrants économiques se sont ajoutés aux demandeurs d'asile. Les populistes se sont servi de cette épreuve humani-taire pour nourrir la xénophobie et les mouvements terroristes pour envoyer en Europe leurs tueurs semer la mort.

En économie, le temps perdu se paye en austérité supplémentaire. En politique, en drames humains et en autorité perdue. Dans la crise migratoire, l'Europe a sacrifié son crédit, son image et surtout son honneur.

L'absence de régulation et le défaut d'organisation dans l'accueil des réfugiés lui ont coûté cher. Tout en sachant que pour que les réfugiés puissent faire valoir leurs droits, encore faut-il que les frontières soient respectées. À défaut, les Européens craindront pour leur identité et les réfugiés pour leur vie.

Climat diplomatique

S'il fut un succès de notre diplomatie mondialement reconnu, ce fut l'accord réalisé à Paris lors de la COP21 en décembre 2015. À Copenhague sept ans plus tôt, la conférence avait débouché sur un échec retentissant. Au point qu'aucun pays ne voulait organiser un nouvel événement. Les divisions entre les pays riches et pays émergents, les pollueurs et les sobres, le Nord et le Sud loin de disparaître s'étaient encore accentuées. En 2013 un appel à candidature avait été lancé pour l'accueil de la COP21. Les volontaires ne se bousculaient pas. Laurent Fabius nous avait à juste raison mis en garde : si nous nous portions volontaires, nous devions réussir.

Je décidai de relever le défi. Si la France avait à y perdre, le monde avait à y gagner. Je mesurais l'enjeu. Les pays développés qui ont profité jusqu'à plus soif d'un mode de production prédateur veulent maintenant revenir à la sagesse, ce qui équivaut à imposer aux pays émergents des normes nouvelles qui brideront leur développement. Ceux-ci écartent avec indignation cette perspective pointant l'injustice qu'il y a à dénier aux autres les facilités qu'on s'est soi-même octroyées. À ce différend s'ajoutent des divergences entre les États les plus riches. Les plus nombreux sont gagnés à la cause du climat ; d'autres, plus conservateurs, sont restés sur des positions sceptiques.

Pourtant au fil de mes voyages je sens que la situation évolue. En Chine, une prise de conscience s'est fait jour. J'en devine les effets au cours de mon voyage à Pékin, au cœur de la Cité interdite, dans une petite maison cachée au fond du parc, dans ce lieu reclus, où l'on entend seulement le bruit cristallin des jets d'eau, à l'opposé de la grande entrée majestueuse de pierre et de bois sculpté ouverte aux visiteurs. C'est là que j'ai une longue conversation avec le président chinois Xi Jinping. Comme ses prédécesseurs, il n'a jamais oublié le geste du général de Gaulle en 1964 qui avait reconnu la Chine populaire et rompu l'isolement qui la frappait. Au nom d'anciens liens (les Jésuites français avaient, parmi les premiers, dispensé leur savoir auprès des empereurs chinois) le président français avait décidé avec réalisme de faire rentrer dans le jeu mondial cet acteur incontournable, quelque huit ans avant le tournant décisif pris par Richard Nixon.

À écouter le président Xi Jinping, je comprends que la Chine, l'usine du monde, a changé d'avis sur le développement. Jusque-là dédiée au productivisme le plus débridé, elle ne veut pas réitérer les erreurs commises par l'Occident. Avec plus d'un milliard d'habitants et une économie en pleine croissance, elle contribue plus que les autres aux émissions de gaz à effet de serre. Elle redoute d'avoir à payer un jour le choix d'un modèle insoutenable. La Chine a beau être délivrée des échéances électorales qui font tomber les gouvernements démocratiques comme dans un jeu de quilles, elle a aussi une opinion publique, qui n'accepte pas d'être asphyxiée par un air irrespirable. Au cœur de la Cité interdite, dans ce cadre millénaire, le président chinois se projette dans le siècle évaluant les conséquences du réchauffement climatique pour son pays et pour la planète. Je devine là un levier possible. La Chine sera un allié précieux.

En Afrique, où je me rends plusieurs fois, les dirigeants eux aussi souhaitent s'épargner la phase la plus destructrice du développement en s'appuyant sur les nouvelles technologies et en jouant des énergies renouvelables que leur ensoleillement et leur luxuriante nature prodiguent en abondance. Ils sont prêts aux efforts nécessaires, à condition que les pays développés leur procurent les financements indispensables pour leur éviter les errements que ceux-ci ont commis. Ainsi, pour peu qu'on sache dégager les compromis inévitables, les blocages qui avaient conduit à l'échec de Copenhague peuvent se desserrer. Laurent Fabius prépare avec un engagement sincère le rendez-vous qui s'annonce. Disponible, Nicolas Hulot est venu me proposer ses services. Il ne voulait pas entrer au gouvernement. Je lui reposerai la question plus tard. « Pour garder ma liberté » me disait-il. Il respecte les présidents, ne déteste pas être courtisé par eux, mais il se méfie de la politique. Pour s'en être déjà approché il a le souvenir de s'y être brûlé. Il a, depuis, changé d'avis et a dû revêtir une combinaison ignifugée. Il en aura besoin. Mais en 2013 je le nomme ambassadeur pour le climat avec un bureau à l'Élysée. Il ajoutera ses efforts à ceux de Laurent Fabius et de Ségolène Royal.

Victoire à la COP

Pays hôte, la France doit montrer l'exemple. Successivement, je décide d'arrêter définitivement toute prospection destinée à détecter des gisements de gaz de schiste et Ségolène Royal fait voter ses lois avec l'obstination qui la caractérise. Cette équipe fait plusieurs fois le tour de la terre. Nous devenons ainsi les pèlerins infatigables du climat. Nous avons arrêté une méthode. La France rédige un texte de base que nous soumettons au fil de nos pérégrinations aux principaux dirigeants de la planète. Il sera ensuite discuté à la conférence. Nous ferons venir les dirigeants mondiaux non à la fin des débats comme à Copenhague quand ils s'étaient retrouvés avec un document truffé de mille détails propices à la dissension, mais au début pour arrêter de concert les orientations essentielles à l'accord qui sera ensuite mis au point par les délégations. Nous prévoyons une participation massive des forces de la société civile qui feront pression dans le sens souhaité.

Barack Obama prend courageusement position même s'il sait les réticences des producteurs de pétrole américains, même s'il connaît les pressions qu'ils sont capables d'exercer sur le processus électoral et qu'on verra à l'œuvre lors de la désignation de son successeur. Malgré la place que tient le charbon dans son économie, l'Allemagne d'Angela Merkel doit elle aussi changer de modèle. Elle est à nos côtés. La Chine marque son approbation, l'Inde surmonte ses réticences en passant un accord avec la France pour le développement rapide des énergies solaires. Le président Benigno Aquino des Philippines m'assure de son soutien : son pays vient d'être dévasté par un tsunami. Les Africains seront avec nous si les compensations promises sont couchées sur le papier. Nous jouons de nos bonnes relations pour convaincre les pays arabes, réticents en principe à toute limitation des énergies fossiles.

La conversation la plus émouvante est celle que je noue avec les représentants des îles du Pacifique. « Le réchauffement pour nous n'est pas une question parmi d'autres. Elle décide de notre survie. Sans un effort mondial conséquent, nous serons submergés avant cinquante ans. Le réchauffement nous aura rayés de la carte. » Au Canada et en Australie les gouvernements ont changé et les conservateurs climato-sceptiques ont été écartés. La Russie déclare sa neutralité bienveillante. Curieusement, à la fin de ce marathon, un seul pays est prêt à refuser tout accord et élève encore à Paris, au moment décisif, des objections obstinées. C'est le Nicaragua. Nous avons alors l'idée de faire intervenir le pape François qui entretient des liens étroits avec les anciens sandinistes. A-t-il réussi à fléchir la position des gouvernants de Managua ? Toujours est-il que leur veto ne sera jamais exercé. Ou trop tard. Miracle.

Dans cette longue quête, nous avons bénéficié du concours actif de plusieurs personnalités d'envergure. Ban Ki-Moon, le secrétaire général des Nations Unies, a compris le sens qu'il pouvait donner à sa mission en faisant signer un grand traité international. Il a su se dépenser sans compter pour cette cause confirmant ainsi le rôle des institutions internationales et la précieuse utilité du multilatéralisme. Al Gore, ce démocrate qui faillit être président des États-Unis face à George Bush, consacre sa vie à la cause du climat. Michael Bloomberg, l'ancien maire de New York, a mobilisé l'ensemble des investisseurs américains pour leur démontrer que le climat est désormais un investissement rentable et que l'inertie aurait un coût fatal. Et puis il y a ces personnalités qui mettent leur notoriété au service d'un engagement sincère. Avec sa barbe d'homme des bois et son catogan (il est en tournage) Leonardo DiCaprio s'adresse d'un ton pathétique à l'ONU. Arnold Schwarzenegger, qui me broie les phalanges à chaque rencontre, met cette force impressionnante au service des régions du monde pour les mobiliser dans la lutte contre le réchauffement.

Finalement, après des jours tendus et autant de nuits blanches, grâce à l'addition de plusieurs mois d'efforts, grâce à Laurent Fabius, président de la COP, et à Ségolène Royal qui va lui succéder dans ce rôle, le maillet de bois tenu par le ministre des Affaires étrangères de la France le 12 décembre 2015, jour historique pour la planète, s'abaisse sous mes yeux d'un coup sec. Un accord mondial est scellé au milieu des ovations immenses de l'assistance. Rarement un simple coup de marteau aura eu plus grand effet sur l'humanité !

Dans une négociation, la méthode compte autant que le but. Pour arriver à ses fins, la première qualité c'est la patience. Savoir utiliser le temps, l'étirer si nécessaire, accepter les coupures, éviter les ruptures. Si la discussion s'enlise, c'est bon signe. Tant que les protagonistes restent autour de la table, rien n'est perdu. Les nuits ne portent pas seulement conseil. Elles accouchent des bons accords. Rarement les participants acceptent de les avoir sacrifiées pour rien. Le petit matin fait partie du cérémonial. Les yeux tirés sont souvent ceux du vainqueur. Il ne suffit pas d'avoir raison pour convaincre ni d'avoir de la prétention pour séduire. L'intelligence tactique, c'est une course de haies. Franchir l'une après l'autre, c'est la meilleure façon d'intéresser chaque interlocuteur à la réussite commune.

Enfin, et à l'inverse, face au cynisme, au mensonge, à la violation du droit, la négociation tourne au piège. La discussion se change en renoncement, l'accord en capitulation.

7

Choisir

La décision, c'est la vie quotidienne du président. Elle n'est pas toujours aussi tragique que dans les actions de guerre mais elle est toujours difficile : quand elle est simple, elle ne remonte pas à l'Élysée. Cette réalité qui fait la grandeur de la mission, je la connaissais depuis toujours, en tout cas depuis ces années où j'avais approché le président Mitterrand puis quand j'avais participé comme premier secrétaire du Parti socialiste à l'action du gouvernement de Lionel Jospin. Élu président, j'en ai éprouvé les contraintes dès le premier jour.

L'option stratégique

Alors que je descends les Champs-Élysées, fouetté par la grêle mais réconforté par les applaudissements d'une foule amicale venue m'encourager, j'ai en tête le premier défi qui nous attend. Nous héritons d'une situation financière ardue. Notre dette a explosé sous le quinquennat précédent, notamment à cause de la crise bancaire de 2008 qu'il a fallu juguler par des dépenses considérables. En 2012, elle atteint 90 % de notre production nationale, contre 62 % en 2007. La zone euro est en danger et la qualité de la signature de la France doit être protégée si nous voulons nous refinancer à des conditions supportables.

J'ai mesuré au plus juste mes promesses de campagne. Tout en prévoyant les crédits nouveaux pour remédier aux situations d'urgence qui frappent les plus fragiles et les créations de postes indispensables dans l'Éducation nationale, j'ai annoncé que je m'efforcerais de ramener au plus vite nos comptes à un meilleur équilibre. La Cour des comptes publie à la fin du mois de juin 2012 un rapport sur les finances publiques qui met en lumière l'impasse dans laquelle nous sommes. Elle est exposée avec autant de netteté que de précaution. Il manque 33 milliards d'euros pour atteindre l'objectif de ramener nos déficits publics à 3 % de la richesse nationale prévu pour 2013. Équation impossible si l'on songe qu'ils se situent à près de 5,2 % du PIB à notre arrivée.

La Cour des comptes qui n'a peur de rien surtout pas de l'opinion nous suggère de combler cet écart en réduisant les dépenses de 18 milliards et de lever des recettes pour le reste ! C'eût été la meilleure façon d'étouffer l'activité et d'amputer le pouvoir d'achat des Français. Rien à voir avec la situation qu'Emmanuel Macron a trouvée en mai 2017 et qu'il connaissait bien. À cet égard la Cour des comptes a été imprudente quand elle a évoqué des éléments d'insincérité pour qualifier notre dernier budget, celui de 2017. La seule erreur de prévision a concerné la croissance : au lieu des 1,5 % prudemment affichés, elle a atteint 2 % entraînant ainsi un supplément de recettes. Drôle d'insincérité. Comme s'il fallait maintenant nous reprocher aussi les bonnes nouvelles.

Mes amis m'ont souvent demandé pourquoi je ne m'étais pas appuyé sur l'état alarmant de nos finances pour alerter les Français puis pour justifier un report de mes promesses et mettre en œuvre une politique encore plus rigoureuse. Il suffisait, me disait-on, d'imputer cette donne à la mauvaise gestion de la majorité précédente, et par enchantement les yeux se seraient ouverts et les bouches se seraient fermées. Je n'ai pas voulu le faire. D'abord parce qu'une telle déclaration aurait été prise pour une manœuvre consistant à convoquer l'héritage pour prolonger un combat politique qui venait de s'achever ; ensuite parce que la mise au rancart de mes engagements aurait contredit le sens même de l'élection. J'avais assez en mémoire les pauses avant l'heure, les tournants précipités et surtout les ruptures prématurées de mes prédécesseurs avec leur programme pour écarter pareil revirement. Enfin une dramatisation excessive aurait aggravé la crise. Elle aurait porté atteinte au moral des agents économiques qui n'était pas bien haut et inquiété outre mesure les marchés qui nous prêtaient chaque année de quoi combler nos déficits, c'est-à-dire plus de 150 milliards. Nous risquions une hausse des taux d'intérêt qui aurait infligé une charge supplémentaire au budget de l'État. Le service de la dette nous coûtait déjà plus de 40 milliards, autant que le budget de l'Éducation nationale. La tâche de redressement que je devais accomplir était déjà très délicate. À trop en rajouter, elle devenait impossible.

Le pain noir

Ainsi, le jour même de mon entrée en fonction, je dois trancher un dilemme majeur qui orientera tout le quinquennat : repousser les efforts à plus tard, pour répondre à l'impatience de notre électorat pour qui « le changement c'est maintenant » ; ou bien mettre en œuvre le sérieux budgétaire, c'est-à-dire procéder à des augmentations d'impôts conjuguées à une maîtrise des dépenses publiques. Ces mesures ne nous assurent pas de réussir mais elles nous prémunissent contre un échec certain.

À vrai dire, j'ai déjà mon idée. Je l'ai formulée dès le discours du Bourget. Le désordre européen est trop périlleux pour que la France ne prenne pas les mesures nécessaires, fussent-elles difficiles. Nous mangerons d'abord notre pain noir. Une fois le redressement accompli, nous procéderons aux redistributions attendues.

Encore faut-il que la zone euro se rétablisse à temps pour que les ajustements du début du quinquennat produisent leurs effets après deux ou trois ans. Ce plan, chacun le constate de bonne foi aujourd'hui, a fonctionné. Depuis le début de 2015 la France a vu sa production retrouver ses couleurs, la croissance repartir lentement, portée par l'investissement, et la courbe du chômage finalement s'inverser. La reprise est venue. Mais tard pour le pays et, subsidiairement, pour moi.

Je ne me plains pas que ces fruits péniblement acquis, ce soit Emmanuel Macron qui les récolte. C'est le lot de la responsabilité. D'une certaine façon, un président prend en charge le bilan de son prédécesseur et travaille inlassablement pour son successeur.

Décider sous la pluie

J'ai confirmé ce choix dès le premier jour, une décision arrêtée sous l'averse des Champs-Élysées tandis que l'eau forme une flaque froide sur le plancher de ma voiture découverte. La confiance que je porte dans les ressources du pays conforte ma détermination. Il y a bien plus de vitalité et de créativité que les prophètes du déclin ne le pensent et que certaines élites ne le colportent. Certes, derrière la brume qui masque l'avenir je ne devine pas que la route sera bien plus longue que je ne l'imagine. Mais aujourd'hui, comme au jour de mon installation, je sais que c'était l'intérêt supérieur du pays.

Ceux qui ont déploré cette stratégie et contesté la « politique de l'offre » nous proposaient d'augmenter la dépense publique, de laisser filer les déficits, de nous affranchir de nos engagements européens. Ils appelaient en fait à renverser la table européenne. Elle est plus lourde qu'ils ne l'imaginent. L'aurions-nous fait que nous aurions jeté la France dans le fossé et l'Europe avec elle.

Sur mon bureau, dès le lendemain matin et tous les jours de mon quinquennat, une feuille simple arrivera portant sur le papier blanc un seul chiffre, comme le message obstiné de la réalité : le taux d'intérêt exigé par nos créanciers pour refinancer la dette de la France. Chaque année notre pays emprunte non « aux banques » ou « aux marchés », comme on l'entend si souvent, mais aux épargnants du monde entier qui escomptent légitimement revoir l'argent qu'ils nous ont confié, quelque 200 milliards d'euros par an, une somme colossale même à l'échelle d'un grand pays comme la France. Que le gouvernement baisse la garde, qu'il se lance dans une politique financière aventureuse, qu'il cède à la facilité, la sanction est immédiate : le taux d'intérêt bondit, alourdissant soudain la charge du remboursement et réservant aux Français, sous couvert d'améliorer leur sort, des efforts encore plus douloureux.

« Diktat de la finance », « oukase de Bruxelles » ? En aucune manière : c'est le réflexe logique des prêteurs qui n'ont aucune intention de s'appauvrir en raison des inconséquences de dirigeants irresponsables, mais qui sont prêts à nous prêter des fonds avec des rendements modestes dès lors que la sécurité de leur placement est garantie. C'est ce qui nous a permis d'emprunter à des taux d'intérêt proche de zéro pendant la quasi-totalité du quinquennat et de diminuer ainsi la charge de la dette de plusieurs milliards d'euros.

Cette réalité, qu'ignorent superbement les populistes de l'extrême droite ou les tenants de la gauche radicale, s'impose à tout gouvernement sérieux. Un pays endetté se met dans la main de ses créanciers. C'est ainsi depuis l'empire romain. Le refus de cette évidence, c'est la perte de notre indépendance. Je n'avais pas été élu pour faire banqueroute, pour briser l'euro, pour nous précipiter dans la catégorie des nations sous tutelle. La France devait tenir ses engagements. Elle pouvait les renégocier : c'est ce que j'ai fait. J'ai obtenu une souplesse dans les délais qui nous étaient accordés pour réduire nos déficits. J'ai aussi évité à notre pays l'austérité que d'autres ont dû mettre en œuvre.

Nous l'avons fait dans le souci aigu de l'équité. Ce que j'ai voulu ce n'est pas seulement respecter nos choix européens, c'est protéger le pouvoir d'achat des Français. Et donc leur épargner une rigueur dont on sait qu'elle est d'abord supportée par les plus modestes et qu'elle se fait au détriment des dépenses d'avenir. Si j'ai eu à demander des sacrifices, j'ai sollicité avant tout les classes moyennes supérieures – elles s'en sont suffisamment plaintes –, j'ai lutté contre les inégalités fiscales, mission qui était au cœur de nos engagements. Et qui je le constate n'est plus la priorité aujourd'hui puisque les détenteurs de capitaux récoltent les dividendes de la croissance retrouvée grâce au travail de tous.

Le talon d'Achille

Dès qu'ils sont annoncés, ces choix déchaînent évidemment contre nous le chœur furieux des plus favorisés qui se mettent à dénoncer notre supposée boulimie fiscale. Ces bons apôtres qui appelaient au courage suggèrent de demander des efforts à d'autres qu'eux, c'est-à-dire au plus grand nombre, par des prélèvements sur la consommation ou par une réduction drastique des moyens du service public. Ce n'était pas la politique que j'avais présentée aux Français.

Cette première décision, contenir le déficit, en a entraîné une autre. Car ma conviction était faite depuis longtemps : si la France est en mauvaise posture et si son commerce extérieur est structurellement déficitaire depuis vingt ans, si nos gains de productivité se ralentissent ce n'est pas seulement à cause de nos dépenses excessives. C'est parce que notre appareil productif est déficient. Nous achetons plus à l'étranger que nous ne lui vendons. Notre déséquilibre traduit un sous-investissement chronique et une spécialisation inadaptée aux nouveaux défis de la mondialisation. Notre potentiel de croissance est insuffisant faute d'une offre adaptée et performante. Si nous relançons la demande par une augmentation du pouvoir d'achat, nous ne favoriserons pas la production française mais celle de nos concurrents. Ceux qui croient ainsi relancer l'économie creusent les déficits, sauf à s'enfermer dans l'illusion protectionniste. Car derrière les mots, c'est bien cette tentation qui taraude les populistes. Donald Trump a mauvaise réputation mais il inspire bien des raisonnements, même s'ils ne sont pas raisonnables. Derrière la contestation de l'Europe se profile de plus en plus clairement la sortie de l'euro. Ils ne le disent pas car ce n'est pas populaire et donc pas si facile à justifier. On a vu combien cette position, par ailleurs si mal défendue, avait coûté à la dirigeante de l'extrême droite lors du débat présidentiel d'entre deux tours. Comment rester dans une union monétaire en méprisant ses règles ? Il faut être dedans ou dehors. Il n'y a pas de place sur le haut de la porte !

Pour mettre nos idées au net, Jean-Marc Ayrault avait commandé dès le mois de juillet 2012 un rapport à Louis Gallois afin d'évaluer l'état de notre industrie et proposer les mesures qui la remettront en selle. J'ai une profonde estime pour ce grand industriel. Après avoir occupé dans les années 1980 des postes de haute responsabilité dans plusieurs ministères, il est devenu un dirigeant respecté à la SNCF, à l'Aérospatiale et aujourd'hui chez PSA. Il a refusé les salaires mirobolants que se versent bon nombre de dirigeants du

CAC 40. Vivant simplement, il consacre une partie de son temps à l'action sociale en venant en aide aux exclus. D'un abord jovial, il possède un esprit vif et tranchant, une compétence étendue et un sens aigu de l'intérêt général. Il est un Européen de raison car il réserve son cœur à la nation qu'il sert, quel que soit son grade, comme un soldat.

Deux mois plus tard, il nous remet un texte court et dense qui pose un diagnostic incontestable : la France souffre d'un défaut majeur de compétitivité. Son industrie qui pesait encore 20 % de la production nationale il y a quinze ans n'en représente que 12 % aujourd'hui. Nous devons alléger le fardeau qui pèse sur l'appareil de production en restaurant les marges des entreprises, en réduisant les charges qui pèsent sur elles et en consacrant nos ressources aux industries de demain.

Est-ce le rôle de la gauche me dira-t-on ? Aussitôt élue et alors même qu'elle doit ajuster les comptes publics, doit-elle perdre des recettes précieuses pour améliorer les résultats des entreprises ? Je ne vois pas d'alternative. Personne ne peut échapper à cette réalité : pour qu'il y ait de l'emploi durable, il faut qu'il y ait des entreprises saines. Pour distribuer, il faut produire.

Desserrer l'étau

Je n'ai donc pas d'états d'âme. Exercer le pouvoir, c'est conjuguer ses convictions avec le service de l'intérêt général. Je n'ai jamais pensé que la gauche accéderait aux responsabilités par temps calme. L'histoire m'a appris que c'est la crise qui provoque les alternances. C'est quand la droite a épuisé son crédit qu'il est demandé aux forces de progrès de résoudre des équations impossibles. J'en ai la confirmation puisque je me retrouve devant un problème insoluble. Pour ramener le déficit à 3 % du PIB, il faut rééquilibrer les comptes de 30 milliards. Pour alléger la charge des entreprises, il faut ajouter 20 milliards. Cette fois nous sortons de l'épure : pour trouver de telles sommes, il faut augmenter les impôts bien au-delà de ce qui est possible, alors que pointe déjà la complainte du « ras-le-bol fiscal ». Ou bien réduire les dépenses avec une ampleur telle qu'elle bloquerait toute croissance. Comment desserrer l'étau ?

La première solution vient de l'Europe : conscients de nos difficultés nos partenaires, l'Allemagne en tête, nous accordent du temps. Il est précieux. Il m'a été reproché de n'avoir pas renégocié le traité budgétaire européen pour faire voler en éclat la contrainte des 3 %. Injuste procès : plutôt que de nous lancer dans une tortueuse réécriture du texte qui aurait déchiré l'Union nous avons convaincu nos partenaires d'en assouplir l'application. Principale bénéficiaire de cette « flexibilité » admise par la Commission européenne, la France dispose de trois ans de plus pour respecter les objectifs budgétaires qui s'imposaient à nous, Europe ou non.

La « fronde » commence en octobre 2012 quand vingt députés socialistes votent contre la ratification du traité européen de stabilité budgétaire et que neuf d'entre eux se réfugient dans l'abstention (dont deux futurs ministres du gouvernement d'Emmanuel Macron). J'avais promis que le texte serait renégocié.

Il l'a été doublement. Un pacte de croissance a été adopté au Conseil européen du 29 juin 2012 et ses règles impératives ont été différées, notre déficit public a pu rester au-dessus de 3 % du PIB sans nous faire courir le moindre risque de sanction. Les apprentis frondeurs présentaient le pacte de stabilité comme un carcan. Il n'y a pas jugement plus faux : en faisant des dispositions du texte des lignes de conduite bien plus que des contraintes abruptes, il a permis au continent de retrouver à moindre coût social et politique le chemin de la croissance et de l'emploi, ce que chacun peut constater aujourd'hui.

L'imagination au pouvoir

Les erreurs de l'après 2008, quand l'Union a pressé les nations de réduire brutalement leurs dépenses, ont été corrigées. Sous la pression de la France et des pays du Sud, avec le consentement de l'Allemagne, le traité a été interprété avec intelligence et dans l'intérêt de tous, tandis que Mario Draghi a fait prendre à la politique monétaire un tournant pragmatique qui a sauvé l'euro.

Cette flexibilité budgétaire chèrement acquise est néanmoins insuffisante. Si je veux financer mes priorités et alléger les charges des entreprises, le budget 2013 est infaisable, sauf à prélever encore sur les ménages par une augmentation substantielle des taux de TVA. Je m'y refuse. Je n'ai pas annulé celle qu'a prévue mon prédécesseur pour la rétablir d'une autre façon.

Mais face à la réalité, l'imagination n'est pas interdite. Prisonniers de cette équation de court terme mes conseillers font tourner frénétiquement leurs modèles, bâtis selon les mêmes paramètres. Rien ne sort de cette agitation. Je me mets moi-même en recherche. J'ai longtemps été présenté comme un spécialiste de la fiscalité. Ce n'était pas toujours un compliment. L'invention en cette matière est plutôt quantitative que qualitative, elle se mesure au nombre d'impôts créés plutôt qu'à leur pertinence et surtout à leur justice. Mais connaître les mécanismes fiscaux ne nuit pas à l'action politique. Cette science toute particulière dont j'ai pu me pénétrer par ma formation et par mon expérience parlementaire m'a permis de résister à bien des propositions présentées comme sérieuses par l'administration mais dont les effets auraient été malencontreux. Même si je dois confesser que ma vigilance a été plusieurs fois prise en défaut.

Dans cette circonstance il me revenait de mettre à profit cette soi-disant « expertise » pour trouver la solution. Elle émerge un soir de novembre dans le silence de mon bureau. Pour donner aux entreprises un horizon financier leur permettant d'investir et d'embaucher, sans déséquilibrer le budget de l'année 2013, pourquoi ne pas utiliser la formule du crédit d'impôt ? C'est une technique qui a fait ses preuves notamment dans le soutien à l'innovation. Les sociétés qui investissent dans la recherche peuvent déduire une partie de ces dépenses de leur impôt. Leurs droits sont établis immédiatement mais l'État n'en supporte la charge budgétaire que l'année suivante. Pourquoi ne pas faire de même pour l'emploi ? C'est ainsi que je décide d'ouvrir dès 2013 un crédit d'impôt compétitivité emploi (CICE) équivalent à 4 % de la masse salariale de l'entreprise (hors les salaires supérieurs à 2,5 fois le SMIC). L'État le versera seulement l'année suivante.

Comme beaucoup d'innovations, la mesure est accueillie avec méfiance. Le Medef fustige sa complexité alors que son calcul tient en une règle de trois. La CGT dénonce le « cadeau » sans contrepartie offert aux entreprises. Cet argument deviendra celui « des frondeurs » qui demandent un contrôle administratif sur l'usage de ce soutien aux entreprises. On imagine la bureaucratie subséquente. Elle finirait de décourager la moindre embauche.

La plupart des économistes admettent aujourd'hui que ce crédit d'impôt a joué un rôle décisif dans le redressement de l'économie. Elle aurait selon la Banque de France contribué à la création de plus de 300 000 emplois. Après l'avoir tenu pour négligeable ou inapproprié, le patronat réclame aujourd'hui son maintien au moment où l'actuel gouvernement lui préfère une baisse générale des cotisations sociales. Comme quoi la lucidité vient parfois, sur le tard.

La responsabilité d'un pacte

Au début de l'année 2014 la reprise tarde toujours à venir. Je décide d'amplifier le CICE en l'intégrant dans un « pacte de responsabilité ». En échange de nouveaux allégements d'impôts, les entreprises devront s'engager à investir et à recruter davantage qu'elles ne le prévoient. Il ne s'agit pas d'un changement de cap mais d'une accélération. C'est une méthode fondée sur le dialogue et le contrat.

Il revient aux partenaires sociaux de s'impliquer, et d'abord au patronat. Le président du Medef avait imprudemment imprimé des calicots et fabriqué des badges affichant l'objectif d'un million d'emplois si une telle démarche lui était proposée. Je ne lui en demandais pas tant. Il eut tôt fait de ranger son matériel de propagande pour n'en plus jamais parler. Ce qui comptait à nos yeux, c'était d'afficher une stratégie avec un calendrier qui organisait dans le temps les efforts de l'État en direction des entreprises, offrant à celles-ci une visibilité et une stabilité indispensables à leurs décisions d'investissement et de créations d'emplois. Il est dommage que ce pacte n'ait pas été véritablement négocié et signé par les partenaires sociaux. Mais il a été discuté avec eux. Il donnait aussi les moyens d'en vérifier l'exécution branche par branche et même d'en amplifier les effets grâce à des engagements supplémentaires.

J'annonce ces décisions au pays dans mes vœux pour l'année 2014. Je les confirme le 14 janvier au cours d'une conférence de presse. Avec Jean-Marc Ayrault, le gouvernement tient la ligne. Mais parmi les députés socialistes le groupe de ceux qu'on commence à appeler les frondeurs demande qu'on soutienne l'investissement public plutôt que privé et les ménages plutôt que les entreprises. Ils ne comprennent pas que notre premier problème tient à une offre insuffisante plutôt qu'à une demande trop faible. Au départ cette discordance ne dépasse pas le champ des débats qui agitent légitimement une majorité. Mais par leur virulence, leur insistance, leur dissonance, les frondeurs finissent par ébrécher la solidarité indispensable à toute pédagogie. Ils minent notre crédit politique et incitent une partie de la gauche, celle qui nous conteste depuis l'origine et qui a en fait rompu avec l'Europe, à entonner le grand air de la trahison, pour proclamer l'insoumission.

Dialogues avec Martine

Martine Aubry ne partage pas mes orientations. Certes, elle ne mêle pas sa voix à celle des frondeurs. Mais elle ne les calme pas. Elle garde un silence qui chez elle peut être une vertu. Je dois la convaincre non pas de se taire mais de parler, pour ramener calme et raison. À l'occasion de l'ouverture de la finale de la Coupe Davis qui oppose la France à la Suisse et qui se tient au stade Pierre-Mauroy dans la métropole lilloise le 22 novembre 2014, nous déjeunons en tête-à-tête chez Meert, un restaurant bien connu à Lille. Elle aborde franchement, c'est son mérite, les réticences qu'elle éprouve à l'égard de ma politique. Autour d'un pigeonneau acidulé et épicé, elle commence par reprendre les arguments qu'elle a employés la veille dans la presse. Elle juge excessifs les efforts demandés par le gouvernement aux collectivités locales. Elle critique le montant des aides consenties aux entreprises et le défaut de contreparties explicites. Enfin, elle exprime son hostilité à l'extension du travail le dimanche prévue dans le futur projet de loi Macron pour des raisons de principe et de philosophie. Cette journée, à son avis, est d'abord faite pour la famille, les loisirs et la culture. Quand bien même un Français sur quatre travaille déjà le dimanche.

Je lui réponds que j'allégerai les contraintes demandées aux collectivités locales en fin de mandat, mais je dois dans l'immédiat appeler tous les acteurs publics à faire des économies de fonctionnement pour mieux protéger leurs investissements. Je comprends l'idée de demander des contreparties aux entreprises, mais l'édiction de règles complexes et contraignantes annulerait l'effet des mesures mises en œuvre. Je lui fais aussi remarquer que le CICE est déjà calculé en pourcentage de la masse salariale et qu'il constitue par là-même une incitation à l'embauche. Quant au travail du dimanche que nous voulons assouplir, notamment dans les grandes zones touristiques, il est soumis à des accords majoritaires dans les entreprises comme l'ont été en leur temps les règles de réduction du temps de travail à 35 heures qu'elle avait elle-même fait voter comme ministre dans le gouvernement Jospin. J'ajoute que Lille, métropole proche de la Belgique, a aussi besoin d'être attractive sur le plan commercial pour attirer des visiteurs.

Aujourd'hui qui peut contester que le travail du dimanche a permis un réel progrès pour les consommateurs comme pour les salariés ? Les maires ont pris leurs responsabilités. Anne Hidalgo qui avait elle aussi critiqué la mesure a compris rapidement l'intérêt de ce dispositif pour l'attractivité de la capitale. Elle n'est pas la dernière à demander son application dans les quartiers pouvant relever des zones touristiques internationales. Je me félicite de cette évolution des esprits. Elle est facile à comprendre. En raison des compensations financières prévues, qui peuvent aboutir à un doublement voire un triplement de la rémunération, nombreux sont les candidats au sein des entreprises pour travailler ce jour-là.

Martine Aubry, parfois plus amicale envers moi qu'avec d'autres, me met en garde contre les ambitions de Manuel Valls et d'Emmanuel Macron et redoute qu'ils ne soient engagés dans une compétition périlleuse. Sur ce point, elle avait raison. Elle s'exprime sans apprêt ni ambages. Elle ne craint pas de déplaire. Elle y parvient. Mais je préfère son « parler rude » aux faux-semblants. En revanche, je discerne mal sa stratégie. Formée à l'école de la deuxième gauche, pragmatique dans sa gestion municipale, ouverte aux réalités des entreprises, elle préfère se replier en vigie de la gauche, arc-boutée sur des principes parfois dépassés, plutôt que de prendre pleinement sa part dans l'action collective. Elle restera dans cet entre-deux, éloignée aussi bien des frondeurs que de la politique que j'incarne. En fait, elle a réservé son talent à Lille et à sa métropole.

Je la retrouve en juin 2016. Son cheval de bataille est cette fois la loi El Khomri, alors même qu'elle fut en son temps comme ministre du Travail une réformatrice convaincue, précisément au nom de la « flexisécurité ». Je ne sais si elle était en lien avec Jean-Claude Mailly – qui à l'époque fustigeait la loi Travail avant de lever le pied sur les ordonnances qui sont allées beaucoup plus loin – mais elle avait compris que le processus était irréversible et que j'irais jusqu'au bout. Elle a le regard tourné vers la présidentielle. Elle m'assure de son soutien si je me déclare considérant que dans ma position je suis le candidat légitime. Je lui conseille d'en convaincre ses propres amis et de le déclarer le moment venu. J'attends toujours.

La fronde et le boomerang

Il m'est arrivé de rencontrer des députés frondeurs pour les convaincre. Non pas tant de la justesse de ma politique mais de l'intérêt qu'il y aurait à surmonter politiquement nos divergences. Entre nous et pas sur la place publique, dans des échanges qui leur permettraient sans tout approuver de ne pas tout attaquer.

Vaine démarche. Ils ne recherchent pas l'infléchissement. Ils contestent l'orientation. Toujours la même : le choix européen. Ce débat remonte à 2005 lors du référendum sur le Traité européen. La plupart avaient répondu « non » car ils n'acceptaient pas les règles de l'union monétaire. Avec cette illusion qu'il est possible de partager une monnaie sans un minimum de convergence dans les politiques économiques. Avec cette idée fallacieuse que le niveau du déficit public est le curseur d'une politique de gauche. Avec cette crainte d'être débordés par plus contestataires qu'eux. Ils le sont immanquablement car il en est qui se moquent bien de tout réalisme et qui ont rompu définitivement les ponts avec la construction européenne. Ceux-là considèrent que leur premier adversaire c'est la social-démocratie, c'est l'idée réformiste, c'est la gauche de gouvernement. L'affaiblir de l'intérieur, c'est servir leur cause.

En 2005, la fracture qui s'était installée au Parti socialiste avait déjà failli le détruire. J'avais alors pu juguler cette indiscipline parce que nous étions dans l'opposition et que nous y étions les plus forts, pour ne pas dire les seuls. Dix ans plus tard elle s'est changée en rupture mortelle parce que nous étions au pouvoir et qu'une autre force se constituait à gauche pour nous en écarter.

Au fil des événements, je comprends que les frondeurs se sont installés dans une posture qui n'évoluera plus et qu'ils veulent préparer une autre candidature que la mienne pour l'échéance de 2017. On a vu ce qui est advenu de cette aventure. Ils ne maniaient pas une fronde, mais un boomerang.

8

Parler

La parole politique… On la veut dense, solennelle, impérieuse. Elle est d'abord fragile. Curieusement, cette réalité m'est apparue pendant l'un de mes plus importants discours, celui que j'ai prononcé le 12 janvier 2012 au Bourget pour lancer ma campagne présidentielle. La salle était fervente, attentive, enthousiaste, J'avais longuement travaillé mon texte, à la mesure de l'enjeu que représentait cette intervention. Elle devait ramasser en une heure et demie l'essentiel de mon projet, motiver les militants, donner les grandes lignes de mon programme, condenser l'orientation que je voulais donner au pays pendant le quinquennat. C'était en fait mon premier discours de président. Celui auquel on se référerait en cas de victoire, celui qui signe le contrat passé avec les Français. Dans sa symbolique, la dénonciation de la finance, dans sa méthode, « la présidence normale », comme dans son contenu, « les 60 engagements », il était décisif.

Combien de fois durant mon quinquennat m'a-t-on rappelé « le Bourget », soit pour dénoncer la distance que j'aurais prise avec lui, soit pour me ramener à mes promesses ? Je ne m'en suis jamais plaint. Dans une campagne présidentielle réussie, il y a nécessairement une intervention marquante, un acte essentiel, un événement fondateur qui est un point de bascule. Chacun sait que ce jour-là, la victoire se dessine, que la force du verbe, le style de l'orateur, la pertinence du thème, créent un avantage décisif au point de transformer le candidat en président. Le discours du Bourget était de ceux-là.

Mais ce jour-là, aussi bien, tout aurait pu s'effondrer. Tout aurait pu échouer à cause d'une péripétie, d'un incident, d'une facétie. Ainsi tandis que je développais ma conception de la future présidence et que je sentais la foule en harmonie vibrante avec mes propos, je vis avec stupeur un objet incongru traverser l'espace vide qui me séparait des premiers rangs du public : une chaussure. Lancée par je ne sais qui dans l'assistance, elle glissa sur le sol et termina sa course de l'autre côté du podium où je me tenais. Aussitôt, tout en continuant, impassible, à dérouler mon propos et sans marquer le moindre temps d'arrêt pour ne pas éveiller le soupçon, il me vint fugitivement à l'esprit les déboires rencontrés par George W. Bush lors d'une conférence de presse. Le président américain avait dû esquiver, non sans agilité, le jet d'une savate lancée par un de ses détracteurs rendu furieux par ses propos. L'image fit aussitôt le tour du monde.

Et si la chaussure du Bourget, au lieu de passer furtivement devant mes pieds sans que personne ou presque ne la vît, avait frappé mon visage sous l'œil avide et amusé des caméras ? La scène, reproduite à l'envi par les chaînes d'information, aurait à coup sûr éclipsé une bonne partie de mon intervention, et si plus tard on avait fait mention devant quiconque du

« discours du Bourget », l'interlocuteur aurait sans doute répondu : « Ah oui, celui de la chaussure ! » Fort heureusement, cette cocasserie passa inaperçue. Mais j'ai retenu la leçon : dans ce monde de l'image, les performances oratoires les mieux venues sont à la merci de l'incident le plus ténu.

Les termes du discours du Bourget ont été cent fois pesés au trébuchet, cent fois reproduits pour mesurer rétrospectivement l'écart censé séparer mes paroles et mes actes. J'accepte bien volontiers le défi : j'ai relu moi-même cent fois ce texte ; aujourd'hui, je ne vois toujours rien qui puisse me mettre en contradiction sérieuse avec moi-même. Je voulais d'abord montrer en quoi ma présidence différerait de celle de Nicolas Sarkozy. Je commençai donc par la description du style et de la méthode que je comptais imprimer à mon quinquennat, plus simples, plus proches, plus retenus aussi, et plus graves, ceux que j'allais défendre, notamment, pendant le duel télévisé m'opposant à Nicolas Sarkozy entre les deux tours. On m'a souvent demandé après ce débat comment j'avais pu improviser une si longue anaphore en réponse à la question posée par Laurence Ferrari : « quel président serez-vous ? » et qui commençait par les mots « Moi, président... » C'est tout simple : je l'avais déjà prononcée au Bourget...

Je désignai ensuite les débordements d'une finance devenue folle comme la première cause des difficultés de la France. Au fur et à mesure des réécritures qui occupaient mes journées de ce mois de janvier 2012 apparut la formule qui est restée dans les mémoires : « Mon véritable adversaire n'a pas de nom, il n'a pas de visage, il ne se présente pas aux élections (...) Mon véritable adversaire, c'est le monde de la finance... »

Je ne me bats pas en effet contre des personnes ou contre une politique mais contre un système anonyme, marqué par l'inégalité, l'avidité et l'irresponsabilité. Je ne renie rien de ce constat ni de la formule, à condition qu'on n'en change pas le sens pour me reprocher une parole que je n'ai pas prononcée. C'étaient bien, en effet, les dérèglements du capitalisme financier qui étaient stigmatisés et non l'existence même du système bancaire, lequel est nécessaire à l'économie. Je n'annonçais pas la rupture avec l'économie de marché ou je ne sais quel grand soir collectiviste. Je revendiquais la maîtrise de cette nouvelle féodalité qui menaçait l'équilibre de notre modèle social.

Ai-je failli à mon engagement ? En aucune manière. Mes gouvernements ont réformé la loi bancaire, obligeant les établissements financiers à séparer les activités de dépôt de celles de placement. Ils ont créé la Banque publique d'investissement dont nul ne conteste la réussite et imposé une régulation plus rationnelle de l'activité financière. Ils ont aussi limité les bonus. J'ai agi sans relâche dans le cadre européen pour que le financement de l'économie soit plus stable, plus surveillé et moins coûteux. Aucune crise financière ne s'est produite depuis, en dépit des déséquilibres hérités de la période précédente. Les attaques contre l'euro ont cessé ; les taux d'intérêt sont tombés à un niveau historiquement bas ; les banques ont dû accroître leurs réserves, se soumettre à des tests réguliers, faire la preuve à tout moment de la solidité de leurs actifs, et instaurer une solidarité entre elles en cas de défaillance pour qu'elles ne viennent plus solliciter les États. Aiguillonnée par la France, la coopération internationale a permis de lutter plus efficacement contre les

paradis fiscaux. Ils existent encore mais ils sont nettement moins nombreux. Grâce aux lanceurs d'alertes,
les grands groupes sont davantage exposés au contrôle
des autorités, si bien qu'aujourd'hui ce sont davantage
les géants du numérique qui sont montrés du doigt
pour échapper à l'impôt que les grands établissements
financiers. La lutte contre le blanchiment a été considérablement renforcée. Tout manquement des entreprises et des banques est lourdement sanctionné, ce qui
leur impose la vigilance. Certes, la finance spéculative
n'a pas rendu les armes. Mais elle a reculé. Autrement
dit, personne ne peut honnêtement soutenir que ma
promesse du Bourget n'a pas été honorée.

Ceux qui m'ont opposé ma péroraison poursuivaient
en fait un but politique : démontrer comme toujours
– sans preuves – la « trahison de la social-démocratie »,
dénigrer ma politique d'aide aux entreprises en l'amal-
gamant avec ma supposée compromission avec les
marchés financiers. Or j'avais annoncé clairement
la couleur au Bourget : j'avais promis la redistribution mais une fois le redressement entamé, prévu des
avancées sociales compatibles avec la situation de nos
finances publiques et dessiné une stratégie industrielle
de longue haleine. J'avais annoncé des efforts. J'ai promis la justice. Ce sont ces mots qui ont guidé mon
quinquennat.

Parler tout le temps

Une fois président, le premier discours se tient le
jour de l'investiture devant les corps constitués dans
la salle des fêtes de l'Élysée. Symbolique, il laisse

rarement une trace dans l'opinion. Le président américain, lui, le jour de son investiture s'adresse à une foule imposante rassemblée devant le Capitole après avoir prêté serment de défendre la constitution des États-Unis. Peut-être faudrait-il s'inspirer de ce cérémonial.

Je ne crois pas que la parole présidentielle doive être rare. Jacques Pilhan qui fut le conseiller de François Mitterrand puis de Jacques Chirac avait théorisé la stratégie du désir fondée sur le silence destiné à susciter le manque et donc l'intérêt. Je comprends bien l'argument : en s'exprimant avec parcimonie, le chef de l'État crée une attente qui lui garantit une meilleure écoute quand il sort de sa réserve. Résolu à imprimer sa marque, convaincu que les institutions françaises restent dominées par le trouble souvenir de la monarchie, il est tenté de s'imposer une diète médiatique. Mais le citoyen a besoin aussi d'explications. Il ne comprend guère que le président ne sache pas répondre à ses interrogations, à ses doutes ou à ses critiques. Il l'a élu, ce n'est pas pour le voir s'enfermer dans une tour d'ivoire dont il sort à intervalles espacés selon son bon plaisir. Régulièrement, le responsable de la marche de l'État doit répondre aux critiques ou aux objections. C'est la loi de la démocratie.

En cinq ans de présidence, j'ai dû prononcer environ trois cents discours. J'entends par là des interventions construites et délivrées avec solennité. Il faut y ajouter les prises de parole lors des visites d'entreprise, les remises de distinctions, les toasts portés lors des dîners d'État, auxquels s'ajoutent de multiples points presse en France et à l'étranger. Pour me préparer, j'use toujours de la même méthode. Je jette mes idées sur le papier puis je demande à mon équipe de me rédiger des notes sur les questions techniques. Je peux aussi quand le besoin s'en fait sentir solliciter tel ou tel ami extérieur qui connaît le sujet, un historien, un économiste ou un responsable politique, et dont le point de vue pourra enrichir le mien. Puis la veille du jour dit, parfois quelques heures avant la cérémonie, je m'isole pour composer le texte. C'est un travail minutieux qui me conduit à le corriger sans cesse, à refaire plusieurs fois l'exercice, à rechercher jusqu'au dernier moment, parfois dans la salle où je dois parler, quelques minutes avant de monter à la tribune, la formule la plus juste. J'attache de l'importance aux mots. Le président de la République s'adresse alternativement à toutes sortes de publics qui attendent de lui une prise en considération de leurs préoccupations, mais aussi une vision, un projet, une perspective. Souvent, ce travail méticuleux, où chaque phrase compte, ne rencontre qu'un écho médiatique limité qui s'étiole de surcroît à mesure que le mandat avance dans le temps. Ces discours ne percent le mur de l'indifférence que lorsque le chef de l'État emploie une expression malheureuse, se heurte à une opposition inopinée ou bien quand il est confronté à un incident. Bref on n'en parle que quand ils tournent mal.

Parler par tous les temps

Me reviennent à l'esprit deux ou trois interventions qui me tenaient à cœur et que le hasard a transformées en fiasco. Nous étions à l'été 2014, j'avais longuement travaillé sur le discours destiné à commémorer, à Carmaux, le centenaire de la mort de Jean Jaurès. Haute figure du mouvement socialiste, penseur profond, orateur flamboyant, il tient une place essentielle dans mon panthéon personnel. J'avais relu plusieurs de ses textes et je comptais faire un éloge réfléchi et construit du réformisme, pour rappeler que les projets les plus élaborés n'ont de sens que s'ils résistent à l'épreuve des faits, qu'il n'y a pas d'acquis sociaux durables sans une économie performante, que le gradualisme et la ténacité garantissent davantage le progrès que le « chamboule tout » qui se confond très vite avec le « presque rien ». Las ! Au moment où j'arrivais à Carmaux une poignée d'opposants, comme ils en avaient le droit, me voyant passer dans la rue brandirent des calicots évoquant l'abandon des idées du « grand homme ». Cette image orienta tous les commentaires. Venant lui rendre hommage, j'étais en quelque sorte désavoué sinon par Jaurès, par une poignée de ses prétendus héritiers. Personne bien sûr ne fit l'effort d'examiner ce jour-là mon argumentation, ni de vérifier que les idées de Jaurès, homme de synthèse s'il en est, se retrouvaient dans l'esprit de réforme de mon gouvernement. En une pancarte, la cause était entendue.

Le même maléfice domina la visite que j'effectuai sur l'île de Sein à la fin du mois d'août 2014. J'allais rendre hommage aux marins qui avaient vaillamment rejoint le général de Gaulle en juin 1940 de l'autre côté de la Manche. Ce jour-là une tempête sévissait, à l'image de la tourmente politique qui soufflait à Paris provoquée par le départ de plusieurs ministres du gouvernement. Je dus prononcer mon discours sous une pluie battante. Trempé par l'averse, aveuglé par les grosses gouttes qui ruisselaient sur mes lunettes, je faisais face. Les spécialistes de la communication politique invités pour les plateaux de télévision se récrièrent en stigmatisant l'amateurisme qui avait marqué l'organisation de la cérémonie. Que n'avait-on pensé à placer le président sous un dais, une tente ou un quelconque abri ? C'était ne rien comprendre à la situation. À côté de moi se tenaient ces anciens combattants admirables et vénérables, serrant leur drapeau mouillé, droits malgré leur âge, indifférents au coup de vent qui traversait l'île de Sein. Pouvais-je décemment me protéger alors qu'ils devaient m'écouter immobiles dans le froid, exposés à l'intempérie ? La courtoisie, le respect, que dis-je, la décence, l'interdisaient évidemment. Pourtant cette image d'un président impavide sous l'averse, qui aurait pu dans un autre contexte m'être favorable, fut largement utilisée, au point d'oublier le sens du message que j'avais délivré autour de l'esprit de résistance et d'ignorer la volonté qui fut la mienne de me mettre à égalité avec les vétérans qui m'accueillaient.

La parole présidentielle obéit à une autre loi d'airain : si l'on veut toucher plus largement l'opinion, annoncer une réforme importante, expliquer plus avant une politique, il faut prévenir. Un discours important, c'est d'abord celui dont le président fait dire à l'avance qu'il le sera. J'ai eu la confirmation de cette règle lors des vœux rituels que je prononçai le 31 décembre 2013. Décidé à accélérer la mise en œuvre de la stratégie économique du gouvernement, j'annonçai qu'un « pacte de responsabilité » améliorerait les marges des entreprises pour leur permettre d'investir et d'embaucher. Les vœux présidentiels furent commentés selon l'habitude sur la forme plus que sur le fond. Je dus attendre plusieurs jours pour que l'appareil médiatique, tel le dinosaure dont on piétine la queue, réagisse et comprenne qu'un temps fort du quinquennat s'ouvrait. Encore fallut-il que j'y revienne au cours d'une conférence de presse, deux semaines après pour qu'on en saisisse pleinement les implications.

Parler à temps

Parler. Comment ? Sous quelle forme ? Et à qui ? Ces questions reviennent comme une antienne lors de chaque mandat. L'univers médiatique a considérablement changé depuis une décennie. Les réseaux sociaux ont bouleversé la donne. L'image fait le sens. Le « buzz » fait le son. Le tweet fait le discours. Tout est raccourci, amplifié et parfois détourné. J'ai sous-estimé la révolution qui s'opérait sous mes yeux. Je suis de la génération de la presse écrite, de la télévision, de la radio le matin. Ces médias, heureusement, continuent d'exister mais ils sont soumis à une concurrence de chaque instant. Finis les grands rendez-vous. La messe de 20 heures, les flashes horaires, les gros titres à la une des quotidiens, les éditoriaux prestigieux. Ils sont encore là et pèsent encore dans la construction de l'opinion. Mais au milieu de tant de signaux, d'alertes, de bruit qui tourne à la cacophonie, la hiérarchie des informations est bouleversée. Le fait du jour devient l'événement dont le président ne peut s'abstraire et qu'il doit commenter dès qu'il est à portée de micro ou de caméra. Il est sommé d'en dire un mot en intervenant lui-même sur les réseaux sociaux, devenant dès lors un acteur comme les autres. Le piège se referme.

Les chaînes d'information ont apporté un réel progrès. Elles assurent la diffusion et le partage d'un flot d'informations qui était jusque-là l'apanage des professionnels. Mais elles entretiennent aussi, sur un rythme haletant, un feuilleton qui va devenir celui de la journée, jusqu'à ce qu'il soit supplanté par le surgissement d'un nouveau thème, guère plus important au fond, mais qui lui fera concurrence avant de le reléguer au second plan. Ainsi va l'actualité. Des millions de Français la vivent en continu toute la journée jusque tard dans la nuit soucieux de rattraper ce qu'ils pourraient avoir manqué, avec ces commentaires qui reviennent en boucle sur tous les sujets. Parler tout le temps. Parler partout. Parler de tout. Voilà les nouveaux écueils que rencontre l'expression présidentielle.

Dans ce flot incessant, comment retrouver de la solennité, de la gravité, et de l'intensité ? Pour faire pièce à cette « modernité », j'avais pensé revenir à une forme traditionnelle de communication en tenant de grandes conférences de presse. Elles avaient profondément marqué la Ve République. Inaugurées par le général de Gaulle qui en avait fait un art suprême, elles avaient été reprises par ses premiers successeurs, pour être peu à peu abandonnées. Je pensais pertinent de reprendre le fil. Tous les six mois, donc, j'invitais les journalistes accrédités à venir à l'Élysée pour poser toutes les questions que ma politique ou l'actualité pouvaient leur inspirer. Je me livrais sans déplaisir à cet exercice. Il permet d'exposer patiemment des raisonnements. Il couvre l'ensemble des sujets, y compris internationaux, la présence de la presse étrangère y contribue. Il laisse une place à la surprise, à l'impertinence, à l'humour. Il est une marque de respect envers la presse, qui peut mener le jeu malgré la solennité du décor élyséen. Il rassemble le gouvernement qui, tout en restant silencieux, prend la mesure de la parole présidentielle.

J'ai dû convenir à regret du caractère désuet de cette formule. La conférence de presse se tient dans la journée à des heures de faible écoute par rapport à un journal de 20 heures. Elle donne lieu à de nombreuses reprises mais pas nécessairement sur les éléments les plus déterminants. Elle apparaît lourde et compassée en regard de l'immédiateté des réseaux sociaux.

Je me suis alors tourné vers les grandes émissions de télévision. Mais le président peut-il être un invité comme les autres du journal de 20 heures ? Et être congédié du plateau dès le début du lancement du programme de la soirée ? À l'évidence non. Alors il faut lui concevoir des émissions spéciales. En cette matière, j'ai tout essayé. Un journal allongé, un entretien en direct de l'Élysée, un dialogue avec les Français ou une intervention plus courte sur les chaînes d'information. J'en tire une seule leçon : il n'y a pas de format idéal. Dès lors que la parole présidentielle est devenue quasiment quotidienne, on ne peut privilégier aucun cadre. Le chef de l'État doit accepter d'être présent dans de multiples espaces médiatiques. Finalement, seul compte le contenu.

Quant à l'allocution solennelle, je n'y ai recouru que dans des circonstances exceptionnelles. Pour réagir aux attentats, pour annoncer le déclenchement d'une opération extérieure ou pour justifier un remaniement du gouvernement. Pour faire part de ma décision de ne pas me représenter.

Je n'ai jamais accordé trop d'importance à la communication telle que la conçoivent les spécialistes rompus à ces techniques. J'ai conscience d'avoir infligé des fièvres ardentes et des sueurs froides à Gaspard Gantzer qui s'évertuait, comme conseiller, à me proposer les bons outils pour faire passer les bons messages. Il fit ce qu'il put avec une vivacité pleine de bonne humeur malgré les difficultés rencontrées. Il avait raison de considérer que l'expression présidentielle devait être la plus libre possible et que la forme du média utilisé devient presque secondaire. C'est en la confinant aux schémas d'hier qu'on la rend inaudible ou invisible. C'est la mobilité, la fluidité, la rapidité et la simplicité qui fondent l'efficacité. Dans la nouvelle configuration de l'information, la gestion du temps est l'arme principale. Il faut aller vite pour ne pas perdre la balle au cours de la partie et savoir s'arrêter pour garder la maîtrise du jeu.

La parole vole

Cette sage précaution est difficile à observer lors des voyages à l'étranger. Ceux-ci imposent des interventions classiques, réglées au cordeau et minutieusement préparées. Ils se concluent toujours par une rencontre avec la communauté française du pays visité. Nos compatriotes expatriés réservent un accueil bienveillant et une écoute complice au président, lequel est enclin à se laisser aller. Il vient de prononcer des discours importants, d'achever des négociations délicates, de répondre à la presse. Il pense en avoir terminé avec le plus difficile et aspire à une décompression méritée.

C'est à cet instant que les digues soigneusement élevées par son entourage pour éviter que le président ne parle loin de la France de politique intérieure s'abaissent soudainement. Combien de fois ai-je dû me retenir d'en dire trop et me plaindre d'avoir encore trop parlé. Car des phrases improvisées peuvent effacer tout le bénéfice d'un déplacement délicat. Un succès d'estime devant la communauté française peut se transformer en polémique du jour à Paris. J'ai constaté qu'Emmanuel Macron, qui m'avait pourtant suivi dans bon nombre de voyages officiels, avait lui aussi été victime de ce syndrome. Ainsi à l'automne dernier, il avait prononcé à Athènes un discours remarquable sur l'Europe ouvrant des perspectives et affichant des convictions fortes et mobilisatrices. Mais voilà que s'adressant aux Français d'Athènes dans cette ambiance rassurante, emporté par son élan, réagissant de loin aux oppositions qui se manifestent contre ses réformes, il use soudain du mot « fainéant » pour évoquer les adversaires des ordonnances sur le Travail. Il corrige ensuite son propos en faisant dire qu'il désignait par ce vocable peu flatteur ses prédécesseurs – j'imagine que cela ne me concernait pas – qui n'avaient pas assez réformé à ses yeux, ce qui n'était guère plus élégant. Mais le mal était fait. Les beaux développements du discours de l'Acropole furent pour partie éclipsés par une controverse dérisoire au regard de l'enjeu. Combien de fois ai-je moi-même vécu ce décalage entre l'essentiel et l'accessoire. Inutile de s'en plaindre : tout est aujourd'hui public et a vocation à être relayé. C'est la règle du « nouveau monde ».

La tentation pour le pouvoir, c'est de s'enfermer – mais à un moment il faut bien sortir – ou de contrôler strictement ce qui est émis en maîtrisant l'image, en choisissant les journalistes et en produisant ses propres émissions. Nous n'en sommes pas là. Mais la menace existe. Dans l'exercice de mes responsabilités, j'ai fait le choix de respecter la presse. Je ne le regrette pas, même si ce fut rarement à mon bénéfice. Je préfère ce sort à la peu glorieuse tentation de la museler ou de l'écarter. Je n'avais pas l'illusion d'en recevoir une quelconque récompense, ni la naïveté de penser qu'accédant à ma parole elle en ferait bon usage. J'avais tout simplement conscience que dans la crise de confiance qui secouait notre démocratie la presse souffre elle aussi. Économiquement, par la concurrence du tout gratuit et moralement, par l'équivalence établie entre les informations et les rumeurs. Les intermédiaires ne sont pas des adversaires du pouvoir. Ils n'en sont pas davantage les agents. Ils sont des garants. Pour parler utilement le président a plus que jamais besoin d'être questionné.

Commémorer pour la paix des mémoires

Parler, c'est commémorer. J'ai eu à participer à beaucoup d'événements mémoriels. La France a conscience de son histoire. Elle tient à la faire partager aux générations futures comme au monde entier. La République a toujours attaché du prix à la célébration des dates qui ont jalonné la construction de notre nation, comme à celle des personnalités glorieuses qui y ont contribué.

Mon mandat a correspondu à plusieurs temps forts. Le centenaire de la Première Guerre mondiale, le 70e anniversaire du Débarquement de Normandie puis celui de Provence. Le 50e anniversaire du Traité de l'Élysée marquant l'amitié franco-allemande et celui de la reconnaissance par le général de Gaulle de la Chine populaire. Mais aussi Oradour, Sétif, Madagascar, autant de lieux où l'horreur s'est produite. Il y a des dates qui obligent, des événements qui s'imposent, des rendez-vous qui s'installent. Comme l'abolition de l'esclavage célébrée chaque 10 mai.

Le rôle du président est de rappeler les faits, d'en souligner la portée, d'unir la nation. Il doit aussi dégager les constantes de notre histoire, tirer les leçons de nos succès et lever le voile sur certaines pages sciemment occultées jusque-là pour ne pas rouvrir des cicatrices douloureuses. Il doit utiliser le contexte dans lequel la commémoration survient pour interpeller le passé et méditer sur les défis d'aujourd'hui. Il doit faire œuvre de pédagogie, montrer comment la barbarie se reproduit avec d'autres visages, en appeler aux forces qui ont pu la vaincre. Célébrer n'a jamais été pour moi un exercice de style, une prouesse d'écriture ou un geste théâtral. Ce fut un acte politique destiné à favoriser la paix des mémoires.

Reconnaître nos fautes

Avant même d'accéder à la présidence, j'avais tenu à me rendre à Asnières le 17 octobre 2011 pour évoquer ce qui s'était passé cette nuit-là, en 1961, en pleine guerre d'Algérie. Sur le sol français, une manifestation de sympathisants du FLN avait été violemment réprimée par la police sous les ordres du préfet Maurice Papon. La brutalité avait été telle qu'elle avait provoqué la mort d'une centaine de personnes, souvent par noyade, sans que l'on n'ait jamais pu en connaître précisément le nombre. En 2012, à l'occasion du 51e anniversaire de cette tragédie, j'ai voulu, par une déclaration solennelle, « reconnaître avec lucidité, au nom de la République, la sanglante répression au cours de laquelle ont été tués des Algériens qui manifestaient pour leur droit à l'indépendance ». Il était temps que cette vérité fût établie. Les familles l'attendaient, le droit l'exigeait, l'Algérie l'espérait. Je m'attendais à des attaques venant de l'extrême droite. Je ne fus pas déçu.

Plus surprenante fut la réaction de la droite républicaine. Plutôt que de s'associer à ma démarche, François Fillon critiqua cette « culpabilité permanente » comme si dire la vérité était un abaissement. D'autres allèrent plus loin en laissant entendre que j'avais mis en cause la police républicaine d'aujourd'hui, alors que j'avais défendu son honneur en montrant qu'elle n'avait rien à voir avec ces exactions dont la responsabilité, au demeurant, était d'abord celle du pouvoir politique.

Il ne m'a pas échappé que des historiens considèrent qu'il n'est pas de la responsabilité du chef de l'État, et encore moins du législateur, de qualifier des événements et d'introduire dans le droit des actes mémoriels. Ils doivent être soumis au jugement des chercheurs. Il y a pourtant des tragédies qui doivent être inscrites dans nos textes pour que les victimes ou leurs descendants s'en trouvent reconnus et pour que leur douleur puisse être partagée par la nation tout entière. L'oubli crée l'effacement. Loin d'apaiser, il avive les plaies de l'injustice et attise les ressentiments. Il peut instiller l'esprit de revanche à des individus niés dans leur histoire et dans leur souffrance et qui ne parviennent pas à prendre toute leur place dans la communauté nationale.

Nommer les choses

Le discours du Vél' d'Hiv, où Jacques Chirac a reconnu la responsabilité de la France dans la déportation de milliers de juifs, a eu cette vertu. Après avoir été critiqué par ceux qui entendaient que ne soient pas confondus la République et l'État français, il a été salué comme un des grands discours de son mandat. Ses termes ont été repris par tous ses successeurs sans qu'il soit nécessaire d'en changer un mot. En n'oubliant jamais que la France c'était aussi et surtout la Résistance et la France libre.

Je me suis donc attaché à nommer les choses. À dire que le 19 mars 1962 marquait la fin de la guerre d'Algérie à condition de rappeler que des massacres ont eu lieu postérieurement, dont les harkis ont été les malheureuses victimes. À dire la responsabilité de la France pour les avoir abandonnés puis pour les avoir parqués dans des camps, souvent dans des conditions inhumaines. La grandeur est du côté de ceux qui réparent et non de ceux qui séparent.

Ce jour-là, beaucoup pleuraient, comme à cette cérémonie du mois d'avril 2017 où je remis à l'Élysée des titres de naturalisation à une vingtaine de tirailleurs sénégalais. Ils avaient combattu sous l'uniforme français et participé à de nombreuses campagnes. Ils avaient perdu leur nationalité française au moment de l'indépendance de leur pays mais ils avaient gardé toutes leurs décorations. Venus d'Afrique ou de leur foyer de Seine-Saint-Denis, ils étaient alignés, revêtus de la tenue d'apparat de leur pays respectif, leurs médailles épinglées dessus. Ils attendaient un certificat qui leur avait été promis mais jamais remis. J'honorai ainsi l'engagement que j'avais pris lors de la visite à Paris du président du Sénégal Macky Sall de réintégrer dans la nationalité française ces valeureux combattants. Je leur donnai la copie des décrets de naturalisation que j'avais signés. Ils m'enlassèrent fièrement avant d'entonner tous ensemble la Marseillaise. Ce jour-là, je pleurais aussi.

Cette recherche de la paix des mémoires m'a aussi conduit, à Dakar, à Alger, à Tunis, à Tananarive, à parler des exactions commises au temps de la colonisation. Dans le même esprit, j'ai inauguré à Pointe-à-Pitre le Memorial Act sur l'esclavage, bâti à l'initiative de Victorin Lurel alors président de la région Guadeloupe qui fut aussi un excellent ministre des Outre-mer.

J'ai refusé dans toutes ces cérémonies d'établir une hiérarchie des malheurs et des crimes. Mais j'ai tenu à les qualifier. La Shoah est un génocide qui a été mené avec une précision infernale et une visée monstrueuse puisqu'elle devait aboutir à l'anéantissement d'une partie de l'humanité pour la seule raison qu'elle était de confession juive. J'ai appelé génocide le massacre dont les Arméniens ont été victimes en 1915 en Turquie, comme celui que les Tutsis ont subi au Rwanda. Malgré les réticences, j'ai ouvert les archives de la France pour que rien ne soit occulté. Présider la France, c'est souligner la contribution qu'elle apporte au monde par sa culture et son rayonnement. Mais c'est dire aussi en son nom la vérité, y compris celle qui la touche.

Nos médias sont comme les dieux d'Anatole France, « ils ont soif ». Mais là, heureusement, il ne s'agit pas de vies qu'il faudrait leur offrir en sacrifices, mais de scènes ou de mots qu'il faut leur servir pour abreuver la machine qui diffuse en continu événements et nouvelles. La tentation c'est de leur en fournir chaque jour davantage sans parvenir à étancher le flux.

J'avoue y avoir cédé au risque de confondre pédagogie et expression. Parler n'est pas communiquer. Réagir aux questions n'est pas apporter les réponses. Être dans l'actualité n'est pas être dans la vie. Aborder tous les thèmes c'est n'en imposer aucun.

J'ai pris conscience que la démultiplication de la parole, loin de me rendre familier aux Français, m'en éloignait. Ils m'entendaient de plus en plus mais me connaissaient de moins en moins.

À s'inviter en permanence chez les gens, ils finissent par vous fermer leur porte. À vous voir, ils ne vous regardent plus. À saturer l'espace, ils vous effacent. À leur annoncer chaque jour une initiative, ils ont déjà oublié la dernière.

C'est la différence entre donner du sens et faire du bruit.

9

Réformer

Il n'a pas été fréquent dans la fonction qui fut la mienne de recevoir des marques de gratitude. Elles viennent de manière aussi inattendue qu'intense. Un jour, à l'occasion de visites en entreprises ou de déambulations au hasard de mes déplacements, je fus interpellé à voix basse par des femmes et des hommes que le travail semblait avoir usés prématurément. Ils allaient grâce à moi, me confiaient-ils, partir prochainement en retraite, le jour anniversaire de leurs 60 ans.

C'était en effet l'un des premiers décrets que j'avais signés comme président. C'était le 6 juin 2012. Il prenait en compte la situation des personnes ayant toutes leurs annuités mais qui devaient attendre l'âge légal de la retraite, 62 ans, pour pouvoir liquider leur pension. Ce dispositif en faveur des carrières longues a concerné plus de 500 000 personnes durant le quinquennat. Offrir deux ans de vie à des travailleurs qui avaient commencé leur parcours professionnel à 18 ans n'était pas un mince progrès. De ma part, ce n'était pas simplement revenir sur une décision injuste prise en 2010, ce n'était pas faire assaut de facilité. C'était accorder un repos bien mérité à des salariés qui avaient le plus souvent exercé un métier pénible. Leur donner cette liberté me tenait à cœur. Ceux-là tenaient discrètement à m'en remercier. Ils n'imaginaient pas ce que je ressentais à cet instant. Encore aujourd'hui je reçois avec bonheur ces messages de reconnaissance. Je n'en conçois pas de fierté particulière. C'était mon devoir de le faire. Mais j'en suis toujours ému.

Le pari du dialogue social

J'avais annoncé qu'une fois élu, je refonderais le dialogue social. Dans un pays où l'affrontement l'emporte sur la négociation et où l'État se substitue volontiers aux acteurs sociaux, la tentative était audacieuse. Elle n'était pas désespérée même si elle a pu être jugée par certains désespérante, à la lumière des mouvements de rue qui ont accompagné l'adoption de la loi El Khomri. C'était le sens de la conférence sociale que j'avais initiée dès 2012 et qui avait pour vocation d'énoncer les grandes priorités de la législature et de définir ce qui devait être laissé à la négociation entre partenaires sociaux, ou bien ce qui relevait de l'initiative de l'État et qui était ouvert à la concertation. Dans cet esprit, plusieurs grands accords interprofessionnels ont été conclus et transposés par le législateur.

C'est ainsi que le 11 janvier 2013, les organisations patronales et les confédérations syndicales (CFDT, CGC, CFTC) signent l'accord national interprofessionnel. L'annonce, le même jour, de l'intervention de nos forces armées au Mali l'a éclipsé dans les médias. Il marque pourtant une étape majeure dans la réforme du marché du travail. Il introduit les accords de maintien dans l'emploi qui, en cas de graves difficultés conjoncturelles, offrent à l'entreprise la possibilité, pendant deux ans minimum, d'avoir recours au chômage partiel ou à des changements de rémunérations (sauf pour celles qui sont inférieures à 1,2 fois le SMIC). Il crée les accords de mobilité, donnant à l'employeur le droit de modifier le poste ou la zone géographique du salarié, à condition de garantir des protections en termes de formation et de respect de sa vie familiale et de lui procurer une compensation s'il perd du pouvoir d'achat. Toujours dans le même souci de conjuguer souplesse et sécurité, les procédures de licenciement sont revues dans les entreprises de plus 50 salariés pour en finir avec les plans sociaux imposés par l'employeur et donc contestés par les salariés. Ils font désormais l'objet d'un accord majoritaire et homologué par l'administration. Très peu sont déférés devant les tribunaux. Ils l'étaient presque tous auparavant.

La même réforme prévoit aussi plusieurs avancées significatives. D'abord la généralisation de la complémentaire santé financée par l'employeur. Elle assure désormais à chacun la couverture des soins, au-delà des remboursements de la Sécurité sociale ; jusque-là, un travailleur sur cinq en était exclu. Ensuite l'encadrement du temps partiel et une limitation plus stricte des contrats à durée déterminée, afin de lutter contre la précarité. Enfin, la représentation des personnels dans le conseil d'administration des entreprises de plus de 5 000 salariés. Nous sommes encore loin de la cogestion allemande, mais il était important qu'en France, les travailleurs disposent du droit de participer à la délibération sur l'avenir de leur entreprise.

La réforme de la formation professionnelle fut également le fruit de cette méthode. C'est de cette négociation qu'est né le Compte personnel de formation qui permet à chaque salarié d'acquérir des droits en fonction de son ancienneté et de sa qualification.

Les partenaires sociaux ont également été associés par Marisol Touraine à la consolidation des régimes de retraite. La durée de cotisation des actifs est désormais liée à l'allongement de l'espérance de vie. C'est un principe qu'il était nécessaire de faire accepter à toute la société mais pour la première fois dans notre histoire sociale, la pénibilité est introduite dans le calcul de la retraite.

La reconnaissance de la pénibilité

Selon qu'ils exercent tel ou tel métier, les travailleurs jouissent d'une espérance de vie différente. Les cadres ou les professions intellectuelles vivent plus longtemps que les salariés soumis à des tâches répétitives exposées au bruit ou au froid, à des horaires nocturnes ou changeants. Or tous sont soumis aux mêmes règles de départ à la retraite, avec la même durée de cotisations. Ainsi pour la cruelle raison qu'ils meurent plus tôt, les ouvriers passent en moyenne beaucoup moins de temps que les autres à la retraite. Moins que les autres, ils peuvent se consacrer à leurs passions personnelles, ou à leur vie de famille.

C'est cette iniquité que j'ai voulu corriger en créant le compte pénibilité, qui offre à ceux qui ont vécu des conditions de travail éprouvantes du temps disponible dont ils peuvent décider librement au moment de la retraite. Depuis, le patronat n'a eu de cesse de vouloir revenir sur cette avancée au prétexte que le dispositif est complexe. Dans certaines situations, il l'est assurément. Comment mesurer jour après jour l'exposition aux intempéries ou au bruit des machines ? Nous l'avons simplifié pour qu'il soit mis en œuvre en fonction de paramètres objectifs. J'ai regretté qu'on ait reculé sur ce point après mon départ. Le processus est néanmoins irréversible. Chaque salarié peut vérifier sur son compte personnel les droits qu'il a acquis, pour partir plus tôt ou pour se former au moment opportun. Ce compte est le produit de son labeur, il est son capital. Il lui appartient en propre et le suit tout au long de la vie professionnelle. Là est l'avenir de notre système social. Permettre à chacun d'accéder à des droits individuels dans un cadre collectif et d'en user librement.

La leçon de Berger

Le dialogue social n'est pas aussi stérile que beaucoup le disent pour ne pas l'engager. Il débouche au niveau national – et encore davantage au niveau des entreprises – sur des accords qui concilient performance et progrès. Comment en convaincre les acteurs eux-mêmes ? Je dois avouer, sans vouloir le compromettre, que j'ai entretenu une relation sincère et confiante avec Laurent Berger, le secrétaire général de la CFDT. Il n'entendait pas être l'interlocuteur privilégié du gouvernement, comme aucun d'ailleurs. Il est indépendant. Il ne confond pas ses choix personnels avec son mandat syndical. Il est ouvert au compromis mais seulement quand il pense que c'est l'intérêt des salariés. Pour m'être frotté à lui, j'ai appris que quand il établit une limite, il tient franchement sa position.

Laurent Berger est conscient que le syndicalisme est confronté comme toutes les institutions à une crise de légitimité, qu'il doit prouver son utilité dans l'entreprise comme dans la société. Il défend les salariés parce que c'est sa mission première mais il prend aussi sa part dans la transformation du pays parce que la société ne s'arrête pas aux portes de l'entreprise. Laurent Berger a réussi à faire de sa confédération la première force syndicale dans le secteur privé, au moment même où nous gouvernions. Son esprit de responsabilité, qui s'est traduit par la signature de grands accords collectifs ou son soutien, certes critique, au pacte de responsabilité, ne lui ont visiblement pas coûté dans les élections professionnelles. Son organisation y a partout gagné des points.

Un jour, nous avons réfléchi à ce paradoxe. Pourquoi la CFDT gagne-t-elle la confiance des salariés chaque fois qu'ils sont consultés quand nous semblons la perdre en défendant les mêmes avancées ? À cette question, Laurent Berger me répond tout à trac : « Parce que nous revendiquons nos conquêtes, quand vous, (sous-entendu la majorité), vous vous en excusez. » Il aurait pu ajouter : « Quand vous ne les passez pas sous silence, ou quand certains parmi vous les contestent. » Pour conclure, non sans humour : « Parlez de vos réformes, nous n'allons pas le faire à votre place ! » Juste admonestation qui en dit long sur les pratiques du pouvoir, comme s'il suffisait de publier des décrets et de promulguer des lois pour que les Français aient la révélation de leurs bienfaits. L'impact de nos réformes surtout quand celles-ci sont partielles, étalées dans le temps, est difficile à comprendre.

Gattaz de père en fils

Pierre Gattaz fut aussi un de mes interlocuteurs les plus réguliers. Affable même s'il prend toujours un visage contrarié, il a conquis le MEDEF, comme son père autrefois, grâce à un discours qui a davantage flatté sa base qu'il ne l'a appelée à la responsabilité. À Mitterrand, Yvon prétendait qu'il allait créer des centaines de milliers d'emplois avec des contraintes allégées. À moi, Pierre en promet un million. La méthode n'a pas changé même si le fils a doublé la mise du père ! Il est toujours en campagne comme s'il préparait je ne sais quelle réélection. Il est franc, volubile avec des raisonnements dont la simplicité est la marque de fabrique. Il ne m'a pas facilité la tâche, non pas par sectarisme – l'homme mérite mieux que ce jugement sommaire – mais parce que ce chef d'entreprise qui innove chez Radiall n'a jamais compris ce que le dialogue social peut apporter au pays. J'ai toujours été surpris par ce recours permanent à l'État que pratiquent bon nombre de dirigeants patronaux. L'État est le milieu dont ils sont pour la plupart issus. Ils s'en sont détachés en ayant à cœur de le dénigrer. Ils lui demandent de rester à sa place, voire de se débarrasser de bien des missions, mais c'est toujours vers lui qu'ils se tournent à la première difficulté.

Pierre Gattaz est sûrement sincère quand il m'exprime l'exaspération de ses mandants devant le poids des charges, la prolifération des normes, les rigidités du marché du travail. Mais il préfère toujours demander des entretiens avec le président de la République, le Premier ministre et les membres du gouvernement, plutôt que d'ouvrir des discussions avec les partenaires sociaux. Le plus court chemin pour la réforme, à ses yeux, c'est la loi plutôt que la négociation.

Combien de fois me suis-je surpris à constater des comportements similaires au MEDEF et à la CGT ? Cette incapacité à reconnaître un progrès même quand il est réel et cette facilité à ne l'imaginer qu'au détriment de l'autre, comme s'il n'y avait pas de gain sans perte, comme si le jeu était forcément à somme nulle. Aussi le patronat entonne-t-il pendant ces cinq ans une interminable complainte sur le sort réservé aux entreprises par le pouvoir socialiste, tandis que certains syndicats dénoncent mécaniquement les « cadeaux » qui leur étaient consentis. Comment convaincre des employeurs qu'ils vont pouvoir embaucher et investir, si le Medef tait en permanence l'ampleur des soutiens qui leur sont apportés et considère les mécanismes qui leur sont dédiés comme de la poudre de perlimpinpin ?

Là se situe le malentendu dont souffre notre démocratie sociale. Peu d'acteurs revendiquent les résultats d'une négociation. Tous ou presque se retournent contre l'État pour se plaindre de ses largesses inutiles ou de ses lourdeurs insupportables. L'exemple du CICE est éclairant. Créé dans les conditions que l'on sait pour alléger le coût du travail des entreprises, il a été dans un premier temps contesté par le MEDEF pour sa pseudo-complexité et par la CGT et FO pour son coût. Mais aujourd'hui que l'actuel gouvernement prépare son remplacement voilà que le patronat réclame à hauts cris son maintien et que les syndicats, non sans raison, s'inquiètent pour le financement de la Sécurité sociale. Pourtant, je continue de croire à la vertu du dialogue social.

Le syndicalisme français a opéré ces dernières années une mutation invisible encore à beaucoup et pourtant considérable. L'affirmation de la CFDT comme première organisation de salariés, la signature de nombreux accords au niveau des entreprises par FO mais aussi par la CGT, la modernisation du paritarisme pour assumer la responsabilité de la formation professionnelle et de l'indemnisation du chômage, tout cela confirme que l'esprit de compromis existe si l'on sait en user et lui donner sa place.

Paradoxalement, le patronat est en retard sur cette évolution. Il considère immanquablement le syndicalisme comme un frein, un obstacle, une gêne. À cet égard, il est regrettable que les ordonnances prises cet été aient écarté toute présence syndicale dans les TPE, laissant les salariés seuls face à leurs employeurs. Il n'est même pas sûr que ce soit l'intérêt de ces derniers.

La lutte pour l'égalité

C'est cette conviction qui m'a conduit à privilégier le niveau de l'entreprise pour la négociation collective. Avec le verrou qu'établit la nécessité de convaincre les syndicats représentant la majorité des salariés. Ce fut le point d'achoppement avec Jean-Claude Mailly, lors de la discussion de la loi El Khomri. Le secrétaire confédéral de FO était attaché, si je puis dire, à la branche. Il craignait une « inversion de la hiérarchie des normes » qui pourrait résulter de l'élargissement de la place accordée aux accords d'entreprises. Je le savais de bonne foi, même s'il s'était appuyé sur les « frondeurs » pour faire barrage à ce texte. En vain, car j'avais tenu bon, non pas pour complaire à la CFDT qui en faisait la condition de son appui et encore moins au MEDEF qui là-dessus restait muet, mais parce que cette évolution allait ouvrir un champ nouveau à la négociation sociale et accélérer encore la recomposition du paysage syndical français.

Il y a des réformes silencieuses qui changent durablement une société. Et d'autres réclamées à grand bruit qui expriment surtout la volonté des plus privilégiés d'en finir avec les acquis des plus modestes. J'ai toujours été révulsé par ces attaques continues contre le SMIC, les minimas sociaux ou le statut de la fonction publique, venant de ceux qui trouvent légitime de s'octroyer des stock-options, des retraites chapeaux, des indemnités de départ voire de bienvenue, pour ne rien dire de leur rémunération.

Les mêmes qui réclament à son de trompes des ruptures courageuses pour redresser les comptes ou la compétitivité trouvent inconvenant de contribuer davantage à la solidarité quand la situation du pays l'exige. Les réactions qui ont accompagné ma proposition de porter pour un temps limité (deux ans) à 75 % le prélèvement maximal sur les revenus supérieurs à un million d'euros par an en ont été la manifestation la plus éloquente.

Car réformer c'est aussi réduire les inégalités. Elles se sont creusées partout dans le monde durant ses dernières années. Partout, sauf au sein de l'Europe qui a contenu l'écart moyen entre riches et pauvres. Partout, sauf en France où les inégalités de revenus et de patrimoine ont reculé. Rien de fortuit dans ce résultat. Nous avons maintenu l'impôt sur la fortune, supprimé le bouclier fiscal, créé une tranche supplémentaire de l'impôt sur le revenu à 45 %, allégé l'impôt de plus de 12 millions de foyers. Parallèlement, nous avons fait progresser régulièrement les minimas sociaux, relevé la prime d'activité, mis à égalité les prélèvements sur le capital et le travail, accru de 25 % l'allocation de rentrée scolaire, étendu la « garantie jeunes », élargi l'accès à la couverture maladie universelle à plus d'un million de personnes, revalorisé l'allocation personnalisée à l'autonomie. Et j'entends dire que nous n'avons pas fait grand-chose. J'attends sereinement la comparaison.

Priorité à la jeunesse

Réformer, ce fut traduire en actes la priorité que j'avais définie en faveur de la jeunesse. Je repense à ces jeunes filles d'Aubervilliers issues pour la plupart de la troisième génération de l'immigration, croisées lors d'une visite à une mission locale. Elles avaient quitté l'école trop tôt sans diplômes, sans projet, sans avenir. La « garantie jeunes » que j'avais lancée et qui allait pendant huit mois leur assurer une formation, une insertion et une allocation, leur avait rendu l'espoir. Enjouées, elles me racontaient leur projet, le début de confiance revenu dans leur vie, le métier qu'elles comptaient chacune exercer et qui leur permettrait de se construire un avenir. La jeunesse était la priorité de ma campagne. Cinq ans plus tard, les jeunes vivent mieux – ou moins mal – qu'au début de mon quinquennat.

Le chômage a baissé dans cette classe d'âge. Nous avons facilité la création de 300 000 « emplois d'avenir » avec une prise en charge à 70 % de leur coût par l'État. Les effectifs du service civique que j'ai constamment développé et soutenu sont passés de 30 000 à 120 000. Les moyens des réseaux d'éducation prioritaire (REP) ont été renforcés. La préscolarisation des enfants des quartiers populaires s'est développée ainsi que l'encadrement dans le primaire. Il y avait plus de 150 000 « décrocheurs » à mon arrivée, qui sortaient du système scolaire sans rien de solide. Le chiffre est tombé à moins de 100 000 cinq ans plus tard et l'effort, je l'espère, va continuer.

La Sécurité sociale du prochain siècle

Une des grandes idées du quinquennat : c'est la nouvelle sécurité sociale professionnelle, ce que les Scandinaves appellent d'un mot peu élégant mais qui désigne une chose précieuse : la « flexisécurité ». Le temps des carrières linéaires, sans à-coups, stables et uniformes est terminé. Désormais, les emplois sont mouvants, mobiles, détruits dans un secteur ou une entreprise et recréés ailleurs. C'est la condition du développement économique sans lequel le progrès social devient impossible, mais c'est aussi le revers de la mondialisation qui fait courir à chacun le risque majeur du chômage et de la précarité.

Le véritable progrès, désormais, c'est de doter chaque travailleur des droits individuels qui lui permettront d'affronter l'avenir avec des armes suffisantes. Le compte personnel d'activité est l'instrument de cette modernisation. À chaque instant, le salarié peut désormais visualiser le montant de droits qu'il a accumulés grâce à son travail. Cette épargne exprimée en temps et non en argent est son patrimoine. Elle est collectivement garantie. Elle lui donne les moyens d'affronter les aléas de la vie professionnelle.

Il faudra sûrement du temps pour que cet outil soit connu de tous et utilisé par tous. Mais il s'inscrira progressivement dans notre modèle social comme un levier de sa refondation. La sécurisation des parcours professionnels, qui a longtemps été un concept théorique ou un slogan syndical, a enfin trouvé sa place. Elle devra être enrichie en fonction des évolutions des technologies et des transformations du marché du travail. Mais elle offre aux salariés comme aux entreprises une réponse pour préparer les mutations qui nous attendent.

Décidément Laurent Berger avait raison de m'admonester sur notre difficulté à valoriser les acquis du quinquennat. Je revendique suffisamment le droit d'inventaire pour m'imposer un devoir de lucidité. Je ne rejette pas les critiques, je suis prêt à reconnaître mes erreurs. Mais que l'on me permette aussi de revendiquer les réussites.

Je ne demande pas à la gauche de s'en emparer. C'est au pays de le faire. Mais je lui conseille de s'en servir comme autant de preuves de son utilité. Dans notre histoire c'est souvent d'elle qu'est venu le courage d'accomplir les réformes difficiles et de préparer la France au monde de demain. Elle aurait tort de le nier. On ne reconstruit rien sur les remords. On ne suscite aucune indulgence sur les regrets. Seule la fierté fait renaître l'espoir.

La bataille du mariage

Je savais que ce serait une bataille. Durant la campagne, en visite auprès de la rédaction de *Libération* je suis interrogé, entre autres, sur la grande réforme de société qui doit à mes yeux marquer le futur quinquennat et qui serait, en quelque sorte, l'équivalent de l'abolition de la peine de mort décidée par François Mitterrand et incarnée par Robert Badinter. Je cite aussitôt l'instauration d'un « mariage pour tous » qui reconnaîtrait enfin des droits égaux aux couples homosexuels jusque-là renvoyés vers le PACS qui marquait un progrès quand il fut voté mais qui traduisait toujours une forme de discrimination envers les couples de même sexe. Les journalistes de *Libé* se gaussent aussitôt arguant que cette évolution va de soi, que l'opinion a suffisamment bougé pour que cette modification du Code civil passe comme une lettre à la poste. Candide illusion. Cette question est plus centrale qu'ils ne le croient, puisqu'elle met en jeu des traditions ancestrales et des préjugés solidement enracinés dans la culture judéo-chrétienne. Je ne devinais pas encore l'engagement de l'Église catholique contre la réforme. Mais j'anticipais un débat difficile et passionné.

Pour cette raison, je décide dès mon arrivée à l'Élysée de faire préparer par le gouvernement et notamment Christiane Taubira, la garde des Sceaux, un texte que nous pourrions soumettre à la discussion. J'avais le devoir de procéder rapidement au respect de cet engagement.

Pendant l'été, je reçois Monseigneur Vingt-Trois, archevêque de Paris. C'est un homme de foi courtois qui n'élève pas la voix mais qui va à l'essentiel. Ses arguments sont attendus, ce sont ceux de la doctrine catholique. Il les déroule en sachant qu'il ne me convaincra pas. Il insiste sur le mariage comme sacrement. Je lui réponds que c'est un acte d'amour et dont la reconnaissance par la loi donne des droits. À ma grande surprise, il m'alerte sans s'encombrer de préalables et en gardant un ton calme : « Ne croyez pas que ce sera facile. Vous n'avez pas seulement en face de vous une grande majorité de catholiques. Vous avez aussi vos propres électeurs, et notamment ceux qui ont fait la décision. » Il ne parlait pas de la gauche politique. Il faisait référence au vote des quartiers où l'islam est plus pratiqué qu'ailleurs et qui s'était massivement porté sur moi. C'était un raccourci sommaire. Mais il n'avait pas complètement tort. Des intégristes musulmans se sont emparés de cette question du mariage pour se livrer à une propagande contre la République. Ils se sont démultipliés pour dénoncer la « théorie du genre » supposée nier les différences entre les sexes et dont on accusera Najat Vallaud-Belkacem de vouloir imposer les thèses dans l'enseignement public, alors qu'elle cherchait à lutter contre les stéréotypes qui encombrent encore nos mentalités et induisent des comportements dont le harcèlement est le symptôme le plus évident. Les milieux conservateurs et traditionnels, qui n'ont généralement guère de complaisance à l'égard de l'islam, n'ont pas récusé ce renfort et les réseaux sociaux ont fait apparaître d'étranges confusions. Mais j'avais retenu l'avertissement du cardinal.

Le projet est soumis au Parlement à l'automne, suivi d'une série d'auditions de personnalités, de philosophes, de sociologues mais aussi des représentants des cultes. Ces discussions donnent aux adversaires du mariage pour tous une tribune, et, surtout la capacité de mobiliser leurs troupes. C'est ainsi que plusieurs manifestations sont organisées, spectaculaires, alliant la rigueur apportée par des généraux en retraite et la modernité d'une nouvelle génération conservatrice rompue aux codes des réseaux sociaux. On invoque les droits de l'enfant, qui ne sont en rien mis en cause, la stabilité des familles, que les homosexuels ne menacent évidemment pas, et toutes sortes d'arguments « anthropologiques » qui seront réfutés par les anthropologues eux-mêmes. À ces cortèges pacifiques se mêlent parfois des extrémistes qui scandent des slogans homophobes, et provoquent des affrontements sporadiques avec les forces de l'ordre. Peu habituée à manifester, cette partie de l'opinion découvre la réalité des défilés de rue qui sont en général paisibles mais provoquent aussi, en fin de cortège, des incidents indépendants de la volonté des organisateurs. Le but des activistes est clair : tenter de montrer que le pouvoir n'hésite pas à réprimer brutalement les familles.

Le 25 janvier 2013, je reçois à l'Élysée une délégation de l'association « La Manif pour Tous ». Habilement, les instigateurs du mouvement ont mis en avant des porte-parole au profil moderne, au discours fleuri et qui professent un apolitisme culturel. Frigide Barjot, dont l'apparence ne la renvoie pas *a priori* vers l'intégrisme religieux, a pris la tête de la délégation, qui comprend aussi l'animateur du petit groupe « La Gauche pour le Mariage », ainsi qu'un militant homosexuel revendiqué qui rejette le projet de réforme. Curieuse équipe bâtie pour l'occasion qui m'interpelle tout sourire pour me demander de renoncer, si ce n'est à l'ensemble du projet, au moins à la possibilité pour les couples de même sexe d'obtenir le droit d'adopter. Je leur oppose un refus tout aussi courtois. Le mariage et l'adoption vont de pair, céder à leur demande n'aurait en rien apaisé la protestation. Tout recul aurait encouragé leur mouvement.

Les manifestations prennent un tour de plus en plus hostile et politique. La droite s'installe à leur tête. Au Parlement, Christiane Taubira déploie tout son talent oratoire pour défendre le projet contre les attaques furieuses d'une grande partie de l'opposition. Sa culture, son sens de la repartie et sa maîtrise du dossier en imposent jusqu'à ses adversaires les plus acharnés. Elle restera, en dépit des attaques violentes dont elle a si souvent été l'objet et qu'elle a endurées sans ciller, celle qui a incarné une grande réforme républicaine.

Promulguée le 18 mai 2013, après six mois de débats épiques et une discussion que j'avais décidé d'accélérer pour prévenir l'obstruction, la loi sur le mariage pour tous est une victoire pour les militants qui depuis des années se sont battus pour cette cause mais surtout un bonheur pour les couples enfin unis par la loi, comme pour leur famille. Une fierté pour la France, 14e pays à l'autoriser. Le premier mariage est célébré le 25 mai, des dizaines de milliers ont suivi.

Ratifiée en fait par l'immense majorité de l'opinion aujourd'hui, elle n'est plus contestée. Je constate d'ailleurs que la droite, à l'époque si acharnée à la dénoncer et à promettre son abrogation, ne prévoit plus de la remettre en question. Il y a quelques semaines, alors que je descends d'un train, j'entends un contrôleur sur le quai me lancer un sonore « Merci Hollande ! ». Je me retourne, il me montre son alliance. Nous parlons : il vient de se marier avec son compagnon et me témoigne sa gratitude. Les batailles politiques trouvent toujours leur récompense.

Vivre et mourir dans la dignité

Le mariage pour tous fut loin d'être la seule réforme « de société » de mon quinquennat. Il y eut le troisième « plan Cancer », que j'ai lancé pour favoriser la recherche, prévenir la maladie et contribuer à atténuer les souffrances de ceux qui l'affrontent. J'ai introduit le droit à l'oubli pour que la personne qui a vaincu la maladie n'ait plus à souffrir de l'avoir surmontée et pour que rien dans sa vie professionnelle ou personnelle, pour chercher un travail, solliciter un crédit ou contracter une assurance, ne l'oblige à signaler ce souvenir, qui reviendrait sinon comme une double peine.

Je m'étais également engagé à ouvrir « le droit à mourir dans la dignité ». Des progrès avaient déjà été accomplis dans ce domaine grâce à la loi Leonetti. Mais elle faisait reposer la responsabilité de décisions toujours difficiles sur les seules équipes médicales. Je voulais que l'on puisse aller plus loin. J'avais commandé un rapport sur la fin de vie à une commission présidée par Didier Sicard, médecin éminent et qui fut président du Comité consultatif national d'éthique. J'entendais éviter l'acharnement médical inutile qui n'a d'autre effet que de prolonger les souffrances du malade sans apporter aucun soulagement à sa famille. Une loi fut préparée par deux parlementaires de sensibilités politiques différentes mais animés par la même éthique, Jean Leonetti et Alain Claeys. Elle a instauré un droit à la sédation profonde et continue jusqu'au décès pour les malades en phase terminale ainsi que des directives anticipées contraignantes, pour passer, comme l'a précisé l'un des deux rapporteurs, « d'un devoir des médecins » à « un droit des malades ». Les directives anticipées, par lesquelles il est possible de faire connaître son refus d'un acharnement thérapeutique, s'imposent désormais au corps médical.

Je reconnais que je n'ai pas été jusqu'au suicide assisté qui relève d'une autre conception. Mais quand en octobre dernier, Anne Bert, après avoir écrit un livre bouleversant, *Le tout dernier été*, racontant le mal qui la rongeait et sa décision d'en finir, a été obligée d'aller en Belgique pour obtenir le droit d'abréger ses souffrances et n'en jamais revenir, je me suis convaincu qu'il était nécessaire de légiférer encore.

Redessiner la France

Depuis 1964 la France était divisée en 22 régions métropolitaines dont la taille variait de 800 000 habitants dans le Limousin à 12 millions en Île-de-France. Elles surplombaient un mille-feuille territorial assorti d'un enchevêtrement inextricable des compétences et des responsabilités. La réforme de notre organisation territoriale avait été mille fois mise à l'ordre du jour de comités ou de commissions, sans jamais déboucher sur un résultat tangible. Il était temps de passer à l'acte et de simplifier cet édifice. J'ai exercé de nombreux mandats, maire, président d'un conseil général : je connais bien les atouts et les faiblesses de notre organisation. Mon intention était claire : réduire le nombre d'intercommunalités, clarifier les pouvoirs du département-ment, accroître les responsabilités des métropoles sur lesquelles repose une grande partie du développement à venir et réduire le nombre des régions pour donner à chacune une dimension européenne.

La réforme met en jeu l'ensemble des pouvoirs locaux aux intérêts forcément contradictoires, elle mobilise les élus et réveille les identités. Je procède aux consultations indispensables, j'associe le Premier ministre et les principaux ministres à cet exercice. Mais, à la fin des fins, je dois rendre moi-même l'arbitrage ultime. J'étale la carte de France sur la grande table de mon bureau et, armé d'un crayon et d'une gomme, après avoir écouté les avis les plus divergents, je propose au Parlement un nouveau découpage administratif de la nation. La Bretagne ne voulait pas se fondre avec les Pays de la Loire, le Languedoc-Roussillon refusait de se marier avec Midi-Pyrénées, l'Alsace voulait rester seule, la Picardie préférait rejoindre le Nord-Pas-de-Calais. Je prends en compte certaines demandes. J'en écarte d'autres. L'opposition fustige « l'arbitraire », la « logique obscure » de certains rattachements, la restriction des responsabilités du département, et la mise en cause de la commune. Mais très vite le débat s'arrête de lui-même. Aux élections régionales suivantes, comme par enchantement, personne ne conteste plus cette carte. Elle est la base à partir de laquelle de nouveaux transferts de compétences peuvent être envisagés en faveur des collectivités locales. C'est ainsi que la plus grande réforme territoriale depuis les lois de décentralisation de 1982 fut décidée et mise en œuvre.

La fin du cumul

S'il est un domaine où le président ne peut décider seul, c'est bien celui de la révision de la Constitution. Pour faire adopter une proposition de cette nature, il lui faut recueillir l'assentiment des deux assemblées et obtenir une majorité des trois cinquièmes des parlementaires réunis en Congrès. Le refus de la majorité sénatoriale de m'accorder le moindre succès sur ce terrain l'a conduit à écarter successivement la réforme du Conseil supérieur de la magistrature pour garantir son indépendance, la suppression de la Cour de justice de la République, la charte des langues régionales et même la fin du privilège octroyant aux anciens présidents de la République le droit de siéger à vie au Conseil constitutionnel. Ce à quoi j'ai personnellement décidé de renoncer. En revanche, le Sénat ne m'a pas empêché de mener à bien une réforme attendue depuis longtemps par les Français et qui me tenait à cœur : la fin du cumul des mandats.

La France était l'un des rares pays qui tolérait encore qu'un parlementaire puisse gérer une grande collectivité. Les proclamations étaient encourageantes, les intentions généreuses mais les résistances nombreuses. À l'Assemblée siégeaient sur tous les bancs de nombreux députés-maires, et tant d'autres qui exerçaient un mandat exécutif local. Au Sénat, considéré comme la Chambre des collectivités locales, les arguments étaient plus sérieux puisque c'était sa légitimité qui pouvait être remise en cause. Les membres de la Haute Assemblée étaient tentés de demander une dérogation ou un moratoire, reportant à bien plus tard l'effectivité du non-cumul.

Une réforme populaire dans l'opinion n'est pas aussi simple à faire adopter que certains esprits audacieux pourraient le croire. Les révisions institutionnelles sont dénoncées par ceux qui s'y opposent comme des subterfuges ou des artifices pour laisser de côté les sujets les plus brûlants. Des prétextes sont soudainement inventés pour renvoyer à plus loin l'échéance. Des obstacles juridiques surgissent pour compliquer l'exercice. Ainsi, avec Jean-Marc Ayrault, nous avions pensé imposer le non-cumul dès les échéances municipales de 2014 et obliger ainsi les maires, renouvelés ou élus, à abandonner immédiatement leur mandat parlementaire pour les faire remplacer aussitôt par leurs suppléants. Mais on nous prévenait que le Conseil constitutionnel n'accepterait pas cette substitution, ce qui provoquerait une trentaine d'élections législatives partielles. J'ai donc estimé plus sage de repousser l'entrée en vigueur du non-cumul à juin 2017. La droite qui s'y était longtemps opposée, en trouvant quelques appuis à gauche, a fini par s'y résoudre. Ironie de l'histoire, le chamboulement intervenu au printemps 2017 a fait le reste.

Aujourd'hui, c'est le non-cumul dans le temps qu'il s'agit d'instaurer. L'idée a du sens. Pourquoi un maire de grande ville peut-il être réélu autant de fois que les électeurs en décident, quand le président de la République ne peut l'être qu'une seule fois ? Là encore, la réforme est populaire. Il en est de même pour la proposition de diminuer le nombre d'élus dans notre pays. Elle caresse des sentiments antiparlementaires qui ne sont pas tous élevés. Elle aurait comme conséquence d'éloigner le député de ses électeurs et de priver les territoires ruraux de la représentation que la République leur a toujours accordé. Surtout si une réforme du mode de scrutin vient encore compliquer l'exercice.

Non à la proportionnelle

Je m'étais prononcé pour l'introduction d'une part de proportionnelle dans l'élection des députés. Je n'ai pas donné suite à cet engagement. Pour deux raisons. La première, c'est qu'il n'est pas bon qu'au sein de l'Assemblée puissent siéger deux catégories de députés, les uns élus sur une liste, les autres à partir d'un territoire. Mais là n'est pas l'essentiel. La seconde raison est plus forte. La stabilité que nous confèrent nos institutions tient au fait majoritaire. Le scrutin proportionnel, en éclatant la représentation, priverait le chef de l'État d'un appui solide pour mener ses réformes. Il élargirait la place réservée aux extrêmes et donc obligerait à une coalition des partis de gouvernement comme on le voit en Allemagne, ce qui engendrerait à mes yeux confusion partisane et radicalisation politique.

La France a des institutions qui la protègent. Sous prétexte de modernité, elle s'affaiblirait grandement si elle venait à épouser les formes de gouvernement de nos voisins. Ce n'est pas au moment où ils connaissent des difficultés, dont nous devons d'ailleurs être solidaires, qu'il faut les imiter.

Combattre la corruption

Peu après sa nomination au ministère des Finances en 2014, Michel Sapin me convainc de mettre en œuvre de nouvelles dispositions pour lutter contre la corruption « transnationale », où des contrats à l'étranger sont « achetés » par le reversement de commissions. La France était montrée du doigt aussi bien par l'OCDE que par des ONG alors que la réalité de la corruption n'y était pas plus importante que dans d'autres démocraties. L'absence de dispositions légales était doublement préjudiciable. D'une part, elle pouvait paradoxalement nous faire perdre des marchés, et d'autre part des juridictions étrangères, tout particulièrement américaines, se sentaient légitimes à agir elles-mêmes, à défaut de voir la justice française saisie.

Un texte fut donc proposé et voté pour combler ce vide juridique. J'y ai ajouté une nouvelle procédure, la « transaction pénale » pour faire payer une amende, directement au Trésor public, aux entrepreneurs qui s'étaient mal conduits, sans attendre un éventuel procès. Ce mécanisme se révèle particulièrement efficace. J'ai voulu aussi que soient protégés les lanceurs d'alertes.

J'avais admiré le rôle joué par deux d'entre eux dans l'affaire des LuxLeaks, révélée en novembre 2014. Les informations dévoilées avaient mis en lumière les situations où de très grandes entreprises avaient négocié leur implantation au Luxembourg en échange d'un traitement fiscal avantageux, ce qui leur permettait de ne plus acquitter aucun impôt dans aucun pays de l'Union européenne.

Je pense particulièrement à Antoine Deltour, un homme à la fois courageux et modeste, qui a dû affronter la dureté d'un procès au Luxembourg alors qu'il avait agi de manière désintéressée. J'ai veillé à ce qu'il puisse être défendu et j'ai demandé à Michel Sapin de s'occuper de sa reconversion. Ce qui fut fait.

Pour encadrer les activités des lobbyistes, il fallait vaincre les réticences qui se manifestaient jusque dans mon entourage. Je voulais que la France se mette au diapason des autres démocraties. Après de longs débats au premier semestre 2016, la loi fut définitivement adoptée en décembre et je fus attentif à ce que, dans ce domaine aussi, les décrets d'application paraissent avant le mois de mai 2017.

Aujourd'hui nous n'avons pas fait disparaître tous les comportements répréhensibles, mais j'estime désormais que la France fait figure de référence en matière de lutte contre la corruption. C'était une nécessité économique et politique. C'était ma promesse du Bourget. C'était aussi une question d'honneur.

Réformer, le mot est galvaudé. Il est devenu une valise dans laquelle chaque président y met ce qu'il veut présenter comme la marque de son mandat. Comme pour parer de la palme du courage sa vaste entreprise législative.

Mais une réforme n'est pas un produit technocratique, une obligation concédée à l'air du temps, ou une adaptation à une norme préétablie. C'est un changement qui a du sens et qui marque une philosophie et une conception de la société.

Alors qu'est-ce qu'une bonne réforme ? C'est d'abord celle qui survit aux alternances. Combattue à son origine, elle devient la loi de tous. Appropriée par tous. C'est ensuite celle qui modifie notre organisation sociale en lui donnant la robustesse nécessaire pour s'adapter aux circonstances et la permanence indispensable pour servir de cadre commun à plusieurs générations. C'est celle qui va donner des chances supplémentaires à chacun sans en enlever à d'autres. C'est enfin celle qui est juste. Dans les contributions appelées comme dans les effets attendus. Dans les droits distribués comme dans les libertés conquises.

C'est à cet aulne-là qu'une action réformatrice doit être jugée. Pas au nombre de textes votés. Pas à l'intensité des conflits pour les faire adopter. Pas aux compliments des bien-pensants. Mais à leur inscription dans la modernisation du pays. Ce que l'on appelle le progrès.

10

Réagir

La décision, il faut bien le dire à la lumière de l'expérience, si elle est toujours nécessaire n'est pas toujours salvatrice. Elle est souvent une réaction à une situation inattendue dont on ne peut pas toujours sortir à son avantage. Pourtant le président doit l'affronter. Il est des dilemmes humains que la bonne foi ne suffit pas à trancher. Face à des questions complexes, la réponse est rarement simple. Il arrive même qu'aucune solution ne soit satisfaisante, alors même qu'il faut bien en arrêter une. Il en est allé ainsi de ce que l'on a appelé « l'affaire Leonarda », qui causa un trouble dommageable.

Le cas Leonarda

Le 9 octobre 2013 la famille Dibrani, qui n'avait aucun droit à résider en France, est interpellée au centre d'accueil des demandeurs d'asile de Levier dans le département du Doubs. Venus d'Italie, avec un père originaire du Kosovo, les Dibrani ne satisfont à aucun des critères donnant droit à l'asile. L'administration n'a d'autre choix que de la renvoyer dans son pays d'origine qui n'est pas en guerre et qui ne fait pas partie de l'Union européenne. Rien ne se serait passé si la préfecture n'avait pas – légalement mais maladroitement – interpellé aussi lors d'une sortie scolaire la jeune Leonarda, fille de Reshat Dibrani.

Bien plus que l'application de la loi commune ce sont les circonstances de l'interpellation qui vont susciter l'émotion. Légitimement, beaucoup d'associations, de militants et de citoyens estiment que l'école doit être tenue pour un sanctuaire et que, s'il faut interpeller tel ou tel ressortissant étranger et sa famille qui n'ont pas droit au séjour, on ne saurait le faire dans l'enceinte des établissements. Au pied de la lettre, le préfet a respecté cette règle. Mais le cadre d'une sortie scolaire, s'il est extérieur à l'école, est vite considéré comme relevant du même régime moral, sinon légal. Une pétition initiée par le Réseau éducation sans frontières (RESF) commence à tourner en ligne. Le président de l'Assemblée nationale, Claude Bartolone, fait part de son étonnement et plusieurs ministres, publiquement ou non, expriment leur désaccord. Certaines personnalités, sincèrement choquées – ou moins bien intentionnées –, dénoncent l'action de l'État dans des termes qui rappellent des périodes sombres de notre histoire. L'émotion se répand dans l'opinion. À Paris, plusieurs lycées sont bloqués par des militants et une manifestation réunit quelques milliers de personnes.

Sensible à l'émotion de la majorité, Jean-Marc Ayrault plaide pour qu'une exception soit admise pour la famille Dibrani. Manuel Valls, comme ministre de l'Intérieur, fait remarquer que cette dérogation reviendrait à désavouer l'administration, qui ne fait qu'appliquer la loi, conformément aux instructions données par le gouvernement. Il fait aussi valoir que les Dibrani, qu'on présente comme les victimes d'un sort injuste, ont de toute évidence un rapport incertain au droit. Reshat Dibrani a menti sur son itinéraire. En Italie, il a brûlé ses papiers et vécu de subsides publics sans chercher à travailler. Il s'est rendu largement insupportable aux ONG qui tentaient de lui venir en aide, avant de quitter le pays pour entrer illégalement en France. Il est aussi l'objet d'une plainte pour mauvais traitement envers ses deux filles. Bref, son comportement n'aide guère ceux qui voudraient en faire le porte-étendard des victimes supposées de l'inhumanité française.

Je me retrouve confronté à un des problèmes les plus classiques et les plus sensibles qui se présentent aux responsables de la gauche. J'ai toujours défendu l'ouverture française, soutenu l'impératif d'accueillir sur notre sol les hommes et les femmes victimes de la tyrannie ou de la guerre, plaidé pour une régulation humaine en matière d'immigration économique. Mais j'ai, tout autant, estimé que cette politique devait se dérouler dans le cadre légal, que la République devait recevoir sur son sol les étrangers désireux d'y séjourner dans la limite de ses capacités d'accueil. Cette position de principe comporte un corollaire évident et logique : les étrangers en situation irrégulière n'ont pas vocation à rester en France. Dans les formes légales, avec toutes les précautions possibles, l'administration française est fondée à les raccompagner à la frontière. Ce qu'elle fait depuis 2012.

La seule solution

Mais l'émotion l'emporte sur la raison. La jeunesse lycéenne, solidaire avec une élève à laquelle elle s'identifie, est prête à se lancer dans un mouvement massif de protestation qui affaiblira le gouvernement et fera perdre un temps considérable sans modifier sensiblement notre politique d'immigration, qui repose sur des principes équilibrés. Les esprits s'échauffent. Leonarda s'exprime en direct dans le journal de France 2. Elle implore le gouvernement de faire rentrer sa famille.

Je sais qu'une dérogation annoncée par Matignon serait un désaveu pour Manuel Valls. Quant à Jean-Marc Ayrault, il ne peut admettre de voir son autorité de Premier ministre mise en cause. Le samedi, je réunis les protagonistes de ce dossier sensible. Chacun calé sur sa position. Manuel Valls maintient qu'il n'est pas question d'autoriser le retour de la famille Dibrani en France ; il souligne que l'on peut trouver une solution pour scolariser la jeune Leonarda au Kosovo, dans un établissement lié à la France. Jean-Marc Ayrault met en exergue l'unité nécessaire de la majorité et le risque d'une montée des contestations. Vincent Peillon fait valoir que le sujet n'a pas à remonter jusqu'au président de la République et insiste sur la sensibilité des lycéens sur cette question. Chacun plaide en sincérité.

Je m'applique pour ma part à une analyse plus froide. Je refuse de désavouer notre administration qui a agi maladroitement peut-être, mais qui a assuré le respect des lois pour une famille qui n'a aucun droit à rester en France. La situation de la jeune Leonarda, en revanche, mérite un examen plus approfondi. Elle étudie depuis plusieurs années dans un collège français.

Sa sœur aînée vit de son côté en Côte-d'Or et poursuit en France des études avec un statut légal. Il est parfaitement possible, si elle le souhaite, de conférer à Leonarda un titre de séjour à titre exceptionnel, pour qu'elle puisse continuer son parcours scolaire dans notre pays. Ainsi la loi sera respectée, assortie d'une dérogation justifiée par cette situation particulière. Jean-Marc Ayrault et Manuel Valls acquiescent tant bien que mal à cette solution.

Il reste à l'annoncer. La logique institutionnelle voudrait que ce soit le Premier ministre qui rende publique la décision du gouvernement ou bien, à défaut, le ministre de l'Intérieur. Mais compte tenu du différend public qui s'est installé, je décide de présenter moi-même la solution trouvée. C'est une erreur.

Cette déclaration brève suscite aussitôt un concert de critiques. Les uns fustigent la faiblesse du gouvernement, les autres son excès de fermeté. D'autres encore moquent sans retenue cette « cote mal taillée ». Une chaîne d'information en continu tend son micro à la collégienne qui crie à l'injustice, donnant le sentiment que le président de la République s'est volontairement mis en situation d'être contredit en direct par celle à qui il tendait la main.

Pourtant cette décision met aussitôt fin à l'affaire. La famille Dibrani reste au Kosovo. Elle n'est d'ailleurs jamais revenue en France. Les lycéens arrêtent leur mouvement. L'opinion s'apaise. Le gouvernement tourne la page pour s'atteler à d'autres tâches.

Libérez Jacqueline Sauvage !

Il est un pouvoir que le président détient en propre, héritage de temps anciens, et dont le maintien pose question : le droit de grâce. Je n'en suis guère partisan tant je tiens à une entière séparation du pouvoir exécutif et de l'autorité judiciaire. Je ne l'ai exercé que deux fois. La première c'était en janvier 2014. Elle concernait l'un des plus anciens détenus de France, Philippe El Shennawy qui avait passé les deux tiers de sa vie en prison, dont près de vingt ans en isolement. En 2011, il avait fait condamner la France par la Cour européenne des droits de l'homme pour des « traitements inhumains ou dégradants ». J'ai donc, par une grâce, annulé sa peine de sûreté pour qu'il puisse déposer une demande de libération conditionnelle auprès du tribunal d'application des peines. Cette décision n'avait suscité que peu de réactions, dès lors que la justice avait eu le dernier mot, ce qui était bien mon intention.

La seconde fois, l'affaire était encore plus sensible. Jacqueline Sauvage avait tué son mari Norbert Marot de trois balles dans le dos. L'homme était accusé d'avoir perpétré sur son épouse des violences répétées et d'avoir abusé de ses deux filles. Dans la mesure où le meurtre s'était produit de sang froid, Jacqueline Sauvage ne pouvait démontrer la légitime défense. La cour d'assises décida de lui infliger une peine de dix ans de prison. Cette condamnation avait été confirmée en appel. Ce qui avait provoqué une large incompréhension dans l'opinion publique, dans un contexte de mobilisation contre les violences conjugales. Un comité de soutien s'était constitué et m'interpellait.

Pourtant le dossier qui me fut transmis avec la demande de grâce était moins simple qu'il y paraissait. Deux jurys populaires s'étaient prononcés et les jurés avaient considéré, en conscience, qu'ils ne pouvaient absoudre le crime, même en accordant le bénéfice des circonstances atténuantes. J'accordai au début de l'année 2016 une grâce partielle, qui permettait à Jacqueline Sauvage de solliciter une mesure de libération conditionnelle anticipée, avant le terme habituel, c'est-à-dire la moitié de la peine infligée. Cette solution maintenait le principe de la peine mais prenait en compte le symbole qu'était devenue Jacqueline Sauvage et la nécessaire humanité face à une victime de violences conjugales répétées. Je m'attendais à ce qu'elle puisse rapidement retrouver sa famille.

Mais le 12 août 2016, le tribunal d'application des peines refuse la libération demandée, au motif que Jacqueline Sauvage n'a pas pris conscience de sa culpabilité, ni même de sa responsabilité dans le meurtre de son mari. Nous revenions au point de départ et j'étais devant le dilemme suivant, soit prendre acte de la décision de justice arrêtée en toute indépendance et laisser Jacqueline Sauvage derrière les barreaux jusqu'en 2019, soit lui accorder une grâce totale pour lui permettre de retrouver la liberté au risque de blesser l'institution judiciaire. Le garde des Sceaux Jean-Jacques Urvoas inclinait vers la première option. En conscience et sans attendre la mobilisation de ses amis et de ses proches, j'accordai une grâce totale à Jacqueline Sauvage. Elle sortait de prison une heure après la signature du décret la concernant. Je sais, pour m'en être entretenu ensuite avec Jacqueline Sauvage venue avec ses enfants à l'Élysée pour m'exprimer sa gratitude, qu'elle fera le meilleur usage de sa liberté et qu'elle ne présente aucun danger pour la société, tout en mesurant la gravité de l'acte qu'elle a commis. Elle a d'ailleurs tenu à témoigner dans un livre de l'épreuve qui fut la sienne. Je mesure aussi combien le droit de grâce peut apparaître comme une survivance de l'ancien régime où le monarque exerce souverainement sa bienveillance et sa mansuétude sans craindre l'arbitraire. Pourquoi celle-là et pas celui-ci ? Pourquoi maintenant et pas plus tôt, ou plus tard ?

Certes, le droit de grâce peut, dans des circonstances exceptionnelles, corriger des décisions judiciaires. Mais je considère qu'il ne peut être exercé qu'avec une infinie précaution, sauf à créer, en se défiant de la justice, une nouvelle injustice.

La tragédie de Rémi Fraisse

Dans d'autres circonstances, le président arrive trop tard. Le drame est consommé. Pourtant son intervention reste essentielle. Non qu'il puisse effacer le malheur qui s'est abattu sur un être humain, ou sur une famille. Mais sa réaction est scrutée par les victimes, qui attendent sollicitude, compréhension et reconnaissance de responsabilité, quand bien même l'État n'aurait commis aucune faute. Le président, selon un terme de plus en plus employé, doit être « compassionnel ». De bons esprits, qui peuvent se révéler mauvais, se moquent de cette nécessité, arguant que les dirigeants publics doivent rester à leur place, et non se transformer en psychologues pour prodiguer à l'égard des victimes un réconfort, en prenant l'opinion publique à témoin. Je considère que le citoyen attend de ses élus, et du premier d'entre eux, au-delà d'une réponse réglementaire ou d'une solidarité financière, d'abord une considération. La compassion n'est pas le contraire de l'autorité. Elle en est le corollaire.

Sur le cours du Tescou, un affluent du Tarn, dans le bassin de la Garonne, les autorités locales avaient prévu de faire construire une retenue d'eau de 1,5 millions de mètres cubes, destinée à alimenter les exploitations agricoles et à constituer des réserves pour une partie de la population de la région. Le projet était contesté sur le plan juridique, plusieurs recours avaient été déposés. Il l'était aussi au regard de ses conséquences écologiques, puisqu'il prévoyait la submersion projetée de douze hectares d'une zone humide propice à la diversité botanique et animale. Les protestataires avaient organisé plusieurs manifestations qui avaient dégénéré en affrontements violents avec les gendarmes.

Trois jours avant un nouveau rassemblement, Cécile Duflot m'avertit en me disant que les méthodes des forces de l'ordre allaient, selon ses mots, « au-delà du borderline ». Oubliant que les premières violences étaient le fait de certains manifestants. Bernard Cazeneuve s'efforçait de gérer avec doigté cette situation. Le 26 octobre 2014, la manifestation nocturne tourne au drame. Encerclés par des militants agressifs, pris sous une pluie de projectiles, les gendarmes lancent des grenades pour tenir en respect les manifestants. L'une d'elles provoque la mort d'un jeune homme, Rémi Fraisse, dont la famille et les amis assureront qu'il était dans une démarche pacifique.

Que dois-je faire dans ce moment tragique ? Affirmer immédiatement que toute la lumière sera faite sur les circonstances du drame, et que la justice se prononcera en toute indépendance. Ce qui fut fait. L'enquête allait durer plus de trois ans.

Mais au plus fort de l'émotion suscitée par la mort du jeune homme, ces assurances ne suffisent pas. J'appelle le père de Rémi Fraisse. Il est accablé. Il peine à trouver les mots. Il cherche à comprendre ce qu'il ne peut admettre. Il m'assure que Rémi Fraisse récusait toute violence. Je lui réponds en chef d'État tenu à un devoir de vérité mais je suis aussi un père d'enfants qui ont l'âge de Rémi. Son désarroi est exigeant. Il réclame des informations auxquelles, plus qu'aucun autre, il a droit. Je lui promets que rien ne sera occulté.

Plus tard, jugeant que la mise en place d'un lac artificiel ne valait pas la mort d'un jeune homme, Ségolène Royal plaidera auprès du Conseil général du Tarn pour que le projet soit profondément revu. Bernard Cazeneuve annoncera qu'il proscrit à l'avenir l'emploi de grenades par les forces de l'ordre. Quant à la justice, elle a conclu à un non-lieu concernant le gendarme qui avait lancé le projectile.

La violence, ces dernières années, s'est installée dans toutes les manifestations. Elle n'est généralement pas le fait des organisateurs. Ils sont systématiquement débordés par des éléments qui s'infiltrent pour casser et provoquer des affrontements qui occasionnent de graves blessures à des fonctionnaires chargés du maintien de l'ordre, et mettent en danger l'intégrité physique des manifestants. Que faire ?

Interdire les cortèges est une atteinte aux libertés. Les maîtriser, c'est prendre le risque de violences. Je reconnais bien volontiers que sur le dossier Notre-Dame-des-Landes, alors même que la démocratie avait parlé, ce qui nous a retenus d'intervenir pour évacuer la ZAD à l'automne 2016, une fois épuisés les derniers recours, c'est l'ampleur des moyens qu'il aurait fallu mobiliser pour y parvenir, au moment où les forces de sécurité étaient appelées à assurer la lutte contre le terrorisme et à gérer à ce moment-là le démantèlement de la jungle de Calais.

Présider et consoler

Ce rôle d'apaisement confié au président, je l'ai encore ressenti comme essentiel au lendemain des attentats comme lors d'accidents particulièrement meurtriers. Le 24 juillet 2014, un avion d'Air Algérie partant de Ouagadougou pour Alger, s'écrase dans le désert du Mali. Les 116 passagers présents à bord sont tués dans l'accident, dont 52 Français. Tenu par la vérité des faits, j'annonce en phrases sobres le terrible bilan de la catastrophe. Tout en parlant, je ressens la brutalité d'une telle déclaration, qui frappe au cœur, sans préparation aucune, les familles postées devant leur écran, en quête d'information sur leurs proches. Deux jours plus tard, je les réunis dans une salle de l'École militaire, avec le Premier ministre et le ministre des Affaires étrangères, en présence du procureur Molins chargé de coordonner l'enquête. Notre premier devoir est de connaître les causes de l'accident.

L'avion survolait une zone de guerre. Les familles se demandent légitimement si la chute de l'appareil a été provoquée par un attentat ou un tir. Elle était due en fait à des conditions météo qui avaient déstabilisé l'équipe de pilotage.

Les catastrophes aériennes sont de plus en plus rares, ce qui les rend de plus en plus inacceptables. J'annonce que des agents du ministère des Transports se rendront sur place et que les familles seront informées en priorité. Elles me soumettent alors une demande dont j'ai appris à comprendre l'importance. Elles veulent récupérer les corps de leurs proches et, plus tard, se rendre sur les lieux mêmes de l'accident, pour se recueillir. Je décide donc d'organiser ces deux opérations ; des spécialistes iront fouiller les débris de l'appareil pour rassembler les restes des victimes, les identifier, et les remettre à leurs parents. Puis, sous protection militaire, ceux qui le voudront pourront dans le désert poursuivre, au milieu d'un paysage austère et désertique, leur travail de deuil.

Je me souviens aussi de l'accident de car de Puisseguin dans le Libournais, le plus meurtrier depuis 1982. Seules huit personnes ont survécu, dont le chauffeur, qui a réussi à extirper plusieurs personnes de son véhicule. Mais quarante-trois passagers étaient morts dans des conditions épouvantables. Je me suis rendu sur place quatre jours plus tard pour une cérémonie de recueillement dans la commune du Petit-Palais-et-Cornemps, d'où venaient la plupart des victimes. Elles étaient membres d'un club du troisième âge et partaient pour une excursion dans le Béarn.

Les corps avaient été rassemblés dans une salle polyvalente transformée pour la circonstance en chapelle ardente. Chaque famille, anéantie par le chagrin, s'était rangée derrière les dépouilles. Les élus mais aussi les pompiers, les gendarmes, les bénévoles de la Croix-Rouge s'étaient associés à cette veillée. Chercher les mots, tenir les bras, entourer les enfants, répondre au silence, partager les émotions que l'on ne parvient plus à retenir. Je suis là avec ceux qui restent. Un peu plus tard, je me rends au chevet des blessés au centre hospitalier de Bordeaux. Ils me parlent de leur détresse. Leur vie ne s'est pas arrêtée mais elle ne sera jamais plus la même. Ils ont perdu leurs proches, leurs amis, leurs parents, partis au petit matin dans un car pour une journée qui devait les distraire. Ils n'arriveront jamais plus à trouver la quiétude ni la paix.

La mort durant ces cinq ans ne m'a jamais quitté. Notre pays n'a pas été épargné par les épreuves de toutes sortes. Je n'ai pas compté le nombre de cérémonies que j'ai présidées pour saluer les dépouilles de soldats, de gendarmes et de policiers, morts pour la France. Je n'oublierai jamais les 239 personnes disparues dans les attentats en France depuis janvier 2015.

Présider la France, c'est épouser son malheur. C'est accompagner le long cortège de nos défunts. C'est prendre à sa charge l'infinie douleur des familles et la tristesse de la nation. C'est parler pour convaincre que la fraternité, dans la République, a un sens.

11

Regretter

J'aurais dû ce jour-là mieux écouter Christiane Taubira ! Quand je me retourne sur mon quinquennat, c'est mon premier regret. Le 23 décembre 2015, à 9 h 30, une demi-heure avant le Conseil des ministres, nous sommes réunis tous les quatre dans mon bureau, Christiane, Bernard Cazeneuve, Manuel Valls et moi. Depuis plusieurs mois, ce quatuor a fait face aux tragédies dans une parfaite entente. Cette fois il est partagé. J'ai trente minutes pour décider. Depuis que, devant le Congrès réuni à Versailles, j'ai lancé l'idée de déchoir de leur nationalité française les terroristes définitivement condamnés, le consensus s'est fissuré. Les uns jugent la mesure légitime, logique, puisqu'elle ne touche, par définition, qu'une poignée de criminels désignés comme tel par la justice et qui ont pris les armes contre des Français ; les autres tiennent la déchéance de nationalité pour un symbole négatif qui établit une distinction regrettable entre les Français selon qu'ils sont binationaux ou pas. Ce mercredi, le Conseil doit examiner le projet de loi constitutionnelle : devons-nous maintenir cet article ou le retirer du texte pour n'y laisser que celui relatif à l'état d'urgence ? Il faut trancher.

263

L'erreur de la déchéance

Christiane Taubira explique que l'élargissement de la déchéance renvoie à une initiative qu'avait prise Nicolas Sarkozy pour retirer leur nationalité aux assassins de policiers et de gendarmes. Bernard Cazeneuve plaide à voix basse avec des arguments élevés. Il évoque, en avocat scrupuleux, les éléments de droit et conteste, non pas le principe de la déchéance, dont il vient de faire usage dans plusieurs cas impliquant des terroristes binationaux, mais la pertinence d'une révision constitutionnelle sur cette question. Il regrettera ensuite de n'avoir pas parlé avec plus de véhémence. Il pense que l'intelligence fait son chemin sans qu'il soit nécessaire de la guider. Manuel Valls se place sur un terrain plus politique. Le président, dit-il, s'est engagé solennellement sur cette réforme devant la représentation parlementaire tout entière réunie en Congrès à Versailles. Il ne peut pas se dédire. Il ne fait aucun doute que la droite en fera un nouveau cheval de bataille un an avant un scrutin décisif, et la révision constitutionnelle sera rejetée. Argument moral d'un côté, institutionnel de l'autre.

En les écoutant, je repasse dans ma tête les raisonnements qui doivent conduire à la décision. Au lendemain des attentats du 13 novembre, dans un pays traumatisé par l'attaque d'un groupe de terroristes se revendiquant d'une organisation islamiste qui nous fait la guerre, j'ai voulu, devant le Congrès, faire acte d'unité nationale. Dans les mesures que j'ai présentées, j'ai inclus volontairement une des propositions formulées depuis longtemps par l'opposition : l'élargissement de la déchéance de nationalité à tous les terroristes binationaux. Pourquoi retenir cette proposition ? Et pas une autre ? Parce que ceux qui portent les armes contre des Français en liaison avec nos ennemis s'excluent eux-mêmes de la communauté nationale.

La déchéance existe déjà dans la loi. Elle concerne les individus qui ont acquis la qualité de Français et qui sont condamnés pour un crime et même un délit à caractère terroriste. Elle est prononcée par le ministre de l'Intérieur après avis conforme du Conseil d'État. Elle a été appliquée plus de vingt fois, de 1989 à 2017. En 2015, par exemple, elle a frappé cinq binationaux nés à l'étranger, condamnés à des peines de six à huit ans de prison pour participation à une association de malfaiteurs en vue de la préparation d'un acte terroriste. Je propose ce jour-là de l'étendre aux Français binationaux nés en France. En principe, cette modification peut être décidée par une loi simple, qui ne requiert pas de majorité particulière. Mais le Conseil d'État, consulté, souligne le risque d'inconstitutionnalité et suggère de passer par une révision de notre loi fondamentale, ce qui exige le vote d'une majorité des deux tiers des parlementaires.

Je mesure l'émotion légitime qui saisit une partie de l'opinion, notamment à gauche, chaque fois qu'il est question de toucher aux droits de la nationalité. Mais rien dans la proposition n'est de nature à créer je ne sais quel amalgame. Il s'agit de déchoir des criminels condamnés définitivement par la justice pour des actes terroristes et uniquement ceux-là. La Constitution établira précisément cette distinction. La mesure visera des individus qui ont déjà quitté, dans les faits, la communauté nationale et abjuré par définition toute loyauté envers la France. Va-t-on vraiment se diviser pour ces assassins qui n'encourront la perte de leur nationalité et l'expulsion éventuelle qu'au terme de leur peine, par définition très longue ? C'est-à-dire se déchirer autour d'une mesure qui s'appliquera dans vingt ou trente ans ? Je ne veux pas le croire. Lorsque j'ai annoncé la réforme devant l'ensemble des députés et des sénateurs, au lendemain des attentats, je revois cette image : ils se sont tous levés au terme de mon discours, sans rien trouver à y redire. Renoncer, ce serait manquer à ma parole, exprimée dans un moment d'extrême gravité et dans un contexte où tout a été fait pour préserver la cohésion nationale. J'ai promis, je dois tenir. Je maintiens donc au Conseil des ministres le texte dans sa rédaction initiale et je le soumets au Parlement. Il sera adopté par l'Assemblée nationale en février 2016, à une majorité large (317 voix contre 199) et plus étroitement au Sénat (176 contre 161). Mais les arguments de raison vont se perdre en chemin.

La raison n'a pas toujours raison

Tel est mon regret : avoir sous-estimé l'impact émotionnel de la déchéance de nationalité. Au cours du débat parlementaire, deux députés de droite, Charles de Courson et Renaud Muselier, évoquent le souvenir douloureux de leur père ou de leur grand-père privés de leur nationalité pour fait de résistance par le régime de Vichy. La mémoire des années noires s'introduit dans la discussion : l'État français dirigé par le maréchal Pétain, hors de tous les principes, avait en effet exclu de la communauté française des juifs et des résistants. Cette comparaison me révulse. Constitutionnalisée,

266

la loi nouvelle interdira justement à tout gouvernement de s'en servir à d'autres fins que la mise à l'écart des terroristes condamnés. Mais c'est encore un argument trop rationnel. Je suis plus sensible aux risques d'introduire une discrimination entre les Français. Pourquoi les terroristes binationaux devraient-ils avoir un sort différent des autres ? Ce qui reviendrait, comme l'écrit justement Robert Badinter, à créer deux catégories de citoyens. Mais appliquer la déchéance à tous les terroristes condamnés, c'est prendre le risque de créer des apatrides, ce que nos engagements internationaux proscrivent. La gauche se déchire autour d'un symbole et la droite observe avec cynisme la majorité s'écharper autour d'une réforme qu'elle a préconisée mais qu'elle répugne désormais à voter.

Au plus fort de la discussion, Jean-Pierre Jouyet me montre un message qu'il a reçu d'Alain Minc. Cet apôtre du « cercle de la raison » se dit bouleversé par notre démarche : sa fille est mariée à un Américain et s'inquiète de son sort futur. Ainsi, au sein même des milieux les plus éduqués, on cède sans retenue à la passion. Aussi solides soient-ils, mes arguments deviennent plus inaudibles chaque jour. En politique, je le sais au fond de moi, il est irrationnel de ne pas tenir compte de l'irrationalité.

Aujourd'hui encore, je suis sûr que notre démarche ne menaçait en rien les libertés publiques, pas plus que les principes d'égalité entre les citoyens. Mais en démocratie il ne suffit pas d'avoir raison ; il faut aussi convaincre.

Je décide donc d'arrêter en mars le processus de révision constitutionnelle. Je retire un texte conçu pour unir et qui finit par diviser. Mais que l'on me fasse crédit au moins sur un point. Il n'y avait de ma part aucune habileté tactique, aucun calcul politique. Je ne cherchais pas à diviser la droite. Le spectacle qu'elle a livré depuis montre qu'elle n'avait pas besoin de moi pour y parvenir. Je ne tenais pas davantage à capter l'émotion qui s'était exprimée après les attentats pour la mettre au service d'une opération personnelle. J'avais au contraire le souci d'apaiser et de rassembler. Je ne cédais pas plus à une dérive identitaire pour modifier le droit de la nationalité, puisque la révision de la Constitution était une garantie contre tout usage malsain de la déchéance. Non, la faute c'est d'avoir pensé que le rassemblement qui s'était opéré au lendemain du 13 novembre pouvait durer et que l'esprit de responsabilité pouvait l'emporter. Puissent mes successeurs tirer la leçon de cette affaire et ne toucher à notre droit de la nationalité, notre patrimoine commun, qu'avec d'infinies précautions.

L'épreuve de la loi Travail

Au même moment, la gauche, déjà heurtée par le débat sur la nationalité, doit affronter une seconde épreuve : le conflit né du projet de réforme du code du travail présenté par Myriam El Khomri. Sur le fond, il s'agit d'assouplir les règles de la négociation collective en les rapprochant de la réalité des entreprises. En matière de temps de travail, et uniquement, il sera possible, au terme d'une discussion menée au plus près du terrain, de déroger aux règles générales posées par les conventions collectives pour aider les PME à traverser une passe difficile et à améliorer leur compétitivité. Le projet reprend aussi le plafonnement des indemnités de départ en cas de licenciement abusif et définit plus largement le périmètre pris en compte lors de l'homologation des plans de licenciement. Ces deux ajouts, qui vont à mes yeux trop loin dans le sens de la flexibilité, seront retirés avant la présentation du projet au Parlement.

Pour compenser l'assouplissement du code du travail, le gouvernement prévoit de pousser en avant le Compte personnel d'activité, qui permet aux salariés de capitaliser leurs droits en matière de formation. Il crée aussi un « droit à la déconnexion » qui protège la vie privée des salariés, qui ne seront plus contraints de répondre aux sollicitations de l'employeur en dehors des heures de travail. Le gouvernement a aussi prévu de généraliser la « garantie jeunes » qui accompagne les moins de 25 ans vers l'emploi.

Le texte a été discuté avec les syndicats. Les organisations réformistes, la CFDT notamment, après avoir critiqué la présentation initiale l'ont approuvé dans sa version modifiée, considérant qu'il était plus efficace de rapprocher les négociations de l'entreprise ; la CGT et FO l'ont refusé, estimant qu'il fallait en rester aux accords de branche. Ils dénoncent « une inversion de la hiérarchie des normes sociales » et appellent à des manifestations et des blocages qui animeront le printemps. C'est d'ailleurs un paradoxe : la loi El Khomri, qui tenait l'équilibre entre flexibilité et sécurité, a déclenché un conflit long et amer alors que, huit mois plus tard, les ordonnances Pénicaud, dénuées de toute compensation favorable aux salariés, et marquant des reculs de leurs droits, susciteront un mouvement sans élan réel, duquel Force Ouvrière a préféré se dégager.

Je maintiens que la réforme était justifiée même si elle ne figurait pas dans mon programme. Elle vivifiait les négociations d'entreprise. Elle adressait un message d'encouragement aux PME, elle comprenait des avancées sociales dans un contexte où la mobilité est devenue la réalité vécue de beaucoup de salariés. Elle se rattachait au mouvement de « flexisécurité » qui s'étendait en Europe, principalement dans les pays scandinaves. C'était un compromis social-démocrate, fondé sur l'équilibre entre souplesse et garanties, différent dans sa philosophie et ses modalités des ordonnances mises en œuvre par le gouvernement d'Édouard Philippe, que seul le Medef a approuvées.

À contretemps

Je reconnais néanmoins une erreur de méthode et de calendrier. Préparé dans une période où les attentats mobilisaient notre attention, le texte n'a pas fait l'objet d'une concertation suffisante. Sa présentation a été précipitée. Les mesures les plus discutables n'ont pas été expliquées avec la pédagogie nécessaire. L'annonce maladroite d'un recours au 49-3 avant même l'ouverture du débat parlementaire, qui tenait du coup de menton, avait été perçue au mieux comme une maladresse, au pire comme une provocation.

Sans doute cette procédure aurait-elle été rendue nécessaire par le refus d'une partie du groupe socialiste, rassemblée sous l'étiquette des « frondeurs », de voter le texte. Mais poser cet acte au début, c'était empêcher tout compromis à la fin. J'en conviens. Pourtant la procédure des ordonnances, qui réduit l'intervention du Parlement et qui peut s'analyser comme un « super 49-3 », suscitera bien moins de critiques. Il est vrai que les protestataires d'hier ne sont plus au Parlement pour en témoigner.

J'aurais dû faire voter cette loi au début de mon mandat. Promulguée dès 2013, elle aurait eu le temps de produire ses effets sur la négociation collective et d'accompagner ainsi les créations d'emploi qui se sont manifestées dès 2015. Fallait-il néanmoins que les partenaires sociaux y soient prêts !

Il reste que la gestion du temps est une condition de la réussite en politique. J'y ai dérogé.

Le juste impôt

Il m'a été également reproché de n'avoir pas mené la grande réforme fiscale qui figurait dans mon projet. La conjoncture ne nous a guère facilité la tâche. En mai 2012, la France ploie sous les déficits et le poids excessif de sa dette. L'urgence commande de trouver des recettes supplémentaires tout en annulant la hausse de la TVA instaurée par le gouvernement Fillon (de 19.6 % à 21.2 %, soit un prélèvement supplémentaire sur les ménages de 13 milliards d'euros). Cette mesure votée en février 2012, c'est-à-dire juste avant l'élection présidentielle, devait s'appliquer au 1er janvier 2013. Maintenue, elle aurait déprimé la consommation sans renflouer le budget de l'État, puisque son produit était affecté à une baisse des cotisations sociales pour un montant équivalent. Il fallait aussi en finir avec les largesses fiscales accordées aux plus favorisés par l'ancienne majorité. J'ai fait abroger le bouclier fiscal et introduit la tranche à 45 % pour les plus hauts revenus, portée à 75 % pour ceux qui gagnaient plus d'un million d'euros par an. Dans le même temps, les niches fiscales furent plafonnées et les revenus du capital imposés au même taux que ceux du travail. Mais j'en conviens, des mesures plus impopulaires furent prises, comme la fin de la défiscalisation des heures supplémentaires, ou bien maintenues, comme l'extinction des avantages représentés par la demi-part pour les veuves. L'accumulation de ces dispositions, dans un temps court, priveront de cohérence le schéma général qui était celui de la justice et déclencheront une campagne centrée sur le « matraquage fiscal ». Car la réforme de notre système de prélèvements exige du temps et suppose d'ouvrir un large débat, destiné à déboucher sur une nouvelle stratégie à moyen terme dont le citoyen peut comprendre la justification, le calendrier et les effets.

Cette leçon n'a pas été retenue par le gouvernement actuel. Il a multiplié les variations de prélèvements (CSG, taxes sur les carburants, l'énergie, le tabac), mais avec une différence majeure : il a introduit un impôt proportionnel sur les revenus du capital et il a réduit l'assiette de l'impôt de solidarité sur la fortune aux seuls biens immobiliers. Ce qui revient à exonérer les actionnaires et les détenteurs de placements financiers. Mes gouvernements réduisaient les inégalités. Celui-là les creuse.

À la fin de 2013, Jean-Marc Ayrault, conscient de la nécessité d'ouvrir le chantier de la réforme fiscale propose de remettre l'ouvrage sur le métier, il est trop tard. L'opinion s'est cabrée, exprimant ce « ras-le-bol » fiscal dont a parlé Pierre Moscovici, alors ministre des Finances, avec une franchise méritoire qui fut néanmoins interprétée comme un aveu maladroit.

J'ai tenu à poursuivre étape par étape cet objectif avec la suppression de la première tranche de l'impôt sur le revenu et des allégements qui ont concerné plus de 12 millions de foyers fiscaux. À tel point que plus de 55 % des ménages ne paient aujourd'hui plus l'impôt sur le revenu. J'ai également lancé le prélèvement à la source qui aurait dû entrer en vigueur dès 2018 et que le gouvernement d'Édouard Philippe a préféré reporter à 2019. Alors l'impôt payé sera enfin rapporté aux revenus de l'année considérée et non plus ceux de l'année précédente. Et dire qu'il aura fallu des décennies pour arriver à cette modernisation !

Aussi cohérente, aussi juste que soit une politique fiscale, elle n'a d'impact politique que si elle est comprise comme telle. Or la gauche entretient la promesse d'une architecture parfaite, avec une CSG conçue comme première tranche d'un impôt général sur tous les revenus afin d'assurer la progressivité de l'impôt. Il y faudra du temps. Quant à la droite, elle avait promis de détaxer les revenus financiers et de supprimer l'ISF. Je constate qu'Emmanuel Macron a davantage écouté la seconde que la première.

Et la PMA

On regrette aussi ce qu'on n'a pas fait. J'y pense en me souvenant de cette rencontre avec deux femmes qui militaient pour ajouter au projet de mariage pour tous l'élargissement de la PMA aux couples de lesbiennes. Je ne l'avais pas inclus dans mon programme – je pressentais, au rebours de beaucoup de commentateurs, la dureté de la bataille qui allait s'engager pour le mariage et l'adoption. Je considérais que l'ouverture à la procréation médicalement assistée viendrait après. Je m'étais prononcé en sa faveur dans un entretien de presse. C'était à mes yeux le prolongement logique de l'égalité des droits pour les couples. J'entends encore la supplique : « Il nous faut aujourd'hui, pour élever des enfants, recourir à des moyens obliques et dispendieux, humiliants à bien des égards », disent-elles, assises bien droites devant moi. « Nous élevons déjà notre fille avec tout l'amour et tout le soin requis. Et vous savez, ajoutent-elles en riant, une orientation sexuelle ça ne se transmet pas ! »

Je fus un peu désarçonné. Comme si je pouvais être moi-même saisi par ces préjugés. Je savais bien que les homosexuels élèvent leurs enfants avec la même affection que les autres couples. Quant à cette « transmission », elle ne m'était pas venue à l'esprit. La réforme de la PMA se fera. J'ai relevé d'ailleurs qu'Emmanuel Macron, alors candidat, s'y est déclaré favorable. Elle s'imposera tôt ou tard, tant elle est conforme aux droits élémentaires de la personne.

Alors, me dira-t-on, pourquoi ne pas avoir ajouté cette possibilité à la loi sur le mariage ? À l'époque, l'adjonction de la PMA au projet, outre qu'elle requérait l'avis du Comité national d'éthique, obligeait à anticiper la révision des lois bioéthiques. Son ajout à la loi aurait alimenté la propagande des opposants au mariage pour tous, qui auraient utilisé l'argument de « l'engrenage fatal », qui va de la reconnaissance des droits des homosexuels à la procréation médicalement assistée (PMA) et à la gestation pour autrui (GPA), laquelle pose des problèmes éthiques autrement plus délicats, avec la « marchandisation des corps » que je refuse. J'ai préféré gagner d'abord la bataille du mariage et de l'adoption pour tous, avant d'aller plus loin.

Je m'en suis néanmoins voulu d'avoir manqué d'audace. Les femmes homosexuelles qui veulent enfanter sont encore soumises à un parcours d'obstacles injustifié, doublé d'une injustice sociale, puisque seules les plus favorisées peuvent en bénéficier à l'étranger. Il s'agit là d'amour filial. Comment peut-on encore se mettre en travers de cette évolution ?

Le droit de vote oublié

Je veux enfin m'expliquer sur une promesse restée lettre morte : le droit de vote des étrangers non-européens aux élections locales. Cette mesure figurait déjà dans les 110 propositions défendues par le candidat Mitterrand lors de l'élection de 1981. Elle rendait justice à ces travailleurs venus de loin pour participer à l'effort national. Installés en France depuis longtemps, ils demeurent privés du droit d'élire leurs représentants locaux alors qu'ils contribuent comme les autres à travers leurs impôts à la vie de leur collectivité. François Mitterrand avait jugé que les Français n'y étaient pas encore prêts. La proposition avait été reprise par les socialistes dans leur programme. Mais lorsqu'une majorité de gauche était revenue en 1997 à la responsabilité du pays avec Lionel Jospin, elle s'était heurtée au Sénat, où la droite restait majoritaire.

275

Car l'élargissement du droit de vote, même pour des scrutins locaux, exige un vote conforme des deux assemblées et une majorité des trois cinquièmes du Parlement réuni en Congrès, sauf à passer par la voie du référendum. À la suite des élections sénatoriales de 2011, pour la première fois dans l'histoire de la Ve République, la gauche se retrouvait dominante un an plus tard dans les deux assemblées. Il devenait donc possible d'adopter un texte dans les mêmes termes par le Sénat et par l'Assemblée nationale. Puis de le présenter au Congrès réuni à Versailles. Certes, il eut été impossible de réunir le vote des deux tiers des parlementaires. Mais la gauche aurait démontré qu'elle avait tout fait pour mener à bien la réforme, et que c'était l'opposition qui avait rendu son adoption impossible. Il m'aurait été reproché d'avoir ourdi une sombre manœuvre voire de faire le jeu du Front national en poussant une réforme dont je savais à l'avance qu'elle échouerait. J'ai eu tort de m'arrêter à cette considération : mieux valait un échec qu'un évitement. Mieux valait faire progresser les esprits par un débat que de les figer par un silence. Mieux valait une intention contrariée qu'une habileté incomprise. C'est encore une leçon du pouvoir : les convictions doivent prévaloir là où seule la volonté compte et où aucune contrainte économique ou financière et encore moins extérieure, ne nous empêche d'agir. À être trop raisonnable, on ne fait pas toujours avancer la raison.

12

Punir

Le président exerce la magistrature suprême. Mais il n'est pas juge. Il est le garant de l'indépendance de l'autorité judiciaire. Son premier devoir est de la laisser librement travailler, surtout quand elle mène des investigations sur des membres de son gouvernement, ses conseillers ou son entourage. Mais il peut lui arriver de trancher avant même qu'elle n'ait rendu son verdict.

J'avais revendiqué l'exemplarité de la République. Par là, je ne voulais pas dire qu'il n'y aurait aucune défaillance parmi les équipes que j'avais constituées ou au sein de ma propre majorité. Je prévenais seulement chacun que je serais sans faiblesse envers tout manquement. Je prévoyais aussi d'instaurer des mécanismes de contrôle pour assurer la transparence de la vie publique et prévenir la fraude ou la corruption qui pouvait concerner des élus ou des fonctionnaires d'autorité. Je considérais aussi que la gauche, qui évoque toujours la morale à l'appui de ses engagements, devait garantir la probité de ceux qui agissent en son nom. L'honnêteté est le premier devoir des responsables publics, l'éthique le fondement de la confiance. Connaissant bien les « vicissitudes de l'âme humaine », formule que j'avais glissée dans un clip de campagne, je savais que j'aurais à connaître des situations délicates. Mais je ne pensais pas être confronté à des « affaires » qui avaient fait tant de mal à mes prédécesseurs et à la démocratie.

La colère au cœur

L'une des plus grandes crises de mon quinquennat porte le nom d'un homme, c'est « l'affaire Cahuzac ». Ce fut une déception cuisante, une trahison éclatante, un scandale retentissant. Elle a provoqué en moi une colère qui n'est toujours pas retombée. Jérôme Cahuzac était un parlementaire brillant, un ministre flamboyant, un orateur à l'éloquence coupante comme une lame. Par avidité, par cupidité, par malhonnêteté, il a brisé une carrière étincelante et entaché par une faute impardonnable la réputation d'une équipe gouvernementale sérieuse et rigoureuse. Je me souviens de ces entrevues où il m'assurait de son innocence, avec une force plaintive, les yeux dans les yeux, le geste implorant la compréhension. Assis en face de moi il protestait de sa bonne foi, écartait les soupçons avec indignation. Il dénonçait ses accusateurs avec un courroux qui ne s'étanchait pas. Il demandait mon soutien avec une insistance qui ne se relâchait jamais. Et tout cela n'était que feinte et mise en scène.

J'ai connu Jérôme Cahuzac en 1990 alors qu'il était conseiller de Claude Évin, ministre de la Santé. Il suivait les dossiers de l'industrie pharmaceutique. Médecin, il opérait dans une clinique qu'il disait être prêt à abandonner pour se lancer en politique. Devenu député du Lot-et-Garonne en 1997, il s'était intéressé aux questions financières qu'il avait vite maîtrisées, et s'était fait remarquer à l'Assemblée par une aisance qui impressionnait jusqu'à ses adversaires. Président de la Commission des finances, Jérôme Cahuzac était le plus impitoyable dans la dénonciation de la fraude fiscale. Il avait mis un zèle particulier à obtenir la liste des contribuables fautifs dans l'affaire HSBC et s'était engagé à fond dans l'affaire Tapie pour condamner les arrangements de l'homme d'affaires. Très sûr de lui, il traitait ses contradicteurs avec un sens de la repartie qui confinait souvent à l'arrogance. En quelques années, il avait réussi à s'imposer comme l'un des meilleurs spécialistes des finances publiques et l'un des plus redoutables bretteurs du Parlement. C'est donc logiquement qu'au moment de la formation du gouvernement de Jean-Marc Ayrault, je lui confie la responsabilité de ministre délégué au Budget. Il a accompli sa mission avec autant d'énergie que de certitude, implacable dans sa recherche d'économies et imaginatif dans les mesures de rigueur fiscale que nous étions contraints de prendre. Il était respecté par son administration et craint au-delà.

« Les yeux dans les yeux »

L'affaire commence par un coup de téléphone. Celui qu'il m'adresse le 4 décembre 2012. Je suis dans le train qui me ramène de Lens où je viens d'inaugurer le Louvre, dans cette ville vaillante et souffrante qui accueille ce projet culturel. L'extension du musée s'est installée non loin des sites où la mine fut fermée.

Jérôme Cahuzac m'informe que Mediapart va sortir un article qui le met en cause pour un compte bancaire qu'il détiendrait en Suisse.

– Est-ce vrai ou faux ? dis-je en l'interrompant.

– C'est une calomnie, répond-il.

Je lui demande alors de publier un démenti aussi précis que possible.

Il m'assure que la question ne se pose même pas, qu'il n'a aucun compte à l'étranger et qu'il en fera la démonstration. Je mesure néanmoins la gravité de l'attaque. Si les informations de Mediapart sont exactes, l'exécutif sera éclaboussé par la faute d'un ministre défaillant. Au-delà, c'est la gauche qui sera blessée. Elle prétend lutter contre la fraude et la voilà qui serait rattrapée par elle. Si elles sont fausses, c'est que les journalistes de Mediapart, qui enquêtent en général sérieusement, ont été manipulés ou abusés : c'est presque aussi grave. Je me persuade que Cahuzac dit vrai puisqu'il le jure et que les rumeurs viennent d'adversaires qui veulent le discréditer. Avec Pierre Moscovici, le ministre des Finances, nous établissons « une muraille de Chine » pour éviter tout contact entre Cahuzac et les services fiscaux chargés de mener les enquêtes. Nous demandons aux autorités suisses de vérifier s'il existe un « compte Cahuzac » dans une des banques de la confédération.

Jérôme Cahuzac proclame partout son innocence, jusqu'à faire à l'Assemblée nationale une déclaration retentissante où il dément solennellement avoir eu des comptes à l'étranger « ni maintenant ni avant ». Avec le Premier ministre je suis impressionné par la fermeté du ton, mais nous lui demandons aussi d'attaquer en justice ses accusateurs. Cahuzac invoque les épreuves d'un procès public mais se dit prêt à les poursuivre en diffamation. J'ai compris plus tard cette précaution. Il avait transféré ses comptes dans un autre paradis fiscal et escomptait que les demandes de Bercy auprès de la Suisse n'aboutiraient à rien, alors qu'une demande judicaire ne manquerait pas de déclencher une investigation plus poussée qui le mettrait en péril. Jusqu'au dernier moment, il s'en tint à cette ligne de défense. Il a suffi que la justice soit saisie pour que tout s'écroule.

Je dois reconnaître le mérite de Mediapart. Au début de l'affaire, Edwy Plenel, son directeur, avait tenu discrètement à me faire part de son intime conviction sans m'apporter de preuves décisives. Lui aussi butait sur la difficulté d'aller plus loin dans la recherche de la vérité. Et de fait, c'est une démarche auprès du procureur de Paris qui permet l'ouverture d'une enquête préliminaire, le 8 janvier, pour blanchiment de fraude fiscale.

Quelques semaines plus tard, le procureur atteste de l'authenticité du document sonore qui accuse Cahuzac et annonce, par un communiqué le 19 mars, qu'il va ouvrir une information judiciaire contre X. J'appelle immédiatement Cahuzac et lui demande de m'adresser sa lettre de démission. Il continue, à cet instant, à me clamer son innocence. Un peu plus tard, une fois ses aveux passés devant le juge, il m'envoie un message qui attise encore ma colère devant l'étendue de la trahison morale : « Je viens de reconnaître devant les juges une vérité indicible jusqu'alors. Après avoir beaucoup hésité, j'ai renoncé à fuir radicalement cette vérité très douloureuse. » Il ajoute : « J'en assumerai donc toutes les conséquences, le plus dignement possible. Je n'ai pas, bien à tort, admis qu'une faute commise dans une vie antérieure il y a presque vingt ans, puisse anéantir toute ma vie. » Il ajoute : « J'ai eu tort [...] tort de mentir à tout le monde, à toi, à mon avocat, à mes enfants, à la femme que j'aime. J'ignore si tu pourras me pardonner un jour [...] » Tardive contrition. Ainsi par la faute d'un seul, tout un gouvernement, toute une majorité, toute la gauche même, sont salis sans raison. Vertige du menteur enfermé dans ses propres dénégations, dérive d'un homme incapable d'assumer à temps sa culpabilité.

Une faute ?

Ai-je commis moi-même une faute de jugement ? Alors laquelle ? De l'avoir nommé ? Des rumeurs liées à sa profession, à ses liens avec les groupes pharmaceutiques, à son train de vie existaient. Mais fallait-il douter par principe des chirurgiens, des conseillers ministériels ou des élus disposant d'un patrimoine conséquent ? Ce n'était pas ma conception de la République. Quand Jérôme Cahuzac avait accédé à la présidence de la Commission des finances de l'Assemblée nationale, responsabilité éminente s'il en fut, je n'ai pas le souvenir d'une quelconque interpellation. Aurais-je dû m'en séparer dès qu'il m'avait informé de l'enquête Mediapart ? Mais un article de presse vaut-il condamnation ? Jusqu'à quel point la présomption d'innocence peut-elle l'emporter sur le principe de précaution politique ? Cette question revient à l'occasion de chaque révélation impliquant un membre du gouvernement. Je m'étais fixé comme règle de faire démissionner tout ministre (ou tout membre de mon cabinet) concerné par une « affaire ». La proclamation solennelle par

Jérôme Cahuzac de son innocence lors des questions d'actualité à l'Assemblée nationale avait frappé les esprits y compris le mien. Est-ce une faute d'avoir été abusé ? Alors je la partage avec ses collègues du gouvernement, avec le Parlement, et même son entourage le plus proche. En outre, aucun juge n'était alors saisi.

Mais continuons cette introspection nécessaire. Ai-je commis une erreur en attendant le mois de mars et l'ouverture d'une information judiciaire contre X pour rompre avec Jérôme Cahuzac ? Oui je le pense. C'est dès l'enquête préliminaire diligentée par le procureur de Paris en janvier que j'aurais dû le faire partir du gouvernement. C'est une leçon. La démission doit intervenir dès le déclenchement d'une procédure judiciaire sans attendre la mise en examen. La règle peut être injuste. Mais elle évite au ministre impliqué de faire porter son fardeau par le gouvernement tout entier.

Question essentielle : Jérôme Cahuzac a-t-il été protégé durant ces deux mois ? En aucun cas. Comme ministre, il n'a interféré en aucune façon dans l'enquête de l'administration chargée de la recherche des informations auprès de la Suisse ou des paradis fiscaux où des comptes auraient pu être ouverts. Pierre Moscovici le ministre de tutelle de Jérôme Cahuzac y a veillé scrupuleusement. C'est lui et lui seul qui a mené les démarches auprès des autorités suisses. De même, la justice a travaillé en toute indépendance. Et le Parquet de Paris a pu ouvrir une procédure et mener ses enquêtes sans entraves.

Est-ce une faille de la « République exemplaire » que j'avais promis de mettre en œuvre dès mon élection ? Cette formule n'était pas une profession de foi dans les femmes et les hommes qui allaient m'accompagner dans l'exercice de ma responsabilité, même si en leur accordant ma confiance, d'une certaine façon, j'en répondais. C'était avant tout une garantie donnée aux citoyens qu'il n'y aurait ni faveur ni impunité, que les responsables publics seraient soumis à la transparence de leurs revenus et de leur patrimoine. Ils n'auraient droit à aucune indulgence s'ils étaient visés par une affaire. Ce fut le cas.

D'un mal sort un bien

Cette affaire qui révélait tant de vices eut au moins une vertu. Elle s'est traduite par la création du parquet financier dont on a pu constater l'efficacité, et à la mise en place d'une agence anti-corruption avec des moyens renforcés. Une cellule permettant aux détenteurs de comptes à l'étranger de se mettre en règle avec l'administration fiscale a été ouverte. Quelque 50 000 dossiers ont été traités, 32 milliards régularisés et 8 milliards récupérés.

La Haute Autorité pour la transparence de la vie publique vérifie désormais les déclarations de patrimoine et d'intérêt des élus et principaux responsables publics. Elle procède à un contrôle de la situation fiscale des ministres avant leur nomination.

Ces réformes ont eu des traductions politiques durant la campagne présidentielle de 2017. Elles ont entraîné des suites sur le plan pénal chaque fois qu'un élu a manqué à la sincérité dans l'établissement de sa situation patrimoniale.

C'est aussi en vertu de ces textes que Thomas Thévenoud quittera en septembre 2014 le gouvernement, neuf jours après y avoir été nommé. Député dynamique, il s'était fait remarquer à l'Assemblée pour sa médiation sur la crise opposant les chauffeurs de taxi aux sociétés de VTC. Il avait fait partie de la commission d'enquête sur l'affaire Cahuzac et n'avait pas été parmi les membres les plus indulgents à son endroit. Bon connaisseur des dossiers économiques, il avait déjà été pressenti pour entrer au gouvernement, mais c'est à l'occasion du remaniement d'août 2014 que son nom est évoqué pour occuper le poste de secrétaire d'État au Commerce extérieur auprès de Laurent Fabius, dont il fut autrefois un collaborateur. Aussitôt sa nomination rendue publique, Michel Sapin attire notre attention sur une situation fiscale que ses services lui avaient signalée et dont il ne savait pas si elle avait été réglée. Deux jours plus tard, la Haute Autorité pour la transparence informe le Premier ministre que Thomas Thévenoud n'a pas déclaré ses revenus à l'administration et qu'il a fait l'objet d'une imposition forfaitaire. Immédiatement, Manuel Valls me propose de l'écarter, conformément à l'esprit des textes que nous avons nous-mêmes fait voter. C'était la preuve de l'efficacité de nos lois.

En d'autres temps, nul n'aurait rien su de cette affaire, elle se serait arrangée dans un bureau du ministère où le secrétaire d'État oublieux de ses devoirs aurait réglé en toute hâte le solde de ses impositions. Non seulement il n'en fut rien mais Thomas Thévenoud fut écarté du gouvernement, et l'administration fiscale jugea bon de saisir la justice. Il fut frappé d'une condamnation d'un an avec sursis et trois ans d'inéligibilité. La République exemplaire, c'est la sanction exemplaire.

Les souliers d'Aquilino

Cette rigueur m'a conduit aussi à me séparer de collaborateurs pour des faits mineurs et alors même que la justice ne donna plus tard aucune suite à leur mise en cause. Je pense à Aquilino Morelle qui après m'avoir accompagné durant la campagne de 2012 était devenu mon conseiller politique.

Personnage original, aux convictions parfois éloignées des miennes notamment sur l'Europe, Aquilino Morelle travaillait à deux bureaux du mien. Il m'aidait à élaborer certains discours, à porter ma parole auprès de la presse et à analyser l'évolution de l'opinion. Jusqu'au jour où Mediapart révèle deux informations, l'une anecdotique, l'autre plus embarrassante. Morelle, qui affichait une certaine élégance vestimentaire, avait fait venir à l'Élysée son chausseur, ce qui était un peu baroque, et, surtout, lui avait confié ses paires de souliers pour les faire cirer. Le récit de cette scène avait été rapporté par un témoin et s'était retrouvé dans la presse. Le ridicule dominait, mais non la malhonnêteté.

Plus gênante était l'accusation qui fut portée contre lui d'avoir succombé à un conflit d'intérêt avec l'industrie pharmaceutique. L'affaire était suffisamment troublante pour déclencher l'ouverture d'une enquête. Je fus donc dans la pénible obligation de demander à Aquilino Morelle sa démission. La décision était cruelle, d'autant que l'enquête aboutit finalement à un classement sans suite. Morelle en fut légitimement blessé, et tenta d'y voir une décision politique là où il n'y avait que conformité à une règle.

Il en fut de même pour un autre conseiller, Faouzi Lamdaoui, rattrapé par une plainte sur la gestion d'une société dont il avait la charge avant l'élection présidentielle. Il partit aussitôt. C'était en 2014. La justice l'a relaxé en 2018.

L'intransigeance du président est un devoir qu'il doit exercer sans trembler. Elle peut toucher des proches ou des alliés. Elle peut se révéler inique quand plus tard la justice lève les poursuites ou relaxe les intéressés. Elle peut se confondre avec le fait du prince quand il décide souverainement d'écarter celui-ci ou de maintenir celle-là. Elle peut briser des carrières ou jeter en pâture à l'opinion des hommes ou des femmes qui ne le méritent pas. Mais le chef de l'État doit trancher. Car il ne peut être suspecté de protéger, de couvrir ou de favoriser. C'est aussi une garantie pour le citoyen que la République ne peut être représentée que par des responsables sur lesquels aucun doute ne peut être formulé.

Les règles qui ont été introduites par les lois sur la transparence qui ont été complétées par des dispositions sur les collaborateurs des parlementaires, à la suite des déconvenues rencontrées par un candidat à l'élection présidentielle de 2017, offrent un cadre qui devrait à l'avenir prévenir l'éclatement de scandales, à la condition que tous les acteurs s'y soumettent strictement. Les affaires qui ont surgi au cours de mon mandat ont été peu nombreuses mais douloureuses car elles révélaient des manquements à une éthique à laquelle la gauche s'est à juste raison référée, sans s'en arroger – loin s'en faut – le monopole. Cette éthique est le fondement même du pacte démocratique. Depuis mai 2017, il y a déjà eu des démissions ou des départs de membres du gouvernement. On aurait tort d'y voir une faiblesse. C'est le contraire qui aurait été critiquable. Le devoir de punir est au cœur de la responsabilité présidentielle.

13

Nommer

Ce sera Jean-Marc... Me préparant à l'exercice de la fonction présidentielle, j'avais considéré qu'en cas de victoire Jean-Marc Ayrault était le mieux placé pour occuper Matignon. La désignation du Premier ministre est la prérogative du président. Cet acte est le premier du quinquennat. Il obéit à une logique politique mais des considérations personnelles peuvent s'y mêler. Les liens qui peuvent unir le chef de l'État avec le futur chef du gouvernement remontent parfois à loin. Jean-Marc Ayrault répondait aux deux critères. Ce serait donc lui.

Les personnalités qui pouvaient y prétendre n'étaient pas nombreuses. Martine Aubry était de celles-là. Elle était une des rares à avoir une expérience gouvernementale : ministre du Travail dans les gouvernements d'Édith Cresson et de Pierre Bérégovoy, elle était chargée des affaires sociales auprès de Lionel Jospin de 1997 à 2000 avant de devenir maire de Lille. Première secrétaire du Parti socialiste depuis 2008, elle avait réussi, malgré une désignation contestée, à apaiser tant bien que mal une organisation toujours prête à se déchirer. Elle y était parvenue au prix de concessions multiples à la gauche du parti, dont j'ai pu mesurer les conséquences fâcheuses dans la suite du quinquennat. Elle connaissait bien les dossiers pour avoir préparé le programme du Parti socialiste au temps où elle espérait la candidature de Dominique Strauss-Kahn.

Le fait qu'elle soit dotée d'un caractère entier, qui ne la prédisposait ni à l'indulgence ni à la bienveillance, plaidait plutôt en sa faveur. Même désagréable, je préfère la franchise à une suave hypocrisie.

Toutefois, une considération me retenait. Elle était majeure : nous nous étions opposés lors de la primaire de novembre 2011. Certes l'unité s'était faite après le résultat mais j'estimais que je devais avoir avec le Premier ministre une relation de confiance indéfectible. Je craignais qu'elle ne le fût point, ou pas assez.

Lille avant Paris

La veille de mon installation à l'Élysée, je tiens à informer Martine Aubry de mes intentions. Elle dirige le parti majoritaire : je dois les lui faire partager. Nous nous retrouvons à la questure de l'Assemblée, dans l'appartement de Marylise Lebranchu. J'ignore si elle espère, à cet instant, devenir la prochaine cheffe du gouvernement. Elle peut y prétendre, même si elle m'avait fait savoir au lendemain de la primaire qu'elle n'y songeait pas. Je préfère ne pas la faire attendre. Je lui annonce que le lendemain je procéderai à la nomination de Jean-Marc Ayrault comme Premier ministre. Elle n'en est pas surprise. Tout juste puis-je saisir – instant fugace – une ombre de déception sur son visage. Aussitôt, je lui propose de rejoindre l'équipe que je constituerai. Je lui propose de prendre la tête d'un grand ministère regroupant l'Éducation nationale, l'Université, la Recherche et la Culture. Numéro deux du gouvernement, elle serait assistée de plusieurs ministres délégués. Elle décline mon offre, expliquant qu'elle a déjà été ministre plusieurs fois et au plus haut niveau avec Lionel Jospin. Elle ajoute qu'elle ne partage pas toutes mes priorités. Enfin, elle me confie qu'elle est très attachée à sa mairie de Lille et qu'elle souhaite y rester au-delà des échéances municipales de 2014. Je défends néanmoins ma proposition : « Il n'est pas si ordinaire, dis-je, que la gauche arrive aux responsabilités en conquérant la présidence de la République. Depuis 1981, il y a eu Mitterrand, puis moi. Pour notre génération, c'est une occasion unique d'être pleinement utile. L'histoire n'est pas si généreuse au point de nous fournir d'autres possibilités d'agir pour la France et pour la gauche. » Je souligne aussi le défi que représentera notre politique en faveur de cette jeunesse qui doute de son avenir ; je fais enfin valoir son expérience, qui nous serait utile pour défendre et réformer l'école, et sa passion pour les arts et la création que je sais authentique.

Rien n'y fait. Elle reste sur sa position. Je l'ai déploré. Je suis sûr qu'elle aurait réussi dans ce grand ministère, face à ces professeurs qui attendent tant de la gauche. Elle m'assure néanmoins de sa loyauté et de son soutien. C'est un fait qu'elle a gardé longtemps le silence. Mais quand elle en est sortie, ce fut à notre détriment.

Je choisis donc Jean-Marc Ayrault. C'est une décision longuement mûrie. Elle ne procède pas seulement de l'amitié ou de la fidélité, mais de la situation politique produite par l'élection présidentielle. En début de mandat, le Premier ministre doit d'abord correspondre à la future majorité politique. Jean-Marc Ayrault répond à cette première condition. Il a dirigé le groupe socialiste de l'Assemblée nationale pendant quinze ans et il est le mieux à même de conduire la campagne pour les élections législatives qui arrivent. Il est apprécié de nos alliés écologistes avec lesquels il dirige la ville de Nantes depuis 1989 ; la question du futur aéroport qui les oppose, quoique sensible, n'a pas suffi à briser leur entente. Il professe avec une grande constance un engagement social-démocrate comparable au mien. Germaniste, il a noué avec la plupart des dirigeants du SPD des relations solides et sa foi dans le couple franco-allemand pour faire avancer la construction européenne est inébranlable. Dans mon idée de faire évoluer la position de la chancelière Merkel, il peut jouer un rôle utile, ce qui se confirmera par la suite. Jean-Marc Ayrault peut enfin s'enorgueillir de sa réussite dans le développement de la métropole nantaise.

Ayrault de Nantes

Son seul défaut, c'est qu'il n'est pas du sérail. Comme naguère Pierre Mauroy, Jean-Marc Ayrault est un homme de la province. Il a toujours gardé une distance avec le milieu parisien, pour conserver un mode de vie simple et familial. Que n'a-t-on dit à propos de son camping-car, sur ce ton condescendant qu'on rencontre si souvent à Paris ? On appelle les élus de la République à l'austérité, puis on raille leur modestie…

Je ne dirai jamais assez combien l'univers des élites françaises est étroit, combien la vanité des hiérarchies sociales et culturelles continue d'empoisonner notre vie publique. Les mêmes qui critiquent le poids des grandes écoles et la place de l'ENA dans le recrutement des dirigeants dévaluent avec une morgue que rien ne justifie le parcours des personnalités qui n'en sont pas issues et qui pourtant ont eu le mérite de s'être élevées par leur valeur et leur travail. Jean-Marc Ayrault est un homme introverti qui livre rarement ses sentiments. Il préfère se taire plutôt que de se plaindre, même quand il n'en pense pas moins.

Nous n'étions pas des intimes. Mais nous avions su pendant des années travailler ensemble, notamment pendant la période où Lionel Jospin fut Premier ministre de 1997 à 2002, lui à la tête du groupe socialiste à l'Assemblée nationale, moi comme premier secrétaire. Quand je lui confirme mon choix, le jour même de mon installation, il ne peut en être surpris mais il réalise qu'en un instant son statut vient de changer. Une chose est d'espérer, une autre est de savoir.

Le purgatoire de Matignon

Le premier Premier ministre du quinquennat est promis aux sacrifices, c'est la règle non écrite de la Ve République. Jean-Marc Ayrault ne les recherche pas mais il est prêt à les supporter.

Tout au long de son parcours à Matignon, il a surmonté les crises avec endurance et solidité. C'est lui qui a assuré le redressement de nos finances publiques, c'est lui qui a commandé le rapport Gallois dont nous avons, dès novembre 2012, tiré les conclusions pour instaurer le Crédit impôt compétitivité emploi. C'est lui qui a mené à bien la réforme des retraites et celle du marché du travail. C'est lui qui a triomphé de l'opposition vindicative des adversaires du mariage pour tous, soutenant en toutes circonstances Christiane Taubira dans les dures batailles parlementaires qu'elle a dû affronter. C'est lui, enfin, qui a fait face sans ciller aux difficultés de Florange et à la contestation dite « des bonnets rouges », imposant à chaque fois de sages solutions conformes à l'intérêt du pays.

À la fin de 2013, Jean-Marc Ayrault souhaite poursuivre sa tâche. Conscient des difficultés politiques que nous rencontrons, il veut relancer la réforme fiscale que nous avons entamée, ce qui est un projet légitime. Cette perspective suscite malheureusement autant de craintes que d'espoirs. Une sorte d'allergie fiscale a gagné l'opinion tout entière. Le Premier ministre, qui s'est confronté plusieurs fois avec ses collègues, est aussi en butte à la critique d'une partie du groupe socialiste. Son autorité sur la majorité est discutée par ceux qui allaient devenir les « frondeurs » et iraient toujours plus loin dans leur contestation.

L'ami blessé

Au lendemain du deuxième tour des élections municipales, qui se traduisent par la perte de nombreuses villes conduites jusque-là par la gauche, Jean-Marc Ayrault vient plaider la poursuite de son travail. J'ai devant moi, dans ce bureau où nous avons pris ensemble tant de décisions ardues, un homme sincère. Tout dans son comportement et dans ses engagements aurait dû me porter à reconduire ce Premier ministre qui avait agi sans tergiverser, sans se ménager, et qui ne se préparait à aucune autre tâche, qui ne nourrissait aucune autre ambition, sinon celle de servir le pays à la place où il était.

En 2012, j'avais en tête d'attendre l'échéance de mi-mandat pour qu'une nouvelle équipe prenne en charge la seconde phase du quinquennat. Dans ce scénario, Jean-Marc Ayrault aurait pu continuer sa mission encore plusieurs mois. Mais la vie politique se rit parfois des sentiments les mieux ancrés et des raisonnements les mieux établis. Cruelle, impitoyable, elle obéit en démocratie aux évolutions brutales qui animent l'opinion. Jean-Marc Ayrault et moi-même avons beaucoup perdu en popularité et, s'il ne l'exprime pas, je sens qu'il en souffre. Sa politique n'est pas toujours défendue avec la force nécessaire par le gouvernement. Je me résous donc à solliciter une figure nouvelle qui pourra relancer l'activité gouvernementale et reprendre les réformes que nous avons initiées.

Ce lundi matin, je lui explique l'équation qui est devant moi et qui exige de trancher hors de toute considération personnelle. Je le quitte en lui indiquant que je l'appellerai dans l'après-midi pour lui faire part de ma décision. Je me donne quelques heures pour réfléchir aux conséquences de ce choix. J'ai parallèlement demandé à Manuel Valls de me faire des propositions dans l'hypothèse où il serait promu à Matignon. D'un côté il y a l'assurance de la fidélité et la garantie que la majorité élargie aux écologistes tiendra bon. De l'autre, il y a une énergie qui ne demande qu'à servir davantage, une popularité qui s'est construite sur un parcours d'autorité au sein du ministère de l'Intérieur mais aussi une personnalité plus controversée au sein de la majorité et qui peut conduire les Verts à quitter le gouvernement. Ce qui advint.

Manuel Valls est appuyé par Arnaud Montebourg et Benoît Hamon, qui plaident « le renouvellement » ; mais il est clair qu'ils nourrissent des arrière-pensées. Le changement d'équipe, pensent-ils, leur sera bénéfique. Drôle de calcul, puisque Valls se situe vis-à-vis d'eux à l'opposé du spectre politique au sein de la gauche réformiste. Les spéculations tactiques font parfois bon marché des différences idéologiques. Il est des circonstances où l'ambition fait taire, pour un temps, les convictions les plus affirmées.

Je peux aussi attendre et user le Premier ministre jusqu'à épuisement pour m'en séparer après l'été ou à la fin de l'année 2014. N'était-ce pas ce que François Mitterrand avait fait, à une autre époque, avec Pierre Mauroy, avant de nommer son successeur Laurent Fabius ? Sur le plan humain et politique je m'y refuse. L'action gouvernementale que je souhaite renforcer pour mettre en œuvre les réformes qui nous attendent justifie le changement. À 16 heures, j'appelle Jean-Marc Ayrault. Je lui indique, avec toute la sensibilité qu'il est possible de déployer dans cette circonstance, que j'ai décidé de nommer un nouveau Premier ministre. Il accepte ce choix avec élégance, non sans ressentir, je le sais, une amertume. Malgré cette blessure, nous sommes restés proches. Et lorsqu'au début de l'année 2016, je dois désigner un successeur à Laurent Fabius parti au Conseil constitutionnel, c'est vers Jean-Marc Ayrault que je me tourne. À la tête de la diplomatie française, il accomplit sa tâche avec autant de qualités que celles dont il avait fait montre à Matignon.

L'abnégation et le sens de l'État de Jean-Marc Ayrault auront permis à la France de sortir de la crise et d'entrer dans un cycle de réformes vertueux.

Nominations ministérielles

En mai 2012, je veux disposer d'une équipe où l'expérience se conjugue avec le renouvellement. Je compose donc le gouvernement en équilibrant diversité et cohérence.

En 2012, la gauche n'a plus gouverné depuis dix ans. Autour de Jean-Marc Ayrault, je rappelle des anciens ministres de François Mitterrand, et au premier chef Laurent Fabius. Nous en étions convenus bien avant l'élection présidentielle. Nos relations avaient longtemps été froides. Nous nous étions vivement opposés lors de la consultation interne sur le Traité constitutionnel européen et sur le référendum qui avait suivi. Je l'avais sèchement écarté de la direction du Parti socialiste. Il avait soutenu Martine Aubry dans les primaires sans partager ses thèses, après avoir espéré dans la candidature de Dominique Strauss-Kahn. Prenant acte du résultat de la primaire et de la perspective de victoire qu'elle ouvrait, il avait décidé de servir le pays.

Non pas comme il avait dû en nourrir longtemps l'ambition, c'est-à-dire au plus haut niveau de l'État. Non pas comme Premier ministre, puisqu'il l'avait déjà été à un âge qui paraissait alors précoce. Mais comme ministre des Affaires étrangères. Il s'était préparé à cette responsabilité et sa notoriété internationale me serait précieuse. Il s'y est pleinement investi. Durant les quatre années où il a occupé le Quai d'Orsay, il s'est déployé partout dans le monde pour porter une politique dont nous avions défini ensemble les principes. Jamais il ne s'est distingué des orientations que j'avais prises, y compris vis-à-vis de l'Europe, sur laquelle nous avions jadis divergé. Il voulait faire réussir la France : seul le résultat lui importait. Il a mis son intelligence, qui est grande, et sa connaissance de l'État, qui est longue, au service de notre diplomatie. Ces qualités ont aussi justifié que je le nomme à la présidence du Conseil constitutionnel en janvier 2016.

Pour le ministère de la Défense, Jean-Yves Le Drian s'imposait. Il était un de mes amis les plus proches et suivait ces questions au Parlement depuis près de trente ans. Il s'était entouré d'un groupe d'experts qui m'avait été utile dans la campagne. Sa nomination était attendue même si sa notoriété était faible. Nul ne se souvenait qu'il avait déjà figuré dans le gouvernement d'Édith Cresson en 1991. Rares étaient ceux qui imaginaient qu'il allait donner sa pleine mesure à ce poste. Autant pour mener à bien avec les chefs d'état-major les opérations que j'avais décidées, que pour préserver les budgets dévolus aux armées.

Je n'oublie pas non plus le rôle qu'il a joué pour faire aboutir la vente des Rafales et de bien d'autres matériels. Soucieux de ne pas déstabiliser notre dispositif de lutte contre le terrorisme, je l'avais autorisé – par exception – à cumuler à partir de janvier 2016 la présidence de sa région avec son ministère. Il m'avait confié qu'il était bien décidé à revenir en Bretagne au terme de mon mandat. Mais je connaissais aussi son attachement à la défense de notre pays. Emmanuel

Macron ne l'y a pas reconduit. Est-ce parce qu'il pensait que son autorité de chef des armées serait plus grande avec un ministre moins influent ? Je ne sais si le maintien de Jean-Yves Le Drian à ce poste aurait pu prévenir le départ du général de Villiers, dont la loyauté et la compétence comme chef d'état-major de nos armées ne m'ont jamais manqué. Toujours est-il que Jean-Yves Le Drian a rejoint le Quai d'Orsay au risque d'y être oublié. Comme ami, je le lui avais déconseillé. Mais je n'étais plus président et lui n'était déjà plus socialiste.

D'autres ministres avaient déjà figuré dans un gouvernement. Pierre Moscovici, Michel Sapin et Marylise Lebranchu avaient siégé dans celui de Lionel Jospin. Je leur ai confié des missions difficiles dans le quinquennat qui commençait. Pierre Moscovici devait préparer les échéances budgétaires tout en participant aux multiples réunions destinées à colmater la crise de la zone euro. Il s'en est acquitté avec une compétence et une intelligence dont il pense qu'elles se suffisent à elles-mêmes et qu'elles n'ont pas besoin d'être accompagnées par un effort incessant de pédagogie. En particulier pour convaincre sur le sujet le plus sensible qui soit : l'impôt. Michel Sapin avait pour objectif de contribuer à l'inversion de la courbe du chômage. Il a traîné plusieurs mois cette promesse comme un boulet avant d'avoir la satisfaction de constater qu'il y avait réussi à l'été 2015. Les réformes qu'il a engagées sur le marché du travail et sur la formation professionnelle n'y ont pas été pour rien, même si, comme toute négociation fructueuse, elles n'ont pas été considérées à la mesure de ce qu'elles ont apporté dans nos relations sociales.

Marylise Lebranchu était chargée de la réforme territoriale. Elle a fait face à des intérêts contradictoires et à des élus qui ne l'ont pas ménagée. Elle a déployé une patience que rien ne semblait décourager pour faire franchir à notre pays une étape majeure de la décentralisation et obliger les collectivités locales à des économies indispensables, en leur faisant accepter une réduction des dotations de l'État, alors même qu'elle n'était pas entièrement convaincue par cette politique.

Le couple Valls-Taubira

Je portais, dans la composition des gouvernements, une attention particulière aux fonctions régaliennes. Je ne voulais pas qu'il y ait le moindre doute sur la fermeté qui devait être la nôtre face à la délinquance et sur la vigilance que l'affaire Merah nous imposait face à la menace terroriste. Manuel Valls s'était depuis plusieurs années investi, comme maire d'Évry et parlementaire, dans les questions de sécurité ; il avait beaucoup travaillé sur les rapports entre la police et la population. Il m'avait parfaitement secondé durant la campagne présidentielle et il avait à cœur de réussir dans cette tâche, sans doute dans l'espoir de prétendre à une autre le moment venu.

Je voulais parallèlement montrer que j'entendais être respectueux de l'État de droit et des libertés à travers le choix d'une personnalité indépendante qui pourrait garantir à la justice de travailler dans le même esprit. J'appelai donc Christiane Taubira pour lui proposer la Chancellerie. Elle fut surprise et demanda un temps de réflexion. Elle appréhendait ce qui l'attendait. Elle aurait à rassurer un corps de magistrats qui souffrait du traitement subi durant le quinquennat précédent. Elle devrait affronter la surpopulation carcérale et chercher à l'atténuer par la mise en œuvre d'alternatives à la prison. Elle devait enfin préparer la loi sur le mariage pour tous. Je comprenais qu'elle puisse s'interroger. Je n'imaginais pas ce qu'elle aurait à endurer.

En composant le gouvernement, j'ai été étonné par la différence de réactions entre les femmes et les hommes que je sollicitais. Les premières me demandaient avec sincérité si elles avaient les compétences pour occuper les ministères que je leur proposais. Les seconds me demandaient avec aplomb d'élargir le champ de leurs attributions. Les vieux schémas ont la vie dure.

Le reste du gouvernement, c'est-à-dire sa plus grande partie, était composé des nouvelles générations qui avaient animé le PS. Je pense notamment à Arnaud Montebourg, Benoît Hamon, Vincent Peillon, Stéphane Le Foll. Ils avaient traversé dix années d'opposition qui les avaient parfois obligés à prendre des postures. Ils avaient néanmoins conquis des mandats locaux et exercé des responsabilités importantes. Ils s'étaient usés dans les querelles internes du Parti socialiste. Mais je pouvais espérer qu'avec notre victoire, ils en sortaient aguerris ou, à tout le moins, vaccinés. L'expérience a montré qu'il y a eu certaines rechutes, d'autant plus graves qu'elles touchaient cette fois le sommet de l'État.

Je voulais aussi constituer une équipe avec des visages nouveaux, venus à la politique par l'élection. Je suis toujours réticent à l'égard des représentants de ce qu'on appelle la société civile, qui n'ont pour légiti-mité que leur réussite professionnelle ou leur notoriété médiatique. Je pense que le suffrage universel est une épreuve nécessaire et une sélection utile. Souvent des personnalités qui ont bâti un parcours étincelant loin de la politique s'éteignent progressivement à mesure qu'elles s'y aventurent. Je suis allé chercher des élus de trente ans, pour assurer un renouvellement, une diversité et une parité dont j'avais fait la promesse aux Français. Je suis sûr que les talents qui se sont fait connaître, y compris dans les difficultés du quinquennat, seront des atouts pour la gauche de demain. Je pense notamment à Najat Vallaud Belkacem, Myriam El Khomri, Mathias Fekl, Ericka Bareigts ou Emmanuelle Cosse.

Enfin, durant mes années passées à l'Assemblée, j'avais remarqué un député dont la sagesse et la subtilité m'avaient convaincu qu'il pouvait assumer les responsabilités les plus délicates. Successivement ministre des Affaires européennes puis du Budget et enfin de l'Intérieur, parlant à voix basse pour mieux se faire entendre, agissant avec justesse pour être sûr de parvenir au but, gardant une sérénité à toute épreuve qui cache une sensibilité généreuse, Bernard Cazeneuve a le sérieux des personnes qui savent rire. Il n'a été que six mois Premier ministre. Mais il l'a été pleinement, au point d'être, à juste raison, regardé comme un homme d'État.

Choisir les bonnes personnes, au bon moment, au bon endroit, c'est la condition du succès de toute politique. Un président ne peut réussir seul. Mais s'il est mal entouré, il est sûr d'échouer.

La composition des gouvernements est une responsabilité majeure. Si l'on se trompe, il faudra beaucoup de temps pour corriger son erreur. De même une somme d'individualités ne fait pas une équipe.

Mais si l'homogénéité est souhaitable, elle ne peut se confondre avec l'uniformité. La diversité et la représentativité d'un gouvernement font aussi sa qualité.

Le renouvellement tout autant. J'ai promu des femmes et des hommes de moins de quarante ans. Car le devoir du président, c'est de transmettre et de préparer la suite. Chaque génération doit être à la hauteur de la chance qui lui est donnée. En son sein, la confrontation avec la réalité opère une sélection au service de la démocratie.

La politique est un art d'exécution. Les meilleurs choix se heurtent à la lenteur, à la lourdeur, aux habitudes, et aux résistances. Dans notre administration, j'estime que le maillon essentiel, c'est le corps préfectoral. C'est sur lui, sur sa capacité d'adaptation, sa compréhension des situations et sur les marges de liberté qui lui sont laissées que repose la mise en œuvre rapide et judicieuse des réformes. La décentralisation, qui consiste à transférer des compétences aux élus des territoires, est un processus qui n'est pas achevé. Nos territoires ont besoin que l'État leur fasse confiance. Mais il doit impérativement être accompagné d'un mouvement de déconcentration vers les préfets, qui leur donnera le pouvoir de décision que les administrations centrales retiennent trop souvent. Plus nombreuses seront les compétences dévolues aux élus locaux, plus forte doit être la présence de l'État sur nos territoires. Non pour contrôler mais pour faciliter. Non pour ralentir mais pour hâter. Non pour compliquer mais pour simplifier. C'est en s'appuyant sur cet échelon né de son histoire que l'État préparera l'avenir.

Nommer, enfin, c'est placer la culture au premier rang des priorités. Sanctuariser son budget, comme je l'ai fait, ne suffit pas. De nouvelles ressources celles qu'on prélèvera sur les fournisseurs d'accès, devront lui être affectées. Placer à la tête des grands établissements culturels (de la Comédie-Française jusqu'au Louvre en passant par les grands musées et les théâtres nationaux) les talents les plus respectés, les personnalités les plus innovantes relève de la responsabilité du chef d'État. Il ne doit surtout pas exercer le fait du prince, en récompensant des amis ou en cherchant à capter une notoriété, à travers la promotion de noms plus ou moins prestigieux.

Il doit, compte tenu des conséquences de ses décisions sur le rayonnement de la France et la démocratisation de la culture, faire preuve d'une infinie sagesse et parfois d'une indispensable audace. J'y ai veillé, en lien direct avec les ministres de la Culture, en écartant les avis intéressés et les jugements établis, tout en respectant la parité.

14

Rompre

La politique est, d'abord, un art de la synthèse. Elle consiste à rassembler autour d'une idée, d'un programme, dans un parti ou dans le pays, à construire une équipe pour mettre en œuvre un projet politique. Celui qui n'a pas compris cela ne peut agir dans la durée. Celui qui divise sans cesse, qui s'oppose toujours – on en connaît quelques-uns – ne gouverne jamais.

Mais la synthèse comprend aussi le devoir de rupture, comme une médaille a deux faces. Elle implique le respect des règles, la cohérence de l'action, l'acceptation des nécessités cruelles du gouvernement. Elle réunit ceux qui acceptent le contrat commun, elle exclut ceux qui y manquent. Synthèse et rupture sont l'avers et le revers de la même réalité : l'exercice du pouvoir dans une démocratie.

Arnaud Montebourg à Bercy

Dans le gouvernement que j'ai formé, j'ai voulu associer les personnalités qui avaient animé la gauche ces dernières années et qui incarnaient, par leurs idées une diversité. L'avantage était le rassemblement, le risque était l'incohérence. Je conviens qu'avec Arnaud Montebourg, il y avait là un pari.

L'homme est tout de feu et de fougue, orateur inspiré. Il préfère toujours un mot cruel à un jugement équilibré, une formule définitive à un raisonnement rigoureux. Séduisant, il peut entraîner. Mordant, il peut blesser. Dans une équipe, il peut exceller par son imagination s'il la met au service de tous ; il la déstabilise quand il cède à l'outrance.

Il avait fondé son identité politique sur la « démondialisation », à la manière d'un Jean-Pierre Chevènement qui proposait, il y a plus de trente ans, la « reconquête du marché intérieur ». Mais il avait foi dans l'industrie, il comprenait les mutations technologiques qui s'annonçaient et intégrait les exigences de cette nouvelle donne.

Nos rapports personnels avaient longtemps souffert des différends qui nous avaient opposés quand je dirigeais le Parti Socialiste. Il m'avait néanmoins apporté son soutien au deuxième tour de la primaire après qu'il avait réalisé un résultat appréciable au premier. Il était conscient que l'alternance approchait et qu'il devait y jouer un rôle, à la mesure de la position qu'il avait acquise.

En mai 2012, je place donc Arnaud Montebourg à un poste essentiel en lui confiant le ministère du Redressement productif. Il fait face à l'avalanche des plans sociaux qui s'abattent sur nous après avoir été « retenus » pour ne pas gêner le candidat sortant le temps de la campagne électorale. Automobile, sidérurgie, nucléaire, chantiers navals, électronique... notre tissu industriel craque de toutes parts. Des suppressions d'emplois sont annoncées partout. Les usines ferment, le nombre des défaillances d'entreprises atteint un niveau record. Légitimement, les salariés font appel à l'État. Arnaud Montebourg qui ne déteste pas l'adversité se porte lui-même sur les fronts les plus exposés. Il met en place des « commissaires au redressement productif » dans tous les départements. Tantôt il réussit, et se pare du mérite. Tantôt il échoue, et dénonce un coupable.

Cette stratégie défensive ne peut pas tout empêcher. Elle a le mérite de faire revenir l'État sur les lieux qu'il avait abandonnés ; elle évite à de nombreuses PME d'être rayées de la carte industrielle.

Arnaud Montebourg prend de l'espace. Pierre Moscovici, son voisin de Bercy, finit par vivre leur relation en mode « cohabitation », regrettant vivement de ne pas avoir la tutelle de l'ensemble. Il est toutefois devenu impossible de confier au même ministre à la fois l'économie, l'industrie, les comptes publics et les finances. Certes, les sujets sont liés mais la mesure du temps et du travail qu'ils exigent m'a conduit à dédoubler la responsabilité. L'imbrication exige l'entente. Toute discordance, toute concurrence créent le doute parmi nos interlocuteurs et la confusion auprès de nos partenaires européens. Elles ne manqueront pas d'apparaître à plusieurs occasions. Je retrouverai plus tard ces comportements, à un niveau moindre, avec le duo Emmanuel Macron-Michel Sapin quand, à leur tour, ils se partageront Bercy.

Quoique aujourd'hui procureur implacable de cette orientation, Arnaud Montebourg a approuvé la politique de l'offre et fait siennes les conclusions du rapport Gallois sur la nécessité de redonner des marges aux entreprises pour rétablir leur capacité d'investissement. Ministre, il fait de la « marque France » un étendard dont il n'hésite pas à revêtir les couleurs en adoptant un maillot qui a largement contribué à sa réputation, et pas seulement chez les plaisanciers.

Dans cet esprit, il prépare un décret qui évite aux entreprises françaises dont les activités se situent dans les secteurs stratégiques de passer sous le contrôle de groupes étrangers. C'est sur la base de ce texte que nous avons pu exercer des pressions convaincantes sur les repreneurs qui se présentent pour Alstom. Le gouvernement d'Édouard Philippe songe aujourd'hui à en élargir la portée. Cette intention reçoit mon plein soutien, en n'oubliant jamais que les investissements étrangers en France sont aussi créateurs d'emplois et porteurs d'innovation et que c'est cet équilibre entre attractivité et indépendance qu'il convient de trouver.

À la fin de l'année 2012, Arnaud Montebourg s'empare du dossier de Florange. Il se lance dans une proclamation dont l'expression est utile au départ mais qui devient illusoire à la fin. Il réclame la nationalisation du site, alors que Jean-Marc Ayrault a trouvé avec la direction de Mittal une solution qui aboutira au reclassement de tous les salariés du site. Arrêté dans son élan, il en conçoit un ressentiment qu'il nourrit en particulier à l'égard du Premier ministre et il le livre à qui veut l'entendre, au-delà de toute discrétion.

Il a embrassé aussi la cause de l'exploitation du gaz de schiste en France. Elle participe d'une juste ambition, celle de réduire notre dépendance à l'égard du pétrole (son cours était alors supérieur à 100 dollars le baril) et d'abaisser les coûts de production des industries grosses consommatrices d'énergie. Mais elle heurte des principes édictés dans une loi adoptée il y a des années et qui fait consensus. Il me présente un « rapport secret » contenant l'exposé d'une technique qui révolutionnera les modes d'extraction actuels, évitant, prétend-il, la fracture hydraulique, si nuisible à l'environnement. Cette démarche me surprend au moment où la France critique les États-Unis et le Canada pour leur imprévoyance écologique avec des forages et des puits qui déstabilisent le marché des énergies fossiles et altèrent les nappes phréatiques de régions entières. Cette thèse paraît aujourd'hui incongrue. À l'époque, le recours aux gaz de schiste était soutenu avec véhémence par le patronat et une grande partie de la droite française, au prétexte d'améliorer notre compétitivité. En nous y refusant, nous étions accusés d'aller à l'encontre du progrès. C'était il y a cinq ans, autant dire un siècle ! Je n'aurai pas la cruauté de reprendre ici toutes ces déclarations qui, après la COP21 et la faillite de nombreuses exploitations de gaz de schiste outre-Atlantique, sont confondantes d'anachronisme, même si Donald Trump leur redonne hélas une regrettable actualité. Je repousse donc l'idée d'Arnaud Montebourg. Depuis, il paraît qu'il a changé d'avis.

Ce qu'il conteste depuis le départ, c'est ma politique européenne. La question nous avait déjà séparés lors du vote sur le Traité constitutionnel européen mais nous étions alors dans l'opposition. Elle revient tandis que nous sommes au pouvoir. Dans une note qu'il me remet au début de l'année 2014, il s'appuie sur les travaux d'économistes que j'estime, qui mettent à jour les dégâts provoqués par l'austérité à l'échelle européenne. Il me somme de demander aux autorités européennes d'accepter un relâchement de nos disciplines budgétaires, de suspendre le pacte de stabilité et de lancer un grand programme d'investissements publics. Bref, de reprendre notre liberté à l'égard des traités européens. Je m'y refuse. Cette rupture, qui flatte un certain romantisme souverainiste, me paraît contraire à nos intérêts. Ainsi, pour conjurer la déflation, il faudrait courir vers les déficits ! Pour sortir de la crise, en ouvrir une avec nos partenaires, et notamment l'Allemagne ! Pour nous libérer prétendument de la finance, nous mettre davantage entre ses mains !

Cet argumentaire deviendra bientôt celui des frondeurs. La racine du différend avec eux plonge dans les malentendus du débat européen. Réorienter l'Europe est un but louable et possible. J'y ai contribué, malgré la présence au Conseil européen d'une majorité de chefs de gouvernement libéraux et conservateurs. J'ai toujours pensé que le rapport des forces, s'il est intelligemment construit et s'il débouche sur un compromis, peut élargir les marges de manœuvre sans faire perdre la direction commune. Mais demander à l'Union européenne de rompre avec les traités qui la fondent, c'est s'engager dans une impasse. Cela n'aboutirait, si nous nous y aventurions, qu'à notre isolement. De ce point de vue, Jean-Luc Mélenchon a au moins la franchise de ne plus cultiver cette illusion. Il va jusqu'au bout de la logique de la sortie de l'Union. Il s'affiche « indépendantiste ». Voilà qui est clair. Et s'il laisse le mot

« souverainisme » à la droite de la droite, il ne s'en différencie guère sur le fond.

Arnaud Montebourg comme Benoît Hamon, en poursuivant cette chimère, ont doublement perdu la partie. Ils ont été défaits électoralement, l'un dans une primaire, l'autre dans l'élection. Au passage, ils ont fait sombrer leur famille politique en l'entraînant sur une position qui rompait avec son histoire. Ils ont été dépassés par plus anti-européens qu'eux. Ils ont ouvert à Jean-Luc Mélenchon un espace dans lequel il a constitué une force qui, si elle devenait dominante à gauche, interdirait tout retour de la social-démocratie aux responsabilités.

J'ai cru un moment que l'accession de Manuel Valls à Matignon et l'élargissement des compétences ministérielles d'Arnaud Montebourg pouvaient conduire ce dernier à rentrer dans le rang. Il était investi dans le dossier Alstom. Même si la solution retenue n'était pas la sienne, il l'avait défendue. Je l'avais chargé de préparer une « loi croissance » destinée à abolir les rigidités qui pesaient sur certains marchés, à ouvrir les professions réglementées à la concurrence et à assouplir le travail du dimanche. Il semblait se l'approprier. Ce texte sera repris après son départ par Emmanuel Macron, pour son plus grand bénéfice. Avait-il conçu le projet de partir au lendemain de cette réforme ? C'est possible, mais les choses se sont précipitées.

La cuvée de l'égarement

Chaque année, lors du troisième dimanche du mois d'août, Arnaud Montebourg réunit ses amis à

Frangy-en-Bresse. Ce rassemblement marque traditionnellement la rentrée politique. Il prend parfois des allures d'un chahut socialiste, peu compatible avec la culture du gouvernement. Cette année-là, Montebourg a prévu d'inviter Manuel Valls, mais ce dernier a décliné pour une raison liée à son calendrier. Il a eu le bon réflexe. C'est Benoît Hamon, le nouveau ministre de l'Éducation, qui le remplace pour jouer le second rôle dans cette joyeuse fête.

Ce dimanche, comme souvent, je travaille à l'Élysée, tout en jetant un œil distrait sur les chaînes d'information. Soudain, je découvre avec consternation que le monôme de Frangy prend un vilain tour, avec des comportements qui tiennent plus de la provocation que de la proposition. On parle haut, on rit fort et on se répand en formules chocs, qu'un discours plus posé délivré à la tribune vient étayer. On appelle crânement à un changement de la ligne gouvernementale, Hamon en mode mineur, Montebourg en majeur. Aussitôt, la « cuvée du redressement » se transforme en curée médiatique.

J'appelle Manuel Valls et je l'invite à me retrouver dès le lendemain matin à l'Élysée, avant mon départ de bonne heure pour l'île de Sein. Heurté par le comportement des deux ministres, le Premier ministre fait publier par son entourage un communiqué soulignant le caractère inapproprié de cette réunion et regrettant de graves manquements à la solidarité gouvernementale. Je me rends à l'évidence : comme le vin de Frangy, la rupture est consommée. Elle est pénible et politiquement coûteuse, mais nécessaire et saine. Je demande à Manuel Valls de me remettre la démission du gouvernement et le charge aussitôt d'en constituer un nouveau, expurgé des ministres qui ont créé l'irréparable. Benoît Hamon me paraît hésiter. Il occupe depuis à peine cinq mois le ministère de l'Éducation. J'ai toujours considéré qu'il n'y avait pas de tâche plus exaltante pour un socialiste que de préparer l'avenir de la jeunesse et de lutter pour l'égalité. Il faut avoir de solides raisons pour abandonner cette mission. De crainte de laisser Arnaud Montebourg devenir le premier opposant à l'intérieur de la majorité, il préfère rompre et sortir. On sait aujourd'hui où cette décision l'a mené. À ma surprise, Aurélie Filippetti m'informe qu'elle quitte aussi le gouvernement. Je comprendrai bientôt que ses idées rejoignaient ses sentiments. J'interroge Christiane Taubira dont je sais la proximité avec Arnaud Montebourg. Elle me déclare sa volonté de poursuivre le travail qu'elle a engagé au ministère de la Justice.

La division qui nous a tant coûté est partie de là, d'un calcul, d'une provocation, d'une incapacité à assumer la responsabilité collective. Mais surtout, d'une illusion. Celle d'imaginer que la gauche puisse se bâtir un avenir contre une partie d'elle-même, avec la prétention de défier le président sortant sur une autre ligne que celle que nous avions suivie depuis 2012. Cette dissidence a occupé la scène pendant des mois, rendant l'adoption des textes plus difficile et obligeant deux fois le gouvernement à recourir à l'article 49-3 de notre Constitution, décision qui fut contestée par ceux-là même qui nous obligeaient à y recourir. Les frondeurs allaient provoquer la plus grave fracture que les socialistes ont eu à vivre dans leur histoire gouvernementale, au point de mettre en cause leur propre existence. Il y a des ruptures qu'il faut savoir faire et d'autres qu'il est plus sage d'éviter avant qu'elles ne provoquent des schismes.

Cécile Duflot part, l'écologie reste

En 2011, Martine Aubry, première secrétaire du PS, avait scellé une alliance programmatique avec les Verts rassemblés dans EELV. Ce pacte politique traduisait des convergences réelles, à l'exception de deux sujets : le nucléaire dont les écologistes voulaient sortir, l'aéroport de Notre-Dame-des-Landes dont ils revendiquaient l'abandon. Un accord électoral leur réservait une soixantaine de circonscriptions pour les élections législatives, ce qui leur avait permis, après ma victoire, de constituer à l'Assemblée un groupe d'une vingtaine de membres qui n'était lié par aucune discipline de vote et qui ne se privait pas de faire usage de cette liberté.

Les écologistes avaient déjà participé à un gouvernement. Celui de Lionel Jospin. Ils voulaient y revenir. C'était mon intention de les y accueillir : je souhaitais que la majorité ne se réduise pas aux seuls socialistes. Je veux qu'elle soit élargie à l'ancienne « gauche plurielle » avec les radicaux et les Verts, même si les communistes préfèrent se situer en dehors. À Cécile Duflot, qui dirige ce mouvement, je propose le ministère du Logement et de l'Égalité des Territoires. Nous sommes convenus que celui de l'Environnement aurait pu la mettre en contradiction avec certaines de ses convictions. Je nomme aussi Pascal Canfin, un député européen au travail apprécié, ministre du Développement auprès de Laurent Fabius. Il y fut efficace et imaginatif. Il s'y est fait connaître à son avantage. Il est aujourd'hui le directeur général d'une grande ONG.

Cécile Duflot est une ministre sérieuse. Elle ne plaît pas à tout le monde, dans un secteur en grave dépression. Elle sait, au moins au départ, faire tomber les préjugés sur ses intentions car elle est habile jusqu'à la malice. Elle défend des politiques audacieuses sur la cession du foncier public, auquel je tenais, et sur l'encadrement des loyers qu'elle veut étendre à toutes les métropoles. Elle est ouverte à des mesures en faveur de la construction, y compris sur le plan fiscal. C'est grâce à son obstination que les taux de TVA sont abaissés à 5,5 % sur les travaux de rénovation.

Elle ne limite pas ses interventions publiques à son seul département ministériel et exprime sur les questions d'immigration et d'accueil des « Roms » les positions de son parti. La presse se plaît à prendre chacune de ses sorties pour des écarts, comme si tout débat au sein d'un gouvernement devait être interdit. À cet égard, l'expérience d'aujourd'hui peut servir de comparaison utile. Quand le silence règne, on parle de verrouillage. Quand une critique s'exprime, on la taxe de « couac ».

Les réactions de Cécile Duflot sont plus vives chaque fois que Manuel Valls affiche sa fermeté ou utilise des mots qui la heurtent. À vrai dire, il ne s'en prive pas. Mais d'une question de principe, elle fait une question de personnes. Ce n'est pas tant ma stratégie économique ou mes choix environnementaux et énergétiques qui la mettent mal à l'aise. Ce sont les rapports conflictuels qu'elle entretient avec son collègue de l'Intérieur.

Aussi quand je prends la décision d'appeler Manuel Valls à Matignon, elle m'informe sans attendre qu'elle ne sera pas de son gouvernement et qu'elle demandera à son mouvement de ne pas y participer, tout en restant dans la majorité. Elle réussit à convaincre ses amis de tenir cette position. Les Verts ne s'en sont pas remis. Ils en sont sortis plus désunis que renforcés et plus désemparés que libérés. J'ai regretté ce choix. Il privait le gouvernement d'une sensibilité utile à la gauche. J'avais tenté de les dissuader en laissant Manuel Valls leur proposer le ministère de l'Écologie. En vain.

Le calcul des Verts était mauvais. Plutôt que de reléguer l'environnement dans la hiérarchie des priorités gouvernementales, je décide d'amplifier encore nos engagements et d'accélérer nos choix. Après Philippe Martin, qui met courageusement en place la « contribution climat » destinée à taxer le carbone, Ségolène Royal, avec la ténacité qui la caractérise, entreprend de faire voter la loi sur la transition énergétique et celle sur la biodiversité, tandis que je m'attelle à la préparation de la COP21 avec Laurent Fabius. Malgré l'absence du parti supposé la représenter, jamais autant n'aura été fait pour l'écologie.

Plus tard, je tiens à appeler aux responsabilités la dirigeante des Verts qui a succédé à Cécile Duflot. En février 2016, je nomme donc Emmanuelle Cosse ministre du Logement. Elle se révèle éminemment précieuse dans la mise en œuvre d'une politique qui a encouragé comme jamais le logement social, tout comme l'accession à la propriété et la promotion immobilière dans le parc privé. Grâce à ses mesures, quelque 500 000 logements ont été livrés en 2017 conformément à la promesse que j'ai faite en 2012. Aujourd'hui le dynamisme du marché immobilier a porté l'activité du bâtiment à des niveaux supérieurs à ceux qui prévalaient avant la crise. Je crains que les mesures maladroites et injustes prises ces derniers mois ne viennent freiner ce mouvement.

Pendant au moins trois décennies, l'écologie politique avait réussi à fédérer des militants venus de multiples horizons, des associations de défense de l'environnement, des acteurs de l'économie sociale et solidaire, des mouvements régionalistes et des mouvements politiques alternatifs. Elle s'était incarnée dans des figures qui ont marqué la société française par leurs prises de position et leurs idées de René Dumont à Daniel Cohn-Bendit, sans oublier Dominique Voynet. Un parti était né de cette volonté commune de peser électoralement sur les choix du pays. Les Verts avaient accepté de nouer une alliance avec les socialistes et de prendre des responsabilités locales, nationales et européennes. La rupture avec un gouvernement qui avait fait droit à bon nombre de leurs idées a mis en péril ce long processus, avec le risque d'un retour au point de départ. Le paradoxe est que les thèmes qu'ils ont défendus, souvent les premiers, sont de plus en plus partagés. En politique, tout le monde est écologiste. Mais les écologistes ne sont nulle part. L'écologie a gagné, les Verts ont perdu.

Le départ de Christiane

Ministre de la Justice pendant quatre ans, figure emblématique de l'égalité dont elle a incarné le combat lors du débat sur le mariage pour tous, Christiane Taubira est une femme vibrante, ardente, exigeante, dont le verbe transporte. Elle déclame ses discours comme des poèmes. Sa langue est ductile mais ses arguments sont d'acier.

Attaquée sans retenue par la droite pour qui elle était l'incarnation du mal, vilipendée par l'extrême droite en des termes racistes, elle a été harcelée par une presse de caniveau qui n'a pas hésité à la représenter de façon blessante et indigne. Malgré ces assauts incessants, Christiane Taubira a suivi imperturbablement son chemin. Avec Manuel Valls et Bernard Cazeneuve, elle fut présente aux heures les plus tragiques. C'est avec son concours que j'ai eu à prendre les décisions les plus graves pour la sécurité des Français. Avec son tempérament qui n'est pas commun, ses méthodes qui ne sont pas classiques, ses rythmes de travail qui sont parfois en décalage horaire avec les nôtres, mais toujours avec cette flamme qui l'anime au point de la brûler de l'intérieur.

Elle a réformé, la justice du quotidien notamment, de manière à rendre son accès plus facile et ses procédures plus simples, sans qu'il soit besoin de toucher à la carte judiciaire, c'est-à-dire à la présence des tribunaux sur tout notre territoire. Elle a bataillé pour que des peines alternatives à la prison puissent être prononcées. Elle a introduit dans notre droit la contrainte pénale pour éviter l'incarcération, sans atténuer la fermeté de la sanction. Elle a accepté de défendre le projet de loi sur la procédure pénale pour lutter plus efficacement contre le terrorisme, sans entamer ses convictions. Elle a accompagné la prolongation de l'état d'urgence sans mot dire.

Mais au moment de la révision constitutionnelle qui comprend la déchéance de nationalité pour les terroristes condamnés, elle préfère s'arrêter là. Elle organise alors son départ sans bruit. Elle me fait parvenir une lettre au tout début de l'année 2016 pour me faire part des réflexions qui ont été les siennes. Elle comprend le sens que j'ai voulu donner à cette proposition lors du Congrès de Versailles qui a suivi les attentats du 13 novembre mais elle n'entend pas défendre ce texte devant le Parlement comme garde des Sceaux. Je lui demande d'attendre. Le débat qui commence, lui dis-je, peut me faire évoluer. Elle y consent, puis revient à la charge quinze jours plus tard.

Je dois m'éloigner de France pour un déplacement en Afrique. Je ne peux la voir qu'à mon retour. Elle s'est épanchée, entre-temps, dans une émission qui a été enregistrée mais qui n'est pas encore à l'antenne. Elle convient alors avec Michel Denisot d'en reporter la diffusion. Celui-ci accepte élégamment de renoncer à son « scoop ». Au petit matin du 27 janvier, au retour de Dakar, je la retrouve à mon bureau. Elle me remet sa lettre de démission. Nous nous comprenons en même temps que nous nous embrassons. Elle voulait être fidèle à elle-même sans être infidèle au président, loyale jusque dans la démission, solidaire jusqu'au bout du combat qui fut le nôtre. Jamais rupture ne fut plus amicale. Nous ne nous quitterons pas.

L'amitié n'a pas sa place dans les ruptures. Pas plus qu'elle n'a à justifier des nominations, pas davantage elle n'a à interférer dans les séparations.

La cohésion et l'efficacité sont à ce prix.

Quant aux désaccords, ils peuvent s'exprimer dans les réunions d'arbitrage mais ils ne sauraient se changer en dissidences, sauf à entraîner la rupture. Autant le débat est nécessaire au sein d'une équipe et d'une majorité, autant la division est une plaie qui ne cesse de saigner et qui devient mortelle.

Le prix de la rupture est élevé. Il provoque un rétrécissement politique et inflige une blessure aux protagonistes. Mais le coût de l'incohérence l'est encore davantage. La discorde publiquement étalée détruit la lisibilité de toute l'action gouvernementale et ruine la crédibilité de l'État et donc de son chef.

15

Faire confiance

Macron vous a-t-il trahi ? Combien de fois ai-je entendu cette question… J'ai toujours éludé. Aujourd'hui, je préfère laisser les faits parler d'eux-mêmes. Ensuite, chacun jugera. Je choisis donc de raconter cette histoire aussi franchement que possible. Après tout, elle vaut le détour : c'est l'une des plus étonnantes de la vie politique française, qui n'en manque pourtant pas.

Un jeune homme d'avenir

Il m'avait fait bonne impression. En 2008, Jacques Attali me parle du secrétaire général de la commission mise en place par Nicolas Sarkozy, et qui est chargée de réfléchir à l'avenir du pays. Ce jeune inspecteur général des finances souhaite se lancer en politique et veut rencontrer le premier secrétaire du PS que je suis encore pour quelques semaines. Il s'appelle Emmanuel Macron. Jacques Attali a choisi pour cette rencontre un lieu bien peu socialiste, mais calme et discret, le bar de l'hôtel Bristol près de l'Élysée. Macron est déjà ce qu'il sera plus tard, un homme souriant, vif, rapide, cultivé, qui sait séduire son interlocuteur en devinant vite ce qui sera agréable à son oreille. Tandis que déambulent autour de nous chefs d'entreprises en voyage d'affaires et jeunes touristes en Prada, il m'explique qu'il souhaite s'implanter dans le Pas-de-Calais où il dispose déjà d'une résidence, au Touquet. Je relève que son ambition n'empêche pas les convictions puisqu'il aurait pu se tourner vers la droite qui domine alors la vie politique et gouverne le pays. J'ai su plus tard qu'il avait failli rejoindre le cabinet de François Baroin. Sans doute avait-il décliné la proposition. Le PS a besoin de jeunes talents. Cet énarque littéraire, à l'abord ouvert, à l'esprit aigu, en est manifestement un. Je l'encourage à adhérer à la section locale et à faire ses classes comme militant. Puis je le perds de vue.

Le conseiller vif-argent

Je le retrouve en 2011 quand je prépare ma campagne : Macron, alors banquier d'affaires, s'est proposé auprès de Michel Sapin pour travailler au projet que je défendrai pour la présidentielle. Je le revois chez lui, dans le XVe arrondissement, où il a organisé un de ces dîners où se rencontrent personnalités de l'économie, de la culture et de la politique, permettant de tisser les liens qui pourront servir plus tard. Il y a là Michel Rocard que lui a présenté Henry Hermand, un de ses amis fortunés et qui semble avoir noué avec Emmanuel Macron une relation étroite. Derrière une apparente réserve, Brigitte Macron excelle déjà dans son attention aux autres et son intelligence des situations.

Je pressens chez lui un talent rare pour réunir des gens de sensibilités différentes. Après la primaire socialiste que je remporte, il rejoint mon équipe sous la houlette de Pierre Moscovici. Il participe à l'élaboration des propositions budgétaires et fiscales et au chiffrage d'ensemble du programme, tout en poursuivant son travail à la banque Rothschild où il mène une carrière que l'on annonce brillante.

Une fois élu, je constitue le cabinet de l'Élysée. Je choisis le préfet Pierre-René Lemas comme secrétaire général. Je le connais depuis mon passage à l'ENA dans cette promotion Voltaire appelée à une certaine notoriété. Il a le sens de l'État et une bonne expérience de ses rouages. Pour le seconder, je parie sur Emmanuel Macron qui accepte ma proposition. Je remarque qu'il abandonne un salaire mirobolant chez Rothschild pour un traitement dix fois moindre auprès de moi, ce qui plaide en sa faveur. Mais peut-être ce sacrifice était-il aussi un investissement d'avenir…

Emmanuel Macron se révèle un conseiller hyperactif, dormant peu et recevant beaucoup, s'intéressant à tout, sans œillères, formulant des vues originales, détonant par sa liberté d'esprit au sein de l'administration. Il faut parfois le retenir dans son élan. Il croit volontiers que tout dossier peut être réglé dès lors qu'on s'y attaque avec fougue, que tout risque de conflit peut être surmonté par un dialogue direct entre personnes de bonne foi, que toute difficulté peut être dépassée par une forme d'impétuosité. Il est sûr que le réel se pliera de bonne grâce à sa volonté dès lors qu'elle s'exprime. La vie est parfois plus décevante. Mais tout en tenant la bride, je l'encourage.

Son point fort est le réseau de relations qu'il met beaucoup de soin à tisser autour de lui, ce qui le rend précieux dans les négociations et les contacts informels que tout gouvernant doit entretenir. Il brille à l'oral, ce qui lui évite de recourir à l'écrit. Il a le sens de la formule, ce qui lui permet de ne pas s'encombrer des détails. Il use et parfois abuse de sa liberté de parole, ce qui éveille l'intérêt des médias qui en font vite un sujet de portraits. Il dispose d'un capital de confiance auprès du patronat qui a déjà ouvert les hostilités avec le gouvernement.

Enjoué, tactile, il a le tutoiement facile et une tendance à embrasser ses visiteurs comme du bon pain, y compris Pierre Gattaz qui n'en demandait pas tant, ce qui ne laisse pas à chaque fois de me surprendre. Son énergie et son dynamisme lui valent quelques inimitiés chez certains de ses collègues de l'Élysée. Mais son sourire et son entregent apaisent bien des tensions. Il marche déjà plus vite que les autres. Il intervient sur les dossiers industriels les plus sensibles. Avec Pierre Moscovici et les ministres concernés, il joue un rôle important dans la préparation du pacte de responsabilité.

À la nomination de Manuel Valls à Matignon, à la fin du mois de mars 2014, le nouveau Premier ministre suggère de promouvoir de jeunes talents. Il songe à Emmanuel Macron. Je lui réponds que je préfère nommer, à ce stade du quinquennat, des hommes ou des femmes dotés d'une expérience politique. Je pense alors que Macron pourrait succéder à Pierre-René Lemas au poste de secrétaire général de l'Élysée. Il l'a secondé pendant plus de deux ans. Il a pris un ascendant certain sur l'équipe. Il s'est fait remarquer à son avantage au sein de l'État comme à l'extérieur. Mais au même moment Jean-Pierre Jouyet, le directeur général de la Caisse des Dépôts, me fait savoir sa disponibilité. Il a toutes les qualités, outre l'indéfectible amitié qu'il me témoigne, pour occuper cette responsabilité. Emmanuel Macron, qui lui doit beaucoup, accepte de travailler sous son autorité. Mais il m'informe qu'il quittera l'Élysée à l'été. Il a décidé de changer de voie. Il m'explique qu'il n'a guère de projet pour la suite mais qu'il a besoin de souffler et de voyager.

Ce qu'il me doit

Moins de deux mois plus tard, le départ d'Arnaud Montebourg et de Benoît Hamon du gouvernement m'oblige à une nouvelle organisation gouvernementale. Avec Manuel Valls, je passe en revue les solutions possibles. Je souhaite donner du souffle, de la nouveauté et de la diversité au gouvernement, sans altérer sa stabilité. Nous tombons vite d'accord pour nommer Fleur Pellerin au ministère de la Culture et Najat Vallaud-Belkacem à l'Éducation nationale. À Bercy, Manuel Valls propose Gérard Collomb dont les positions sur l'économie sont proches des siennes. Je suis enclin à confier l'ensemble du ministère à Michel Sapin dont l'expérience et la fidélité me sont précieuses. Valls plaide alors pour un homme ou une femme jeune, qui connaisse bien les enjeux technologiques et puisse favoriser l'attractivité de notre pays. Le nom d'Emmanuel Macron me vient à l'esprit et je l'appelle sur le champ : il est en vacances au Touquet où il fait du vélo avec Brigitte. Sans se démonter, il demande à diriger aussi le ministère des Finances, ce que je refuse : il aura l'Économie. Il demande alors une heure de réflexion, invoquant la nécessité de consulter ses proches. Puis il accepte la proposition. Il rejoint Paris en toute hâte et dort chez Bernard Cazeneuve, au ministère de l'Intérieur, pour éviter la meute des journalistes qui campent déjà devant sa porte. À cette époque, « le vieux monde » était pour lui accueillant et fraternel…

Sa nomination est bien perçue. Dans un secteur qui lui est familier, il s'attelle à l'écriture de la loi Croissance, qu'Arnaud Montebourg a mise sur les rails. Elle est destinée à assouplir la réglementation de plusieurs professions et à favoriser l'activité et l'embauche là où la concurrence est inutilement bridée. Sans oublier le sujet délicat du travail du dimanche. Il tient des propos iconoclastes sur les 35 heures ou sur la fonction publique qui attirent l'attention sur lui et suscitent les compliments à droite et l'agacement à gauche. Soucieux de cohérence, je lui demande de rester dans son couloir. Il me promet de s'y tenir. Mais il prend goût à la popularité qui s'esquisse et à la notoriété soudaine qu'il acquiert, y compris par ses débordements. À ce moment, il a le soutien de Manuel Valls, qui pense tenir avec lui un allié pour gagner la confiance des entreprises. À la fin du mois de janvier 2015, il présente son texte devant le Parlement. C'est son baptême du feu et je veux qu'il soit réussi. Il doit convaincre la majorité socialiste et montrer aux Français que la réforme conciliera efficacité et justice, avec le dialogue social comme méthode. Il ne ménage pas sa peine et prend un plaisir non dissimulé à faire vivre le débat parlementaire sur le projet de loi qui porte désormais son nom. Son entregent et son habileté lui gagnent la sympathie des députés qui travaillent avec lui. C'est là qu'il rencontre des élus socialistes qui sont aujourd'hui ses proches, même s'ils se situaient jusque-là, avec une grande rigueur doctrinale, à la gauche du Parti socialiste.

Il me rend compte régulièrement de son travail et des amendements qu'il accepte pour enrichir son texte. Souvent j'arbitre en sa faveur quand il s'oppose à certains de ses collègues au sein du gouvernement. Parfois je le recadre quand il va trop loin. Sur mes instances, Christiane Taubira adopte un esprit bienveillant à son égard, alors même que la réglementation des professions de justice que Macron prévoit de réformer relève de son ministère.

À l'Assemblée nationale, malgré des centaines d'heures de discussions, le groupe socialiste est loin d'être unanime. Nous sommes en février 2015. La contestation porte davantage sur l'assouplissement du travail dominical que sur la réforme des prudhommes, qui figure pourtant dans le texte et deviendra plus tard une pomme de discorde à gauche. Une poignée de frondeurs saisissent cette occasion pour marquer leur distance avec ma politique économique. Ils sont prêts à mêler leur voix à celles de la droite, tandis que le centre se réfugie dans l'abstention. Pour la première fois depuis 2012, un texte présenté par le gouvernement risque d'être rejeté par l'Assemblée nationale.

Intrépide, Emmanuel Macron propose d'aller au vote. Il se fait fort de rallier les derniers indécis. Plus inquiets, le président de l'Assemblée nationale, Claude Bartolone, et le président du groupe socialiste, Bruno

Le Roux, ont fait leurs comptes. La majorité peut être acquise mais de quatre à six voix. Nous risquons le rejet. Manuel Valls suggère alors d'entreprendre d'ultimes tractations mais d'envisager aussi un recours à l'article 49-3 de la Constitution si les autres voies se ferment. Je convoque un Conseil des ministres qui autorise le gouvernement à utiliser cette procédure. Emmanuel Macron m'exprime sa déception. Il a cru jusqu'au bout qu'il pourrait recueillir une majorité, y compris avec l'apport de voix venues de la droite et du centre. Ce qu'il réussira plus tard dans d'autres circonstances...

Frondeurs pour Macron

Ironie cruelle : en ne votant pas sa loi, les députés frondeurs auront donné à Emmanuel Macron le prétexte de sa transgression. Ils auront signé ce jour-là leur propre disparition.

Emmanuel Macron a pensé que le recours au 49-3 avait été conçu par le Premier ministre pour l'empêcher de glaner les lauriers d'un débat parlementaire réussi. Il s'en était plusieurs fois épanché auprès de moi. Rien n'est plus inexact. J'ai décidé du 49-3 dans un seul but : sauvegarder les acquis d'un texte auquel on pouvait juste reprocher d'embrasser tellement de sujets que l'on n'en voyait plus la cohérence. Cette réforme me tenait à cœur. Elle modernisait des professions trop rigides, elle lançait le choc de simplification que j'avais annoncé, elle prévoyait de grands travaux d'infrastructures, elle cédait utilement plusieurs participations de l'État dans des entreprises qui avaient perdu leur intérêt stratégique, elle assouplissait enfin des normes qui n'apportaient aucune protection aux travailleurs. Ce qui comptait avant tout pour moi, ce n'était pas de brider Emmanuel Macron, c'était de hâter le retour de la croissance.

À l'été 2015, le jeune ministre a pris de l'assurance et s'aventure sur un terrain plus politique. Dans un hebdomadaire, il affirme que la France vit dans une nostalgie implicite de la monarchie, que la disparition du roi a laissé une place vide au sommet de l'État. Je n'y vois pas malice. Je ne crois pas que la France ait besoin d'une nouvelle monarchie, serait-elle élective. Je mets cette idée sur le compte de son goût pour les débats d'idées. Pourtant, rétrospectivement, cette dissertation éclaire bien la pratique du pouvoir qu'il met en œuvre depuis son élection.

Fidèle compagnon dont l'honnêteté ne le conduit jamais à l'acrimonie, Stéphane Le Foll vient me mettre en garde contre les écarts de son collègue. Macron est trop présent dans les médias, me dit-il, il irrite au sein du gouvernement. Il s'affranchit de la solidarité nécessaire au sein d'une équipe, sur le plan politique et sur le plan humain. Je l'écoute. Il dit vrai. Mais je fais valoir que c'est aussi l'expression de la diversité de la majorité. La séduction que Macron exerce auprès des entrepreneurs, le dynamisme qu'il déploie pour porter la marque France à l'étranger, la confiance qu'il inspire chez les investisseurs, peuvent être des atouts pour favoriser l'emploi et accélérer la reprise. À condition que cette énergie soit mise au service de l'objectif que nous nous sommes collectivement fixé pour 2017.

Je fais confiance. C'est un principe. La méfiance fait perdre temps et énergie. Je ne cherche pas à lire les arrière-pensées. Les pensées me suffisent. Je n'ai pas cette conception des rapports politiques où il faudrait chaque jour me retourner pour parer des coups de poignard ou vérifier si derrière chaque porte ne s'ourdit pas un complot. Je vois bien les manœuvres, les combinaisons, les appétits. Mais je crois aussi à la fidélité, à la conviction, au destin commun. Alors si la chevauchée d'Emmanuel Macron, que j'ai favorisée, fait coïncider une ambition légitime avec l'intérêt commun, pourquoi pas ? Au début du mois d'août 2015, j'invite dans les jardins de l'Élysée Manuel Valls, Bernard Cazeneuve, Emmanuel Macron et Jean-Pierre Jouyet et leurs épouses. L'atmosphère est détendue. Macron et Cazeneuve rivalisent de drôlerie. Nous rions tous sans retenue, à cent lieues des conflits qui vont marquer la suite de notre vie commune.

Naissance d'une ambition

À l'automne Macron se sent un peu désœuvré. Il souhaite préparer une deuxième loi portant son nom, destinée cette fois à assouplir le marché du travail, à faciliter la création d'entreprises et à mobiliser l'épargne en faveur de l'économie. Son projet servait notamment à favoriser l'embauche, à améliorer la négociation au plus près des réalités de l'entreprise mais aussi à assurer une plus grande protection à ceux que l'évolution technologique contraint à changer d'emploi.

C'est François Rebsamen, le ministre du Travail, qui a la responsabilité de ces sujets au sein du gouvernement. À une large majorité, il vient de faire voter une loi sur le dialogue social qui est une étape supplémentaire dans l'évolution du droit du travail. La disparition soudaine de son successeur à la mairie de Dijon l'oblige à quitter précipitamment le gouvernement pour retrouver sa ville et se mettre en conformité avec la règle du non-cumul. Toujours sur la brèche Emmanuel Macron me fait savoir qu'il est prêt à reprendre ce ministère en plus de celui de l'Économie. Mais ses déclarations dans la presse sur le temps de travail et l'assouplissement des règles en matière de licenciement ont irrité les organisations syndicales les plus ouvertes à la négociation. De plus, l'idée d'ajouter au ministère de l'Économie les attributions du Travail me semble un projet baroque qui va désorganiser l'appareil d'État sans bénéfices pour l'emploi. Je préfère remplacer François Rebsamen par Myriam El Khomri qui a fait preuve de grandes qualités au ministère de la Ville.

Émergence d'une frustration

Emmanuel Macron en conçoit une amertume supplémentaire. Ses relations avec le Premier Ministre se sont dégradées à la suite des légitimes rappels à l'ordre que le chef du gouvernement lui avait adressés. Je lui demande de me présenter un projet favorisant le développement des PME et le financement de l'économie. Myriam El Khomri sera chargée de la réforme du code du travail.

Les attentats du 13 novembre bousculent cet ordonnancement. Le temps n'est plus à l'examen par le Parlement de nos textes économiques. Il nous faut préparer une loi sur l'état d'urgence et sur la procédure pénale, auxquelles s'ajoute la perspective d'une révision constitutionnelle. Le gouvernement est entièrement mobilisé autour de la lutte contre le terrorisme. Il doit aussi assurer l'organisation de la COP21 qui doit se tenir quelques jours plus tard à Paris. Avec Manuel Valls nous convenons de renvoyer au début de l'année 2016, le projet sur les nouvelles opportunités économiques (NOE) présenté par Emmanuel Macron. Mais faute d'apporter à son propre texte un contenu concret, au-delà de mesures intéressantes sur le numérique et l'épargne, Emmanuel Macron concentre sa réflexion sur la réforme du marché du travail élaborée par sa collègue.

Une réunion décisive se tient sous ma présidence le 16 février à l'Élysée. Nous sommes autour de la grande table du salon vert qui jouxte le bureau du président. Il y a là Manuel Valls, Michel Sapin, Emmanuel Macron, Myriam El Khomri et nos conseillers respectifs. La ministre du Travail présente son projet, il est équilibré. Elle a voulu faire de vraies ouvertures en direction des PME afin de faciliter les embauches. Elle a mon appui : c'est là que sont les gisements d'emplois.

Manuel Valls et Emmanuel Macron s'observent depuis plusieurs mois. Ils se méfient l'un de l'autre, tant leurs positions sont semblables et leurs ambitions contraires. Ils font assaut d'amendements pour aller aussi loin que possible dans la flexibilité, notamment pour la définition du licenciement ou le plafonnement des indemnités prud'homales. Autant de dispositions qui se retrouveront plus tard dans les ordonnances adoptées en août 2017, ce qui prouve une certaine constance du côté du futur président. Je les mets en garde contre cette tentation. Les syndicats réformistes ne pourront pas accepter le texte en l'état et sans eux la bataille pour faire passer la réforme dans l'opinion et au parlement sera bien plus difficile à mener. Ils répondent que le texte suscitera de toute manière l'opposition des frondeurs et celle de la CGT. Tant qu'à provoquer une confrontation, disent-ils, autant l'engager sur une réforme la plus audacieuse possible. J'accepte certaines formulations qui deviendront autant d'objets de négociation. Je devine à cet instant qu'Emmanuel Macron n'est pas mécontent d'être dispensé de défendre ce texte. Aux plus libéraux, il pourra faire valoir qu'il serait allé encore plus loin et qu'il aurait tenu bon. Aux autres, il pourra affirmer que la méthode n'était pas la bonne et que lui aurait trouvé les mots pour convaincre les partenaires sociaux. Il échappe en tout cas à l'impopularité qui va s'abattre sur l'Exécutif et sur la ministre du Travail. Son désœuvrement relatif lui laisse le temps de se consacrer pleinement à la politique.

Bug de communication

Le soir même Myriam El Khomri donne un entretien aux *Échos* dans lequel elle laisse entendre que le gouvernement n'hésitera pas à recourir à l'article 49-3 pour faire passer son projet. C'était annoncer d'emblée un passage en force, avant même le débat parlementaire. Je reçois la version de son entretien à 19 h 30 pour une parution le lendemain. Je m'étonne. Elle m'assure que ce passage n'a pas été écrit par elle mais par Matignon. Elle dit vrai. Je demande alors qu'on revienne à la formule initiale qui fait silence sur le

49-3. Trop tard, le texte est déjà à l'imprimerie. Il est même sorti dans sa version numérique. Qui a pris le risque d'allumer cette mèche ? Un conseiller du Premier ministre ? Manuel Valls lui-même ? Toujours est-il que cette maladresse suscite aussitôt une réaction courroucée des parlementaires et une émotion inutile parmi les responsables syndicaux. Pourquoi diable agiter ce chiffon rouge ?

Je le dis tout net au Premier ministre avant de m'envoler pour un voyage officiel en Amérique latine. Comme je le redoutais le débat sur le projet El Khomri prend un tour de plus en plus tendu. À mon retour, je demande à Manuel Valls de reprendre le texte et d'en ôter les dispositions qui ont irrité les syndicats réformistes. Je reçois Pierre Gattaz pour l'informer des modifications que j'ai décidées. Le barème des indemnités prud'homales ne sera pas un cadre contraignant mais seulement une référence pour l'intervention du juge. Les accords dans les PME devront être conclus avec un représentant des syndicats. Le périmètre pris en compte pour apprécier la pertinence des licenciements économiques ne sera plus limité à la France. Le Medef retire le soutien intempestif qu'il avait accordé à la première version du projet. Emmanuel Macron y voit des reculs néfastes et semble de plus en plus décidé à jouer sa partie en solitaire.

La mise en marche

Au début de l'année 2016, on m'indique qu'Emmanuel Macron est disponible pour Matignon. Dans le cadre d'un remaniement « post-attentats », sa nomination ferait souffler un vent nouveau et symboliserait l'esprit de consensus nécessaire à la période. J'écarte d'emblée ce scénario, non par défiance envers lui mais parce que j'estime que Manuel Valls remplit loyalement son rôle et que je ne dois pas bouleverser l'équipe qui avait tenu le choc du terrorisme. Ai-je ainsi encouragé Emmanuel Macron à nourrir une ambition plus haute ? C'est possible, tant celle-ci devenait de plus en plus visible.

En mars 2016, Emmanuel Macron vient me voir un dimanche soir à l'Élysée. Il est détendu mais déterminé. Il veut me parler politique. C'est la première fois. Choisissant soigneusement ses mots, il m'annonce qu'il va fonder sous sa bannière un mouvement destiné à animer le débat d'idées et à mobiliser nos soutiens. Ce n'est pas un nouveau parti, dit-il, c'est un réseau. Il ne concurrencera pas le PS. Il en a au demeurant prévenu, me dit-il, le premier secrétaire Jean-Christophe Cambadélis. Il dispose de temps puisqu'il n'a plus de textes à défendre au Parlement, et il en a l'envie. Il ajoute qu'il sent dans le pays « une disponibilité ». Son but, m'affirme-t-il, est d'élargir la majorité et d'ouvrir des passerelles avec le centre qui pourraient être utiles pour les échéances à venir.

J'en informe Manuel Valls qui me met en garde. Il a compris que cette émancipation n'avait pas de limites et qu'Emmanuel Macron ne s'estime retenu par aucun lien de solidarité. Pourtant je décide encore une fois de lui faire confiance. Naïveté ? Certainement pas. Je m'appuie sur un raisonnement qui me semble solide. Un an avant la présidentielle, alors que nous ne sommes pas sortis des débats sur la loi El Khomri, je n'imagine pas qu'Emmanuel Macron puisse préparer une candidature. La droite occupe un large espace. Après avoir remporté les municipales, elle vient de gagner les départementales et les régionales et se prépare à organiser des primaires dont le vainqueur est déjà présenté comme le futur président. Quant à la gauche, déjà divisée, elle ne paraît pas prête à se donner à un homme providentiel. Si Emmanuel Macron plaît incontestablement au centre, j'ignore tout de ses rapports avec François Bayrou. Son mouvement peut constituer une force d'appoint utile pour 2017 et j'imagine que la formation qu'il s'apprête à lancer vise, au mieux, à préparer une candidature pour 2022. Je n'écarte pas complètement l'idée qu'il puisse concourir dès le prochain scrutin sous ses propres couleurs, mais seulement si d'aventure je décidais de passer la main. Je ne laisse rien paraître. J'ai toujours considéré que les réalités rappellent les plus téméraires à la raison. Mon expérience de la politique ne laisse guère de place à la candeur mais je ne décourage pas une initiative quand je la crois sincère et utile. Emmanuel Macron me la présente ainsi.

« Je n'ai jamais dit ça ! »

La règle veut que tout ministre soumette à Matignon et à l'Élysée les entretiens qu'il donne à la presse. Emmanuel Macron n'y déroge pas mais oblige Manuel Valls à un travail de réécriture qui finit de l'exaspérer. Je suis moi-même obligé de prendre mon crayon pour biffer telle ou telle formule et l'obliger à s'y tenir. La situation déjà insupportable prend un tour invraisemblable. Dans les interviews qu'il accorde, ses réponses révèlent une autonomie qui prend, en filigrane, la forme d'une rupture. Il fuit devant les questions qui l'obligent à marquer sa solidarité, il s'abstient d'afficher clairement ses intentions pour 2017. Sans jamais se déclarer lui-même, il va jusqu'à suggérer qu'il pourrait présenter des candidats de son mouvement à toutes les élections à venir. À regret je me rends à l'évidence : il n'est retenu par rien. Il teste nos limites et espère tenir dans cette ambiguïté le plus longtemps possible, tant sa position au gouvernement lui donne une visibilité avantageuse et des moyens non négligeables.

Dans un entretien à France 2 le 14 avril 2016, j'annonce que je ferai connaître ma décision de me présenter ou non pour un second mandat à la fin de l'année. En réponse à une question sur Emmanuel Macron, je dis ce que je pense : « Il sait ce qu'il me doit. » Une semaine plus tard nous effectuons ensemble une visite dans une usine. Macron est tout sourire mais le matin il a donné un entretien au *Dauphiné libéré*. Nous rentrons à l'Élysée où j'ai convoqué une réunion consacrée à l'avenir d'EDF. Sont présents Manuel Valls, Michel Sapin, Emmanuel Macron et moi-même. Gaspard Gantzer, mon conseiller sur la presse, entre alors et me demande si j'ai vu *Le Dauphiné libéré*. Après une réponse négative, Gantzer nous lit des extraits de l'entretien donné la veille. Une phrase où il parle de moi a retenu son attention : « Je ne suis pas son obligé. » J'interpelle Emmanuel Macron.

— Je n'ai jamais dit ça ! s'écrie-t-il.

— Alors le mieux est de publier un démenti.

Il promet de le faire au plus tôt. Une fois seuls dans mon bureau, je demande à Gantzer de vérifier que le communiqué sera publié à temps. Le démenti

337

paraît mais c'est la phrase de Macron à la presse qu'on retient, non sa rétractation. Vaines précautions.

Plus tard, devant moi, Emmanuel Macron proteste de sa bonne foi et de sa fidélité. Livré à lui-même, il avance d'un pas de plus en plus rapide. Était-il sincère, quand il pensait que son aventure n'aurait qu'un temps et qu'elle devrait à un moment ou un autre trouver son point d'atterrissage pour servir, au bout du compte, mon éventuelle candidature ? Ou bien avait-il déjà décidé d'aller jusqu'au bout alors même qu'en cet été 2016 ses chances de gagner paraissent faibles ou nulles ? Ses partisans, en tout cas, ne faisaient pas mystère de leurs intentions.

Au début de juillet un incident insignifiant mais éclairant me met de nouveau en éveil. Emmanuel Macron m'a convié avec Jean-Pierre Jouyet et Sylvie Hubac, la présidente du Grand Palais, à visiter l'exposition « Carambolages ». Jean-Hubert Martin, le conservateur du musée, a réuni des œuvres contemporaines qu'il a mises en résonance dans un accrochage original. À la sortie, nous nous dirigeons vers le quai de la Seine pour prendre place à bord de la navette de Bercy. Sur le chemin Macron salue les passants comme je le fais, avec une assurance nouvelle comme s'il était déjà en campagne. Au bord de l'eau, il prend quelques minutes pour parler avec un de ses amis, qui habite dans une péniche amarrée non loin de là. C'est Gérard Feldzer, un ami de Nicolas Hulot, membre du Modem et spécialiste d'aéronautique. Macron se met en frais. Feldzer réagit comme s'il était déjà l'un de ses soutiens. À l'automne 2017 cet ami du président fera partie des trois experts qui rédigeront un rapport sur l'aéroport de Notre-Dame-des-Landes. Enregistrant malgré moi tous ces détails, je monte à bord de la navette et nous voguons jusqu'à l'imposant bâtiment de Bercy. Au dîner, Stéphane Bern nous rejoint, lui aussi un ami d'Emmanuel Macron. La conversation suit son cours, roulant sur les sujets du jour, comme dans tant de dîners parisiens, légers et cordiaux. Puis soudain Stéphane Bern, qui a longtemps animé sur France Inter une émission appelée « le Fou du roi », se tourne vers Macron et il lance d'un ton goguenard : « Alors, qui sera candidat à l'élection présidentielle ? » En présence du président en place, cette question a quelque chose d'insolent et aussi, en fait, de prémonitoire. Un silence s'établit soudain. Emmanuel Macron affiche un visage gêné, comme si des plans secrets étaient soudain dévoilés. La conversation reprend comme si de rien n'était. Mais pour moi, l'avertissement est clair. Le fou du roi, comme c'est son rôle, a mis au jour une vérité dérangeante...

« Grotesque »

Le 12 juillet Emmanuel Macron convoque ses amis pour un meeting à la Mutualité à Paris. Le bruit court qu'il pourrait saisir cette occasion pour se déclarer. Je l'exhorte à démentir au plus vite la rumeur. Sa réponse est nette : il n'y aurait là que « de la malveillance ». Et il ajoute dans son message : « Mes soutiens diront demain que le 12 ne sert ni à démissionner ni à annoncer ma candidature. Grotesque. Bises. » Mais à la Mutualité, en présence d'une foule qui scande des « Macron président ! », il s'écrie : « Plus rien n'arrêtera le mouvement de l'espoir. Nous le porterons ensemble jusqu'en 2017 et jusqu'à la victoire ! » Le doute n'est plus permis, même s'il m'assure, imperturbable, qu'il n'a pas « personnalisé » la victoire, laquelle pourrait donc être la mienne. Toujours cette façon de nier l'évidence avec un sourire.

Dans les jours qui suivent, on m'informe de ses efforts pour rassembler des soutiens, structurer des réseaux, réunir des financements. Je le convoque donc à la veille du 14 juillet où j'ai prévu selon la tradition de m'exprimer après le défilé militaire. Je serai forcément interrogé sur sa présence au gouvernement. Manuel Valls me conseille vivement de m'en séparer. J'ai à l'esprit ce que, dans une circonstance semblable, Jacques Chirac avait dit de Nicolas Sarkozy, toujours un 14 juillet : « Je décide, il exécute. » J'annonce à Emmanuel Macron que sa démarche, si elle se confirme, est incompatible avec ses responsabilités ministérielles et qu'il devra quitter le gouvernement. Il m'assure que sa mission est loin d'être achevée. Du travail l'attend encore. Il cite le dossier de Hinckley Point, une centrale nucléaire qu'Areva doit construire en Grande-Bretagne. Dans mon intervention à la télévision je rappelle donc clairement les règles de la solidarité gouvernementale qui n'est pas compatible avec la direction d'un mouvement politique. Il sait que c'est le point ultime.

Le soir, l'attentat de Nice nous rappelle à l'essentiel : le terrorisme continue de nous mettre au défi. Je n'ai pas d'autre priorité. Durant les congés que j'ai donnés au gouvernement, j'apprends que Macron approche des élus pour solliciter leur soutien dans l'hypothèse de sa candidature. Ils viennent eux-mêmes me montrer les messages qu'il leur envoie. Je lui demande aussitôt des explications et note son embarras. Quelques jours plus tard, questionné sur son éventuelle candidature, il répond qu'il ne fait pas de politique-fiction. Cette réponse évasive est d'une limpidité totale : la rupture est consommée. Ce n'est plus qu'une question de date.

Il me demande un rendez-vous. Je le reçois le 23 août. Il me fait part de ses réflexions. Il a accompli l'essentiel de sa tâche. Ses rapports avec le Premier ministre sont de plus en plus tendus et ses relations avec ses collègues de plus en plus difficiles. Il veut désormais, dit-il, « construire une nouvelle offre politique ». Je lui rappelle que si je l'ai appelé au gouvernement, c'est pour être utile au pays jusqu'au dernier jour, qu'il y a toujours des initiatives à prendre, des actions à mener pour servir les Français. Je lui demande de bien mesurer l'effet de sa décision. Rien n'y fait. Le 30 août, après un ultime entretien, il annonce qu'il quitte le gouvernement pour se consacrer à son mouvement En Marche.

La suite est connue. La conclusion est simple. Elle renvoie au fondement de l'engagement politique. J'ai pour principe de faire confiance et de croire dans les démarches collectives. Je sais d'où je viens, à quelle histoire j'appartiens et quelles valeurs je défends. D'autres croient que dans le ciel ne luit qu'une seule étoile, la leur, que tout est affaire de chances et de circonstances, et qu'ils ne sont liés à rien ni à personne. J'ai toujours admis la compétition politique. Mais je pense qu'elle doit se livrer au grand jour et s'assumer franchement. Convenons que ce ne fut pas le cas.

Président, j'ai été celui de tous les Français mais je n'ai pas cessé de me situer dans un camp, celui du progrès. C'est ce qui a été appelé « l'ancien monde ». C'est le mien. Il a de l'avenir.

16

Renoncer

La chose paraît invraisemblable, pourtant elle est vraie : un président, aussitôt élu, ne pense pas qu'à sa réélection. Il utilise chaque précieux jour de son mandat pour travailler à la réussite du pays. C'est de cette action résolue, et non d'une obsession tactique qui paralyserait toute réforme, qu'il peut espérer sa reconduction. Il doit accepter son lot d'impopularité. Inutile de s'en soucier, d'ailleurs : elle vient d'elle-même. Il doit surtout subir une dose élevée de critiques acerbes, de railleries insolentes et d'interpellations injustifiées, ce qui lui permet de mieux apprécier les compliments. Leur rareté fait leur valeur. Il doit avant tout considérer comme un honneur, plus qu'un bonheur, le fait d'assumer la charge d'un pays qui est au cœur du concert des nations et qui peut parler au monde sans craindre l'indifférence.

Porté par le suffrage universel, il dispose de la légitimité la plus incontestable, même si elle ne l'autorise pas à en abuser. Protégé par les institutions, il bénéficie d'une stabilité qui lui permet de traverser les épreuves et de les dominer. Doté de pouvoirs bien supérieurs à tous ses homologues en Europe, il doit les mettre au service d'une politique cohérente.

Durer pour durer ?

Il ne m'avait pas échappé qu'aucun président, hors les cas de cohabitation, n'avait jusque-là été réélu. Ni Valéry Giscard d'Estaing battu par François Mitterrand en 1981, ni Nicolas Sarkozy, j'en savais quelque chose. Quant à François Mitterrand et Jacques Chirac, ils n'avaient retrouvé la confiance des Français qu'après avoir subi une cohabitation doublement exceptionnelle. La première, parce que c'était la première. La seconde parce qu'elle avait duré tout un quinquennat.

Dès mon accession à la présidence, j'avais tenu à garder ma liberté. Je ne vivais pas, je ne gouvernais pas avec le renouvellement du mandat comme seul cap. Je savais trop combien cette pression pouvait entraver toute initiative dès lors qu'elle comportait un danger ou ôter toute audace dès lors qu'elle pouvait heurter une partie de l'opinion, notamment celle qui m'avait accordé ses suffrages. C'est cette liberté, à laquelle les citoyens demeurent totalement imperméables, qui offre au président la capacité de prendre ses décisions dans le seul souci de l'intérêt général. Dire que j'ai ignoré les considérations électorales serait faire preuve d'une candeur que je ne revendique pas. Les réalités politiques ne sont pas vulgaires quand il s'agit de conforter sa majorité et de mettre l'opposition devant ses responsabilités. Mais tout ne se ramène pas à ces calculs.

Cinq ans c'est court. Mais les choix du président s'inscrivent dans une durée qui va bien au-delà de son quinquennat. Ils engagent ses successeurs. Les décisions qu'il prend enjambent les échéances électorales et vont compter pour longtemps. Je pense au lancement des grandes infrastructures, aux chantiers culturels, à l'organisation de notre territoire, aux investissements énergétiques, à la configuration de nos armées… Cinq ans c'est court pour voir les résultats. Il arrive qu'ils ne viennent qu'à la fin. C'est le principal argument qui justifie de solliciter un second mandat. S'y ajoute la volonté de défendre, devant les Français, le bilan de l'action engagée, au risque de la voir s'arrêter tout net en cas de désaveu. J'ai donc eu, comme tous mes prédécesseurs, cette tentation, même si je ne l'ai jamais formulée, y compris auprès de mon entourage, qui me pressait de la faire connaître ou de la laisser suggérer.

Les sondages dont j'étais crédité depuis les premiers mois de mon mandat auraient pu me décourager. Ils ne me dissuadaient pas. J'ai acquis de mon expérience de la vie politique un certain nombre d'enseignements solides concernant les scrutins présidentiels. Ils m'ont conduit à relativiser les enquêtes d'opinion et les pronostics trop tôt établis. Les Français se déterminent dans les dernières semaines de la campagne. Le favori, un an avant, est rarement le vainqueur, s'il parvient même à être candidat. Une campagne présidentielle bien menée, autour d'un thème capable d'entraîner le pays, avec une claire définition de l'enjeu, peut renverser prévisions et anticipations, d'autant que la volatilité des intentions de vote n'a de cesse de s'amplifier avec le temps. Au point que ce sont maintenant les indécis qui font la décision.

Alors que s'est-il donc passé pour que j'en arrive à renoncer, le 1er décembre 2016, à être candidat à l'élection présidentielle ? Je n'avais en rien abdiqué. Je n'étais ni las, ni découragé. Les épreuves m'avaient marqué mais les blessures étaient mon armure. Encore fallait-il être en position de me représenter, encore fallait-il que les conditions en soient réunies. Elles ne le furent point. Pourquoi ? C'est ce que je veux expliquer ici.

L'affaire de l'inversion

À plusieurs reprises, et de manière solennelle, j'avais subordonné ma candidature à l'inversion de la courbe du chômage. On m'avait aussitôt dit que je me fourrais dans un piège, que cette promesse était inutile et dangereuse, que l'évolution de l'emploi était imprévisible, qu'elle dépendait en grande partie de facteurs extérieurs sur lesquels je n'avais guère de prise ; bref, que je m'étais enfermé dans une nasse. J'ai toujours écarté ces objections. Le chômage est le mal principal de notre société. Aux yeux des Français, sa montée ou sa réduction demeure le principal critère de la réussite d'un président. Comment pouvais-je espérer les convaincre une deuxième fois alors que j'aurais échoué à atteindre cet objectif essentiel la première fois ? Depuis 1981, et faute d'avoir diminué substantiellement le chômage, toutes les majorités ont été désavouées par le suffrage universel, la gauche en 1986, la droite en 1988, la gauche de nouveau en 1993, la droite en 1997. En 2007, Nicolas Sarkozy avait joué la rupture avec son prédécesseur Jacques Chirac, qui l'avait pourtant accueilli dans son gouvernement. La seule exception à cette loi générale est la défaite de Lionel Jospin à l'élection présidentielle alors que près de deux millions d'emplois avaient été créés et que le chômage avait reculé. D'autres facteurs étaient intervenus notamment la division de la gauche. Il fut écarté lui aussi en 2002.

Pourtant ce n'est pas cette promesse risquée qui explique mon renoncement. Pour une raison simple, c'est qu'elle a été tenue : dès 2015, l'économie française a commencé à recréer des emplois à un rythme supérieur à celui d'avant la crise. En 2016, le taux de chômage calculé par l'INSEE est revenu à 9,2 % de la population active, soit un chiffre inférieur d'un point à celui que j'avais trouvé en arrivant. Il était clair à l'été 2016 que le nombre des demandeurs d'emploi, calculé sur trois mois, six mois ou un an, était orienté à la baisse. Mes choix économiques étaient validés : la croissance retrouvait un rythme annuel proche de 2 % (contre zéro à mon arrivée), l'investissement reprenait grâce au rétablissement des marges des entreprises, le déficit public revenait à 3 % du PIB. Le résultat était tardif – j'avais prévu à l'origine un renversement de la tendance pour 2014 – mais il était bien là.

Par-delà l'impopularité

Mon impopularité n'était guère encourageante. J'en tenais évidemment le plus grand compte. Elle avait des causes dont je n'ignorais rien de la profondeur. Les efforts demandés aux Français, au début du quinquennat, avaient entamé d'emblée la confiance. Puis la lenteur avec laquelle le redressement s'était opéré dans une conjoncture européenne déprimée nous avait privés de la démonstration limpide de notre réussite ! S'y étaient ajoutées les multiples contestations au sein de notre propre camp, avec les départs fracassants de plusieurs ministres en août 2014, puis avec les incartades de plus en plus destructrices des « frondeurs ». Certes, notre attitude aux lendemains des attentats au cours de l'année 2015 nous avait valu un crédit élevé dans l'opinion pendant les mois qui avaient suivi. Il fut peu à peu entamé par la polémique sur la déchéance de nationalité et les protestations contre la loi travail. Le mouvement Nuit Debout signait également l'éloignement d'une partie de la jeunesse par rapport à la politique. Mais à l'été les passions étaient retombées. La déchéance de nationalité avait été retirée et la loi El Khomri votée. La majorité avait tenu bon et le gouvernement poursuivait sa tâche. Le vote du budget avait été obtenu sans encombres et la croissance permettait de consentir des baisses d'impôts qui amélioraient le pouvoir d'achat.

Plus inquiétante était l'aspiration au grand chambardement, ce mouvement encore hésitant qui menaçait de souffler en tempête. La perspective de voir se répéter le duel de 2012 Sarkozy-Hollande suscitait un rejet massif. Personne ou presque ne souhaitait revoir la même pièce avec les mêmes acteurs. Partout il n'était question que du refus du système, du discrédit des partis et, donc, du renouveau attendu qui « dégagerait » les occupants successifs du pouvoir. Là aussi, je me gardais de céder à l'humeur. Je la sentais mauvaise et vindicative. Mais je connais les Français. Ils veulent toujours du neuf mais ne choisissent la nouveauté que par défaut.

Non, ce ne sont pas ces considérations dont chacune aurait pu me dissuader – mais qui toutes me stimulaient – qui ont gouverné mon choix. Ce sont des raisons éminemment politiques.

Le piège de la primaire

Elles concernent au premier chef la gauche. Au début de 2016, plusieurs responsables lancent un appel en faveur d'une primaire de toute la gauche. L'intention affichée est louable : désigner un candidat unique par un scrutin préalable qui évite la dispersion des suffrages au premier tour de la présidentielle et qui autorise à coup sûr la qualification au second. Mais très vite l'opération montre son véritable visage : susciter un mouvement qui viendra me mettre en minorité et organiser une alternative au cours réformiste de ma politique. Il ne s'agit pas de rassembler la gauche mais de la remplacer par une autre : la pure contre l'impure. Dans cette surenchère il y en a toujours qui refusent le marché. Jean-Luc Mélenchon fait rapidement connaître qu'il n'en sera pas. On en comprend mieux les motivations aujourd'hui : l'unité et le rassemblement n'appartiennent pas à son vocabulaire. Il veut être « le seul ». Les chefs de file d'Europe-Écologie-les-Verts annoncent qu'ils organiseront, eux aussi, leur consultation. On en a oublié le résultat. Je m'aperçois alors que ces primaires dites de toute la gauche ne concerneront, en fait, que les socialistes.

Faut-il dès lors accepter une procédure réduite à un seul parti et qui obligera le président sortant à s'y soumettre, ce qui est inédit sous la Ve République ? Plusieurs arguments me conduisent néanmoins à laisser le PS préparer cette consultation prévue pour le début de l'année 2017. D'abord elle est inscrite dans les statuts du parti. C'est regrettable mais c'est ainsi. Ses rédacteurs en 2010, sous l'autorité de Martine Aubry, n'avaient peut-être pas intégré l'hypothèse que nous puissions gagner la présidentielle. Ils n'ont donc pas pensé qu'il serait périlleux de mettre le chef de l'État, issu de leurs rangs, dans cette fâcheuse position.

Il était possible, pour des raisons politiques, de nier cette réalité juridique. Mais les frondeurs, qui sont aussi des plaideurs, menacent les dirigeants du PS d'une action en justice. Le ridicule s'ajoutant à la ruse, tout cela en dit long sur leurs intentions. Il ne peut être question de soumettre à des magistrats le bien-fondé de la règle à laquelle le président de la République devrait se conformer ! L'absurdité rejoint l'invraisemblance.

Certes, les primaires du PS en novembre 2011 ont été un succès. Elles ont mobilisé plus de 3,5 millions de citoyens, essentiellement des sympathisants socialistes. Sans interférences d'électeurs issus d'autres formations politiques. Les débats à la télévision ont été bien tenus, le comportement des candidats maîtrisé et le résultat scrupuleusement respecté. Ce précédent sert de référence. C'est pourtant une erreur : en 2016, la primaire a changé de nature.

La droite s'est ralliée elle aussi à l'idée. Ce qui traduit ses divisions : elle n'a rien trouvé de mieux que cette méthode, éloignée de l'esprit du gaullisme, pour départager ses prétendants. Je n'ai d'ailleurs toujours pas compris pourquoi Alain Juppé s'y était rallié alors qu'il caracolait en tête des sondages et qu'il était pour ainsi dire sacré avant l'heure. Sans doute parce qu'il se croyait sûr de les gagner.

La majorité peut difficilement ignorer cette aspiration démocratique quand l'opposition lui donne toute sa place. Il faudrait un mouvement d'opinion spontané et puissant pour que le président sortant soit exonéré de cette épreuve. Elle est pourtant destructrice puisque je devrai, dans ce cas, participer à égalité de temps de parole avec six ou sept autres à une campagne où l'on ne pourra se distinguer qu'en critiquant l'action du président sortant. Au prétexte de lui donner une légitimité supplémentaire, tout est fait pour l'écarter et si par miracle il en sort victorieux pour offrir sur un plateau à ses adversaires les arguments qui leur permettront de le battre.

L'offensive Macron

Je n'ai pas encore perdu espoir. « Ça va mieux », comme je l'ai annoncé en avril 2016 par une formule que certains ont jugé péremptoire, d'autres prémonitoire. Je suis sûr qu'une défense opiniâtre de mon bilan, alliée à la définition d'un projet crédible pour les cinq années à venir, peut, au feu d'une campagne menée contre une droite à la fois très libérale en matière sociale et conservatrice en matière sociétale, justifier ma candidature. Je développe mes idées au début de l'été, lors d'une réunion publique tenue au théâtre du Rond-Point, avec un certain écho. Un meeting salle Wagram en octobre montre que mes arguments sont solides et que l'idéal social-démocrate reste fort au sein de la gauche.

À la fin de l'été, conscient que l'étau risque de se refermer sur lui avec une droite dont la victoire est promise et une gauche de gouvernement qui resserre les rangs, Emmanuel Macron décide d'accélérer. C'est ainsi que je comprends son départ précipité du gouvernement. Lors de notre ultime entretien le 30 août 2016, dans le bureau que j'occupais exceptionnellement au rez-de-chaussée du palais pour cause de travaux dans le salon doré, il m'annonce qu'il veut retrouver sa liberté. Je lui demande ce qu'il fera si je me déclare. Il entre dans un développement emberlificoté sur une « offre politique » qui exprime bien plus la gêne que l'ambiguïté. Sa non réponse en est une. Qu'a-t-il à perdre ? Je comprends ce jour-là qu'Emmanuel Macron ne s'inscrit pas dans l'histoire de la gauche, pas davantage dans celle de la social-démocratie, ni même dans une recomposition qui pourrait préfigurer une coalition progressiste. Il est à son compte. Il a créé une entreprise : il entend la mener le plus loin possible.

Je lui donne mon analyse de la configuration politique en cette rentrée, une extrême droite en tête des sondages, une droite unie disposant d'un capital reconstitué par ses victoires et une majorité éclatée entre plusieurs candidats. Il n'y a d'espoir pour personne, ni lui ni moi, de figurer au second tour de l'élection présidentielle. Certes, il peut tenter de me dissuader. Mais un autre socialiste prendra ma place. Peut-il imaginer, à cet instant, la dévitalisation électorale de cette candidature et la disqualification morale du prochain vainqueur de la primaire de la droite ? À moins d'être un devin, il n'y a pas de chemin. Pas même celui de la volonté. Seulement un espace qui peut être ouvert par des circonstances exceptionnelles. Il veut jouer jusqu'au bout la partie, sans en craindre les conséquences et sans être retenu par quelque sentiment. Surtout pas la reconnaissance. Il a fait un pari. Il laisse à d'autres le soin d'en supporter le prix. Il est parti. Pas seulement, ce jour-là, du seul gouvernement. À Bobigny, le 16 novembre, il annonce sa candidature. Il m'en prévient la veille par un message. Je participe alors à la COP22 à Marrakech. Sachant que je dois faire connaître ma décision avant la fin de l'année, il a décidé de précipiter le mouvement.

Un président pouvait dire ça

Entre-temps, un livre d'entretien retraçant les points saillants de mon quinquennat paraît en librairie, signé par les journalistes du *Monde*, Gérard Davet et Fabrice Lhomme. Le principe de cet ouvrage avait été fixé au lendemain de la victoire de 2012. Conçu à l'origine pour suivre les premiers cent jours de mon installation, il avait ensuite été prorogé avec mon accord. Il était convenu que, par des échanges réguliers (de l'ordre d'une heure chaque mois), les auteurs pourraient me poser leurs questions pour que je puisse les éclairer sur mes choix. Il leur revenait de former, à partir de cette base, leur jugement sur cette période. La parution de cet ouvrage fut soudainement avancée. Davet et Lhomme étaient soucieux, disaient-ils, de fournir aux lecteurs une appréciation qui serait utile aux électeurs. Ils le présentent sous un titre qui en fausse le sens : *Un président ne devrait pas dire ça.*

L'ouvrage suscite, avant même d'être en libraire, des commentaires acerbes. Comment le président a-t-il pu consacrer du temps à des journalistes quand il a tant de dossiers urgents à régler ? Comme si mes prédécesseurs ne rencontraient jamais des journalistes. Les bibliothèques sont pleines de ces récits. Mauvais procès. Jamais nos entretiens mensuels ne m'ont empêché de traiter une seule affaire de l'État, même la plus secondaire. Quant aux quelques extraits mis complaisamment en exergue, ils sont ou bien détachés de leur contexte et ainsi mal compris, ou bien maladroitement retranscrits par les auteurs, ce qui blesse inutilement certaines personnes. Aucun secret n'y est divulgué, ni aucune information confidentielle.

C'est un succès d'édition. Quoi que j'en pense, je ne m'en suis jamais plaint. Ceux qui ont eu la patience de le lire en ont gardé une impression positive. Ces deux journalistes d'investigation ont reconnu l'honnêteté de mon action. Ce n'est pas si fréquent. Le livre sert de révélateur. Il est vite instrumentalisé par ceux – et ils sont nombreux – qui cherchent un prétexte pour s'opposer à ma candidature. Plutôt que de faire bloc, certains au sein du Parti socialiste, membres de telle ou telle fraction, pensant servir l'intérêt de leur chef de file s'emploient à créer la confusion.

La tentation de Valls

Dès lors tout se précipite. Manuel Valls, sans doute poussé par ses amis, fait à l'étranger puis en France des déclarations qui autorisent ces comportements, altérant une entente jusque-là parfaite. Dans cette loyauté qui ne s'était jamais démentie, une fêlure s'introduit. Je m'efforce de la réduire et veille à ne pas la transformer en fracture. C'est là le danger majeur, institutionnel, politique et moral. La majorité des socialistes, les fidèles, ceux qui ont tenu bon contre vents et marées, ceux qui ont affronté les épreuves avec solidité et solidarité, ceux qui ont résisté au travail de sape des frondeurs ne doivent pas être gagnés par le doute. Dans un entretien au *Journal du Dimanche*, Manuel Valls annonce implicitement qu'il est prêt à se présenter à la présidence de la République si je renonce et qu'il pourrait le faire dans une primaire même si je décidais de concourir de nouveau. De Madagascar, où je participe au Sommet de la Francophonie, je l'appelle et nous convenons d'une explication. Elle aura lieu le lundi au cours de notre déjeuner hebdomadaire.

Nous avions jusque-là évité d'aborder la question de la présidentielle, préférant nous consacrer entièrement aux affaires de l'État. Ce jour-là nous arrivons au bout des non-dits. Je me place sur le terrain des principes. Dans la Ve République il est inconcevable que le Premier ministre suggère qu'il pourrait être candidat contre le président. Quelle que soit la décision que j'aurai à prendre, il doit être clair qu'elle ne peut venir que de mon propre jugement, au regard des seuls intérêts du pays.

Quelques jours plus tôt Manuel Valls m'avait écrit une lettre, respectueuse mais franche, dans laquelle il détaille les raisons pour lesquelles il me déconseillait d'être à nouveau candidat. Devant moi, il évoque l'impopularité que les sondages démontrent et le trouble provoqué par le livre des deux journalistes du *Monde*. Il me prévient, à raison, que la primaire ne convient pas à un président sortant. Il me dit sa disponibilité pour éventuellement prendre le relais. Aussitôt je le mets en garde sur la situation qui sera la sienne si je renonce et sur les risques qu'il prendrait lui aussi en participant à la primaire, à laquelle il ne pourrait plus se dérober dans cette circonstance. Je lui demande de rectifier ses propos pour les remettre en conformité avec nos institutions et en harmonie avec nos relations personnelles. Je le préviens que je m'exprimerai dans les jours prochains et lui demande d'attendre ma décision pour se prononcer à son tour. Ainsi fait-il.

Dès lors l'équation qui s'offre à moi devient redoutablement simple. Je peux persister, me présenter envers et contre tout, tablant sur une victoire à la primaire socialiste ou occultant cette procédure, et espérer ensuite que « quelque chose » se passe qui me permette d'accéder au second tour et de l'emporter. Mes amis les plus proches, Stéphane Le Foll au premier chef, me conseillent de choisir cette voie périlleuse en dépit de tous les obstacles, arguant qu'un président en exercice a toute légitimité à se représenter devant les électeurs, ne serait-ce que pour les laisser sanctionner, positivement ou négativement, son bilan. D'autres proches, notamment Ségolène Royal ou Jean-Pierre Jouyet, souhaitent me protéger et font valoir que la primaire, perdue ou gagnée, aura dans tous les cas un effet délétère et interdira *de facto* toute présence d'un socialiste au second tour.

Le sacrifice

Je m'efforce d'analyser la situation avec lucidité. À ce moment Emmanuel Macron a déjà déclaré sa candidature, Jean-Luc Mélenchon aussi. C'est la certitude pour la gauche d'être éliminée dès le premier tour si j'y vais aussi. Ainsi le second tour, selon toutes les enquêtes d'opinion, mettra aux prises

François Fillon, au nom d'une droite animée par une volonté de revanche, et Marine Le Pen, forte des suffrages que son parti a déjà recueillis dans tous les scrutins intermédiaires. Un second désastre civique nous menace, encore plus douloureux que celui du 21 avril 2002 quand Lionel Jospin a été dépassé de quelques voix par Jean-Marie Le Pen. La gauche se retrouvera rayée de la carte politique au profit d'une droite dure et d'une droite extrême. Minoritaire dans le pays, François Fillon recevra un blanc-seing pour mener la politique régressive qui fait le fond de son programme.

Quelle que soit la confiance dans ma capacité à faire campagne, la certitude qui m'habite que mon bilan est un socle sur lequel il sera possible de construire, je juge en conscience que je ne suis pas en droit de faire courir ce risque au pays. Je prends donc la parole à la télévision pour annoncer que je renonce à solliciter un deuxième mandat auprès des Français.

J'avais rédigé cette déclaration dans la nuit qui avait précédé, je l'avais plusieurs fois corrigée tout au long de la matinée. Je n'avais pas eu de mal à trouver les mots, signe que ma résolution correspondait à ma pensée. J'en avais pesé les termes. Je voulais qu'elle soit comprise comme un geste de responsabilité mais aussi comme une leçon pour ceux qui avaient entravé le libre cours de ma détermination et surtout comme un sursaut pour éviter le pire. Ce qui fut fait. En la prononçant sans avoir besoin de regarder le texte que j'avais sous les yeux, je me laissais gagner par l'émotion que je parvins à retenir jusqu'au moment où il me fallut faire connaître la décision que j'avais prise, c'est à ce seul instant que j'ai marqué un temps d'arrêt. À la fin de ces sept minutes, sans doute les plus longues de ma vie, je n'ai éprouvé aucun soulagement. Je savais la déception sincère que j'allais provoquer et même le choc que j'allais créer par cette décision tellement inattendue. Je voulais que mon sacrifice soit utile et non susciter une quelconque compassion. Après avoir quitté le studio où je m'étais adressé aux Français, j'emprunte la rue de l'Élysée pour rejoindre l'intérieur du palais. Je croise des collaborateurs dont les yeux sont embués. Nous ne parlerons pas. J'ai tout dit. Leur regard me suffit. Je monte lentement les escaliers qui me conduisent jusqu'à mon bureau. Mes plus proches conseillers, Jean-Pierre Jouyet, Gaspard Gantzer, Vincent Feltesse sont là avec mes secrétaires particulières. Une petite assemblée s'est formée. Certains savaient ma décision depuis le matin. D'autres l'ont découverte comme les Français, à la télévision. Je n'avais rien montré de la journée. J'avais même une heure avant mon allocution remis dans la salle des fêtes des distinctions devant cinq cents personnes qui ne se doutaient de rien. Je ne voulais pas d'indiscrétion qui aurait réduit l'impact de ma décision. J'avais seulement prévenu Bernard Cazeneuve et averti quelques minutes avant Manuel Valls, le Premier ministre, et Jean-Christophe Cambadélis, premier secrétaire, ainsi que Stéphane Le Foll.

Dans cette ambiance si pesante, comment pourrais-je avoir le cœur léger ? Je remercie tous ceux qui m'ont accompagné et leur rappelle que nous sommes toujours au travail. Il reste six mois de mandat et encore bon nombre de décisions à prendre. Présider jusqu'au bout.

Regrets ?

Je n'ai pas cédé à un mouvement d'humeur ou à un accès de découragement. J'ai tiré froidement, lucidement, politiquement, les conséquences d'un empêchement qui avait été provoqué par des forces contradictoires mais unies dans la même entreprise. Comment pourrais-je avoir des regrets dans les jours qui ont suivi cette annonce articulée autour d'un raisonnement aussi implacable ?

Outre que cette décision préservait la dignité de la fonction, elle renforçait les chances d'un autre candidat. Je savais que Manuel Valls, comme il l'avait annoncé, prendrait la suite. Je lui avais exprimé mes doutes. Dès lors que le président n'est pas en situation de se présenter comment son Premier ministre, avec une personnalité plus rugueuse, pourrait-il convaincre davantage ? Restait la possibilité qu'un autre socialiste, issu de la primaire, réussisse à rassembler la gauche sur son nom. J'étais tout aussi sceptique. Récusant le bilan, mes opposants du PS s'étaient évertués à diviser leur camp. Comment l'auraient-ils réuni par la magie d'une primaire ou d'une campagne quand ils avaient fait le contraire depuis deux ans ?

L'équipée Hamon

En janvier, Benoît Hamon remporte la primaire. Il me rend courtoisement visite à l'Élysée pour solliciter mon avis sur la campagne qui commence. Je lui prodigue deux conseils. D'abord, étant candidat à la présidence il doit se comporter en futur chef d'État, agir comme s'il était déjà certain d'assumer la destinée du pays. C'est une condition élémentaire pour accéder à la crédibilité : si le candidat n'y croit pas lui-même qui le suivra ? Ensuite s'ouvrir et s'adresser à tous et notamment à ses concurrents battus. Je l'avais fait en 2012. La synthèse – eh oui –, c'est le viatique indispensable dans une élection : rassembler son camp au-delà des divergences, élargir ses soutiens et non les réduire à ses propres partisans.

Il n'a suivi aucune de ces recommandations. Le jour du vote il recueille les fruits amers de sa stratégie : ses électeurs potentiels se répartissent entre Jean-Luc Mélenchon et Emmanuel Macron. Crédité de près de 20 % dans les enquêtes d'opinion après sa victoire dans la primaire, il termine sur un score de moins de 7 %. Une défaite cuisante pour lui. Un désastre pour sa famille politique, qu'il s'empresse de quitter en signe de gratitude.

Ce qui aurait pu advenir

Mes regrets naissent dans les jours suivants. Il se passe en effet « quelque chose ». Mis en cause pour des comportements que la justice qualifiera mais que l'opinion réprouve François Fillon se défend le plus mal possible. Déjà, à la fin de 2016, j'avais entrevu une faille dans sa candidature : le caractère tranchant, rigide, de son programme à la fois libéral et conservateur. Désigné par un électorat chauffé à blanc, le candidat de la droite prête le flanc à une contre-offensive de la gauche qui peut légitimement dénoncer les dangers que ses propositions font courir à l'équilibre du pays.

Ce débat au demeurant n'a pas lieu. Empêtré, François Fillon ajoute au soupçon d'indélicatesse un manquement à sa parole. Il maintient sa candidature contre toute raison, malgré une mise en examen dont il avait promis qu'elle le conduirait à se retirer. Il impute à ses adversaires, ou même à ses propres amis, les ennuis judiciaires qu'il a lui-même provoqués. Il va jusqu'à inventer une fable. Celle qui voudrait qu'un « cabinet noir » était constitué à l'Élysée pour conspirer dans l'ombre contre lui, accusation dont le ridicule achevé a éclipsé le caractère scandaleux. L'incapacité de son propre parti de mettre fin à cette équipée et son obstination à aller tête baissée vers la défaite lèvent le dernier obstacle qui se dresse sur la route d'Emmanuel Macron. Menant une campagne cohérente et optimiste, attirant à lui des électeurs de la droite modérée et de la gauche réformiste, résistant aux assauts de Marine Le Pen entre les deux tours, il termine sa marche d'un pas devenu plus lent jusqu'à l'Élysée. C'était l'aboutissement d'un destin chanceux et hors du commun. C'était aussi la preuve qu'un candidat crédible de la gauche, si elle avait été unie, était en mesure de l'emporter.

17

Affronter

Elle était la reine de l'Europe. Elle a perdu sa couronne. Au milieu des années 1980, la social-démocratie semblait avoir triomphé de tous ses adversaires. Tout au long de l'après-guerre le capitalisme s'était soumis progressivement à ses injonctions, concédant des lois sociales, acceptant des mécanismes de redistribution, admettant des protections pour les salariés, leur ouvrant de nouveaux droits face aux aléas de la vie. Parallèlement, sous sa pression, l'égalité pour tous et notamment pour les femmes s'était imposée face au conservatisme et les libertés s'étaient élargies à tous les domaines de la vie.

L'État providence tenait bon, même s'il commençait à s'épuiser, faute de croissance pour l'alimenter et de consensus pour le financer. La demande de solidarité face à la crise qui s'annonçait ne pouvait que la conforter. Bref, la social-démocratie paraissait en mesure de poursuivre encore longtemps sa mission d'humanisation des sociétés modernes.

Qu'est-il arrivé
à la social-démocratie ?

Avec l'effondrement du communisme, il était démontré qu'il n'y avait pas d'avenir pour un système étatique dont l'uniformité se payait au prix de la liberté. C'était la victoire posthume des socialistes des années 1920 qui avaient « gardé la vieille maison » pendant que d'autres se perdaient dans leur soutien sans faille à un régime soviétique despotique. Ils avaient démontré la pertinence de leur stratégie en choisissant la réforme patiente plutôt que de céder aux utopies trompeuses. Par voie de conséquence, il était admis que les pays qui venaient de se libérer du totalitarisme vogueraient vers ces eaux tranquilles alliant enfin l'égalité et la liberté.

À la fin des années 1990 la domination de la social-démocratie pouvait revêtir de multiples formes, de certains courants démocrates aux États-Unis au postcommunisme italien en passant par le socialisme français et le travaillisme britannique, sans oublier ce qu'elle représentait en Allemagne et dans les pays scandinaves. À la fin des années 1990, douze gouvernements sur les quinze qui constituaient l'Union étaient dirigés par des socialistes notamment Tony Blair, Gerhard Schröder, Lionel Jospin ou le Portugais António Guterres, aujourd'hui secrétaire général de l'ONU. Bill Clinton donnait une dimension progressiste à la politique américaine tandis qu'en Amérique latine la gauche conquérait le Brésil, l'Argentine et le Chili.

Et puis le vent a tourné. Quand précisément ? Il est difficile de déterminer une date charnière. En 1980,

Ronald Reagan et Margaret Thatcher lancent la « révolution conservatrice » et jettent les bases d'une revanche libérale qui allait largement influer sur la nature de la mondialisation à venir. Le 11 septembre 2001, avec les attentats de New York et l'explosion des tours jumelles, marque l'entrée dans un monde où la menace terroriste devient planétaire et suscite en retour une demande permanente d'ordre. La question sécuritaire supplante alors la question sociale et les conservateurs se prétendent les mieux placés pour la résoudre. La crise financière de 2008, qui trouve sa cause principale dans l'irrationalité des marchés et le défaut de régulation des États, loin de compromettre le système qui l'avait produite contribue à donner aux gouvernements et aux institutions internationales d'inspiration libérale les arguments qui leur manquaient pour justifier l'austérité. Au nom du rétablissement des comptes publics, dont on impute la dégradation aux excès de l'État-providence marqués par un niveau trop élevé de dépenses publiques et une rigidité excessive du marché du travail, on exige des « réformes de structure » et l'on rogne les droits des travailleurs. Fondé sur le besoin d'autorité et la soumission à la mondialisation, un ordre nouveau, à la fois plus libéral et plus sécuritaire, tend à se mettre en place.

Les rescapés

L'élection de Barack Obama aux États-Unis en 2008 par son audace et sa novation crée une illusion. Car loin de mettre un coup d'arrêt à cette dérive, elle ne sera qu'une parenthèse dans un mouvement qui continue de dominer la planète. De la même manière, ma victoire de mai 2012 sanctionne l'échec de mon prédécesseur bien plus qu'elle ne consacre un élan en faveur des valeurs de solidarité. Certes la finance est regardée comme la principale responsable du chômage qui se répand dans tous les pays développés à mesure que les peuples sont appelés au sacrifice. Mais l'idée s'est installée que l'endettement est né des largesses budgétaires des États et des politiques sociales dispendieuses susceptibles de mettre en cause l'avenir des nouvelles générations.

Aussi, lorsque j'accède à la présidence il n'y a plus un seul social-démocrate à la tête d'un grand pays européen, pas plus au Royaume-Uni, qu'en Allemagne, en Espagne ou en Italie. Lors de mon premier Conseil européen, je cherche des yeux parmi les vingt-huit d'éventuels alliés pour favoriser une relance, non pas de la construction européenne, ce n'est pas le sujet du moment, mais des investissements et de la croissance. Je n'en trouve guère. Je dois seulement compter sur le renfort de quelques démocrates-chrétiens conscients qu'il n'est plus possible d'imposer aux peuples des politiques qui détournent les citoyens de l'Europe sans résultat tangible autre que celui-là.

Aujourd'hui, les partis sociaux-démocrates sont au mieux associés comme partenaires secondaires à des coalitions, au pire cantonnés dans une opposition qui ne leur profite pas davantage. Eux qui avaient dirigé l'Union, ne constituent plus que la deuxième force du Parlement européen et qu'une composante timide de la Commission européenne. L'époque de Jacques Delors paraît lointaine.

La fin d'une époque

Est-ce dû à une suite de maladresses, d'erreurs de direction, de fautes stratégiques ? Est-ce le résultat d'une addiction au pouvoir qui a fini par lui faire perdre son âme ? Est-ce un mouvement inévitable d'alternance dont les socialistes feraient mécaniquement les frais ? Ou bien est-ce la fin d'une époque, le terme d'une histoire, la clôture d'une grande aventure politique qui s'achève parce qu'elle a exécuté son programme, accompli son œuvre et réalisé son destin avant de connaître un inévitable déclin ?

Les plus optimistes se disent convaincus que le renouvellement des leaders et l'échec des droites ne manqueront pas de réinstaller au pouvoir des progressistes, des travaillistes, des sociaux-démocrates, des socialistes (qu'importe après tout l'appellation). Ce ne serait donc qu'un long et mauvais moment à passer. La social-démocratie en a d'ailleurs vu d'autres. La Ve République, pendant vingt-trois ans, avait privé la gauche de toute participation au pouvoir. En Allemagne, il avait fallu attendre le début des années 1970 pour que le SPD accède aux responsabilités. En Italie, la démocratie chrétienne a pu régner en maître pendant plus de quarante ans malgré un parti communiste qui faisait jeu égal avec elle. Mais ce serait oublier qu'à ces époques, la social-démocratie diffusait ses idées, inspirait des politiques, fussent-elles mises en œuvre par d'autres, influençait les mouvements syndicaux et incarnait l'espérance. Malheureusement, rien ne montre que nous en soyons là. Hormis, la Suède, et encore avec une coalition fragile, le Portugal et Malte, il n'y a pas un pays d'Europe, sur les vingt-huit, qui soit gouverné par un dirigeant socialiste.

Alors il faut bien examiner la deuxième hypothèse. Le socialisme serait-il condamné à évoquer son passé comme pour mieux tirer un trait sur son avenir ? Avant de signer l'acte de décès, avant de prononcer l'oraison funèbre il faut comprendre les causes de la maladie qui le frappe. On peut incriminer l'évolution de nos sociétés vers toujours plus d'individualisme, les rapports plus heurtés en leur sein, les mutations technologiques, le vieillissement de la population qui étouffent les raisons de croire au progrès. C'est une première explication. On peut mettre en avant les effets de la crise qui anesthésient les peuples, et leur faire croire que les remèdes se trouvent précisément dans les causes qui l'ont provoquée. Comble du paradoxe qui voudrait que la libéralisation de l'économie serait aujourd'hui la réponse alors que c'est la régulation de la finance inspirée par les progressistes qui a remis de la stabilité là où le libéralisme par ses excès avait créé le désordre. Et voilà qu'il faudrait y revenir ! Comme une double peine pour la social-démocratie.

On peut enfin désigner la mondialisation. Elle aura eu raison de l'internationalisme dont les socialistes entendaient être les hérauts. Pour eux, l'ouverture c'était celle des idées et pas seulement celle des marchandises. La libre circulation, c'était celle des êtres humains et pas celle des malheureux transportés sur des bateaux d'infortune pour accéder à nos côtes au risque de leur vie. L'effacement des frontières c'était la recherche de la paix, pas seulement la levée des barrières commerciales. La globalisation, c'était la gouvernance mondiale, pas le pouvoir incontrôlé des multinationales du numérique.

Les socialistes se seraient-ils trompés sur le monde ? Ont-ils été leurs propres fossoyeurs en appelant à l'échange sous toutes ses formes, au développement partagé, à de grands accords commerciaux et au marché unique européen et à l'universalisme ? Leur internationalisme les a-t-il éloignés de leur nation, en exposant, à une compétition destructive, les ouvriers qui leur avaient accordé leur confiance ? Ou au contraire ont-ils été fidèles à eux-mêmes en considérant que l'ouverture du monde réduirait la pauvreté, rapprocherait les continents, diffuserait les informations et les idées ? Ont-ils ainsi permis au Sud d'émerger ? Ont-ils réussi à faire accéder des milliards d'êtres humains à la santé, à la consommation, bref à sortir de la misère ? Ont-ils à rougir d'avoir plutôt fait prévaloir cette solidarité planétaire ? Ou auraient-ils dû privilégier le repli et la fermeture ? N'auraient-ils pas par-là plus sûrement perdu leur âme ?

Certes, la croissance mondiale a été injuste, violente et destructrice. Mais la révolution industrielle au XIXe siècle l'avait été encore davantage. Fallait-il alors que les sociaux-démocrates arrêtent l'horloge du monde au prétexte d'en rester à l'équilibre trouvé à la fin des années 1960, quand la reconstruction avait produit les « trente glorieuses » et fait croire à une croissance indéfinie ? Ou bien devaient-ils regarder vers l'avenir – surtout s'il n'est pas rassurant – pour prendre en compte l'intérêt de la planète, la nécessité de préserver les biens publics mondiaux et l'impératif d'investir massivement dans le numérique pour le mettre à la portée de tous ?

Le choix de l'Europe

Soyons lucides. Là où ils étaient, principalement en Europe, les socialistes n'ont pas pesé suffisamment pour humaniser la mondialisation. Sûrement ont-ils sous-estimé la force immense que le capitalisme financier avait acquise, sans comparaison avec le capitalisme d'hier. Sans doute n'ont-ils pas assez influencé l'Union européenne pour la plier à leurs rêves. Mais soyons honnêtes aussi. Cette Europe, ils l'avaient appelée pour garantir la paix, pour unir les peuples. Jaurès, au moment où le continent allait se déchirer une première fois, était mort pour elle. Briand, jusqu'à son dernier souffle, défendit des mécanismes qui devaient interdire la guerre sur le continent et qui verraient le jour plus tard, avec l'ONU. Blum revenant de captivité, le corps chancelant mais l'esprit vaillant, avait enjoint les socialistes de relever le défi avec les démocrates de bonne foi. Ils mirent du temps à trouver la méthode. Ils commencèrent par la défense, mais c'était une idée prématurée. Ils se tournèrent vers l'économie, le charbon, l'acier, l'agriculture puis la mise en place du marché commun. Ils bâtirent ainsi une union fondée sur la coopération économique à défaut de trouver l'harmonie politique. Les socialistes soutinrent ce projet quand la droite française parut un moment s'en détacher et quand les communistes dénonçaient toute l'entreprise.

François Mitterrand fut l'homme de ce choix. Il avait refondé le PS sur cette base et il y resta fermement arrimé, quoi qu'il lui en ait coûté sur le plan du respect de son programme de 1981. Il pensait que la France avait plus à perdre en s'écartant de l'Europe que le socialisme en y restant fidèle. La création de la monnaie unique, l'acceptation d'un grand marché fondé sur la libre circulation, le respect de la concurrence et la politique commerciale commune étaient aussi leur œuvre. Autant de transferts de souveraineté qui privaient l'État régulateur d'une partie de ses attributions. Fut-ce la faute originelle, celle qui empêchait à jamais les socialistes de conduire une politique différente ? De là est venue en tout cas la scission au sein de la gauche : bien plus de la contestation de l'Europe que des divergences sur la place du secteur public ou sur le niveau des prélèvements obligatoires.

Jusque-là on se réfugiait derrière l'idée d'une « autre Europe » qui satisferait aux critères du socialisme. Mais avec qui la construire ? Les Allemands ? Mais cette Europe leur convient ; elle leur a permis de réussir leur réunification et de redresser leur compétitivité. Les Britanniques ? Mais ils menaçaient toujours de partir. Personne ne les croyait jusqu'au jour où ils l'ont fait. L'expérience montrera qu'ils le regretteront mais que par fierté ils préféreront payer ce choix en termes de croissance et de justice. Alors les nouveaux membres venus de l'Est ? Mais l'Europe a été leur bienfaitrice et leur seul but est de ne pas la changer. Ils veulent rester entre eux, mais avec... nous. C'est une curieuse conception de la solidarité mais doit-on regretter de les avoir acceptés après la chute du communisme plutôt que de les laisser en déshérence face au retour de la puissance russe ?

Certains disent que les socialistes ont sombré par lâcheté, par timidité ou même par générosité. Cette Europe n'était pas la leur : ils auraient dû en partir.

Mais pour aller où ? L'idée poussiéreuse du « socialisme dans un seul pays » a décidément la vie dure.

Alors que nous avons obtenu des délais dont aucun autre pays n'a pu bénéficier. Alors que nous sommes les principaux bénéficiaires de la politique agricole commune. Alors que nous avons su négocier toutes sortes de dérogations, par exemple en rétablissant des contrôles aux frontières après les attentats qui nous ont frappés. Mon expérience m'a confirmé dans cette certitude : il ne s'agit plus de rêver d'une Europe nouvelle, il faut poursuivre les ambitions de l'ancienne. Il s'agit de savoir s'il faut partir ou rester. Il n'y a plus de demi-mesure. Tout le reste est artifice. On n'est pas à moitié dans l'Union économique et monétaire. On n'est pas un peu ou beaucoup dans Schengen. On est européen ou on ne l'est pas.

Un nouveau congrès de Tours

La division dans la gauche remonte à là. À partir d'avril 2005, date du référendum du traité constitutionnel européen, la séparation s'est installée. Les défauts de l'Europe au plan démocratique, les incompréhensions nées de ses décisions exaspérantes tant elles embrassent des sujets dérisoires, ses retards à relever les défis essentiels du continent, la culture, la recherche, la jeunesse, son incapacité à répondre aux crises écologiques ou sociales, tout cela a servi de prétexte pour refuser un texte qu'on présentait comme un carcan alors qu'il laissait les gouvernements libres de leurs choix essentiels. Le vote sur le Traité constitutionnel en 2005 fut en fait, pour la gauche française, une sorte de Congrès de Tours. À l'époque, les communistes avaient le prestige de la rupture et de la pureté idéologique, dont se pare aujourd'hui la gauche radicale, les socialistes avaient préféré la réforme patiente et souvent frustrante. Ils le payèrent longtemps avant d'en être récompensés. La « vieille maison », au sein des classes laborieuses, si moquée et tant dénoncée était en fait celle de l'émancipation.

Nous vivons une forme de répétition au ralenti, qui a commencé il y a treize ans et qui n'en finit pas de produire ses effets. Ce processus porte sur l'Europe et le monde. Une partie de la gauche, pas seulement ses dirigeants mais ce qui est plus grave ses électeurs, voit son destin hors de l'Europe et loin du monde. Qu'importe la valeur des arguments ou le flou général de ce que serait l'autre système (avec l'Union soviétique, on avait un aperçu qui a fini par servir de repoussoir). Cette fois, les protagonistes de la rupture ne sont nulle part. Et je ne leur fais pas l'injure de penser qu'ils pourraient conclure une alliance « bolivarienne » en substitut de la construction européenne.

Ils prétendent rester dans l'euro mais en refusent toutes les implications. C'est reconnaître sans le dire qu'ils veulent en sortir. Ce serait donc le retour à des monnaies nationales. Il n'y a là rien d'effrayant : c'était notre situation avant 2002. Mais nous devrions alors défendre seuls le niveau de notre monnaie. Mais dans ces conditions, on ne voit pas non plus pourquoi il faudrait rester dans l'Union européenne. C'est le choix des Britanniques. Ils sont allés jusqu'au bout. Pourquoi s'infliger des directives et une contribution budgétaire si en plus on se méfie du marché unique, qu'on vilipende la Commission et qu'on constate que la gauche est structurellement minoritaire au sein du Parlement européen ? Mieux vaudrait signer un accord commercial avec l'Europe. C'est ce à quoi va conduire le Brexit pour les Britanniques : être libre de ses mouvements, c'est-à-dire seuls face à la mondialisation en négociant avec la Chine, l'Amérique et le Japon et en espérant que les Russes nous traiteraient avec égard. Mais où serait le progrès pour les jeunes privés de la libre circulation, les travailleurs privés d'emploi pour cause d'innovation et les retraités privés du pouvoir d'achat de leur épargne ?

Le nouvel adversaire

Voilà ce à quoi est confrontée la social-démocratie. Un concurrent qui emprunte à la gauche son vocabulaire de révolte contre l'injustice et le désordre mais qui conduit les foules qui le suivent à contester bruyamment un monde à bien des égards déplaisant mais que seuls des gouvernements progressistes peuvent contribuer à changer. La gauche radicale ne forge aucun système alternatif. Elle n'a ni propositions crédibles ni alliés. Elle est l'adversaire rêvé du capitalisme. Le communisme soviétique faisait peur parce que c'était une puissance territoriale et une armée. Il était aussi une idéologie, un mouvement conquérant. Il embrassait un espoir d'égalité parfaite qui semblait être possible puisqu'elle était mise en œuvre en URSS.

Avec la gauche radicale d'aujourd'hui, il n'y a rien. Ni modèle ni construction. Pas même une idéologie. Seulement des discours, des incantations, des invectives. Avec cette gauche-là, si tant est qu'elle reste de gauche, les conservateurs comme les libéraux n'ont rien à craindre. Ils ne sont pas la première cible. C'est la social-démocratie qui est visée. C'est elle la généreuse, la sérieuse, la laborieuse qui doit disparaître. C'est elle qu'il faut empêcher, arrêter et même anéantir. L'obliger à se soumettre et à perdre toute crédibilité ou bien la renvoyer à des coalitions centristes où elle serait reléguée ainsi à des tâches subalternes pour être mieux accusée de collaboration et de compromission. Voilà le projet. Il est funeste. Ce n'est pas la mort lente de la social-démocratie, c'est la disparition assurée de la gauche. Ainsi le socialisme risque-t-il peu à peu de s'effacer, englué dans une Europe où il pèse de moins en moins, condamné par une radicalité qui s'est emparée de la longue histoire de l'insoumission pour la vider cyniquement de son sang.

C'est en regardant en face cette menace que la social-démocratie peut retrouver la force de convaincre les électeurs qui l'ont quittée, en étant clair sur sa vision, en écartant la surenchère et en relevant la tête, c'est-à-dire en assumant son bilan, car d'autres périls s'annoncent.

Le vrai bilan

La social-démocratie est en effet confrontée à des questions redoutables, dont la plus difficile n'est pas forcément la gestion de l'économie. Certes, nombre de gouvernements de gauche ont dû faire des choix douloureux. S'il fallait donner un exemple, celui de la Grèce viendrait immédiatement à l'esprit. Alexis Tsipras a assumé le fardeau laissé par ses prédécesseurs et pris des décisions dramatiques pour sauver son pays : on le désigne désormais comme un traître. Jean-Luc Mélenchon veut même l'exclure du groupe où leurs partis siègent en commun au Parlement de Strasbourg.

L'autre exemple est celui de la France : nous avons dû faire un travail que nul gouvernement avant nous n'avait mené durant la dernière décennie. C'est-à-dire assumer le pire du chômage tout en ajustant les régimes de protection sociale pour mieux les pérenniser. Sans oublier les restructurations industrielles, la gestion des plans sociaux dans des régions déjà éprouvées par des années de crise et frappant toujours les mêmes populations qui se considèrent comme les réprouvés d'une société qui les oublie.

Oui, l'expérience fut rude. Aurait-elle été moins dure avec un autre gouvernement ? Je suis certain du contraire. Mais je ne sollicite aucune indulgence. Il est toujours demandé à la gauche bien plus qu'elle ne peut donner. Elle incarne le progrès. Tout manquement à cette obligation est vécu comme un reniement, même de la part de ceux qui n'ont jamais voté pour elle. Sur le long terme, c'est toujours elle qui prend les décisions difficiles pour redresser et moderniser, on l'a vu en Allemagne, en Italie et en France. On lui laisse rarement le temps d'en récolter les fruits. Sa pédagogie de la réforme est mal adaptée aux temps électoraux. Son appel à la raison et à l'équilibre plutôt qu'à l'esbroufe, à l'incantation, ne la rend pas forcément audible. C'est seulement après coup qu'on la crédite de ses réformes, quand ses successeurs mènent une politique autrement brutale et injuste. François Mitterrand a été vilipendé ; les socialistes à la fin de son mandat ont été balayés. Dix ans plus tard, on en parle comme d'un vrai réformateur qui a laissé derrière lui nombre d'acquis sociaux et de décisions qui font encore honneur à la France. Lionel Jospin a été éliminé au premier tour de la présidentielle. On soupire maintenant en rappelant les progrès qu'il a fait accomplir à notre pays et la baisse du chômage qui a marqué sa mandature. Quant à moi, je fais montre de patience et laisse à d'autres le soin d'établir la réalité de nos avancées dans un temps qui, je l'espère pour la gauche que je représente, ne sera pas trop lointain.

Nouvelles fractures

À chaque fois dans l'histoire récente la social-démocratie a regagné son crédit dans l'opposition. Aujourd'hui, elle court des risques bien plus considérables. Autrement plus dangereuses et pernicieuses sont les tendances à l'œuvre dans les sociétés européennes. L'aspiration sécuritaire ne concerne plus seulement la couverture des aléas de la vie à laquelle la social-démocratie avait pu répondre efficacement. La couverture des risques reste une priorité partagée par une majorité de la population. Mais les libéraux ont réussi à insuffler peu à peu l'idée que moins de protections faisaient plus d'emplois et que l'indemnisation des chômeurs pouvaient avoir des effets « désincitatifs » sur leur retour vers l'activité. Et même, que la richesse quand elle dégouline pouvait désaltérer tout un pays.

Le débat politique s'est surtout déplacé sur un autre terrain où la sécurité est de moins en moins sociale et de plus en plus personnelle et où l'identité n'est plus liée à une classe mais à un territoire, à une appartenance, voire à une religion. Le socialisme avait pensé unifier les peuples en leur proposant un modèle fondé sur le juste partage et voilà que c'était l'idée même de la solidarité qui devenait de plus en plus contestée. Non seulement dans ses mécanismes mais dans son principe même. Le socialisme avait promu l'émancipation personnelle, et c'est l'individualisme le plus étriqué qui a pris le dessus. Le socialisme avait promu le progrès et fait croire à l'avenir. Et voilà que le doute s'est installé sur les bienfaits à attendre du premier et sur le caractère radieux du second, alors que l'Occident redécouvre la hantise de son déclin.

Le terreau sur lequel avait prospéré la social-démocratie est devenu de moins en moins fertile. Et ces derniers temps l'aridité a laissé place à une grande sécheresse faute d'une ressource démocratique capable de faire germer des espoirs crédibles. Face au compromis, c'est la logique du refus qui paraît l'emporter : refus de la mondialisation de l'Europe, de la redistribution par l'impôt, de l'égalité. Le terrorisme islamiste et le fondamentalisme ont renforcé encore les crispations identitaires. La question religieuse a envahi l'espace public. L'extrême droite a pu ainsi mener une manœuvre de récupération de la laïcité qu'elle convoque chaque fois que l'islam revendique sa place dans la République. Les provocations des salafistes ajoutées à la multiplication des voiles dans les lieux publics ne peuvent qu'aviver les tensions, encore plus fortes là où la présence de l'islam n'avait suscité aucune controverse.

Une partie de la gauche est apparue mal à l'aise face aux exigences de la sécurité qu'appelle la menace terroriste. Non qu'elle répugne à faire respecter l'ordre républicain. Elle a montré tout au long de mon quinquennat qu'elle savait prendre ses responsabilités et décider de l'usage de la force. Mais attachée aux libertés, elle est attentive à ne pas verser dans l'excès. D'où sa répugnance à prolonger l'état d'urgence ou à légiférer en fonction des circonstances. La surenchère de la droite sur ces questions la met facilement en porte-à-faux. Si elle y cède, elle perd ses principes. Si elle reste indifférente, elle perd ses électeurs. Quant à la laïcité, qui fut pour la gauche un combat majeur, elle est devenue l'arme de ses adversaires pour la déstabiliser. Dès que les socialistes affichaient une tolérance plus grande à l'égard du culte musulman que celle dont leurs illustres prédécesseurs ont montrée à l'égard de la hiérarchie catholique, elle était immédiatement pointée du doigt par la droite, qui a pourtant combattu la laïcité dans l'histoire. D'où là encore le double décrochage apparu dans les milieux populaires. Dans les quartiers où nos compatriotes de confession musulmane sont en nombre, il est reproché par les uns aux socialistes de ne pas reconnaître suffisamment cette réalité. Et par d'autres, de ne pas appliquer la loi avec plus de fermeté.

Le problème est simple : dès lors que la question sociale, celle de la répartition de la richesse et de la correction des inégalités ne semble plus centrale, la social-démocratie est en souffrance. Elle l'est encore davantage quand les conflits liés à la sécurité et à l'identité la traversent et la divisent. L'Europe, la laïcité, les libertés, la défense des minorités constituaient il y a encore vingt ans des facteurs de consensus en son sein. Aujourd'hui ces sujets la déchirent. Pas seulement dans la vie des partis ou dans les milieux intellectuels, mais au cœur même de l'électorat. Au point qu'on la somme de choisir entre deux mauvaises solutions. Soit une stratégie de retour vers les classes populaires en dénonçant l'Europe et la mondialisation, en épousant les réflexes identitaires, dans l'espoir de reconstituer un bloc sociologique. Soit une démarche d'agrégation des minorités en rendant solidaires des groupes qui n'ont à première vue rien en commun sinon la frustration de ne pas être suffisamment reconnus pour ce qu'ils sont.

Ces deux options sont à la fois illusoires et dangereuses. Elles opposent le social et le sociétal alors même que la gauche les a toujours associés. Elles ruinent la prétention de la social-démocratie à construire une alliance majoritaire pour gouverner durablement. Elles conduisent l'une et l'autre au repli, dans la sphère nationale ou dans l'univers privé, écartant toute dynamique de conquête. Et surtout, elles entretiennent le caractère irréconciliable des électorats au sein de la gauche en assignant les citoyens à leur étroite appartenance, au lieu où ils vivent, à leur âge, leur origine ou leur religion.

Les sociétés occidentales se sont considérablement individualisées. Elles n'obéiront plus à des logiques de classe appuyées sur des intérêts mais à des solidarités de réseaux fondées sur des aspirations. Des thèmes nouveaux ont émergé : l'écologie, le rapport aux technologies, l'égalité entre les sexes. D'autres se sont réaffirmés avec le défi de l'immigration et la peur du communautarisme. Les clivages classiques se sont effacés sans faire disparaître le débat entre la gauche et la droite. À cela s'ajoute le discrédit des partis, l'abaissement du Parlement, la technocratisation des choix, l'indifférence civique. Tout cela s'est manifesté de façon éclatante pendant l'élection de 2017. Seule satisfaction : la perte de toute crédibilité de l'extrême droite.

Cette situation peut, pendant un temps, susciter l'indifférence des Français à l'égard du débat politique et un détachement persistant à l'égard des formations politiques, une forme de « désaffiliation » partisane.

Notre pays a traversé des périodes comparables dans les années 1960 et au début des années 1990. L'expérience montre qu'elles ne durent pas. Immanquablement la politique reprend ses droits à mesure que les enjeux réclament des choix et que les combats pour être nourris ont besoin d'idées. Le retour de la croissance loin d'apaiser les conflits les habille différemment. Les inégalités, revendiquées aujourd'hui comme un mal nécessaire pour prolonger la prospérité, peuvent devenir demain la justification de nouvelles luttes à l'échelle nationale ou planétaire.

Dans ce contexte la social-démocratie – ou le socialisme, c'est pour moi la même chose comme ces termes l'étaient à l'origine du mouvement ouvrier – aurait tort d'attendre passivement que son tour revienne. Elle n'incarne plus une réponse mécanique aux désordres des marchés et aux échecs d'un libéralisme qui pèche par sa prétention, son arrogance et sa morgue. Elle n'est plus la seule alternative possible. Il ne lui sera rien donné en raison de ses mérites passés. Il lui faudra démontrer qu'elle est une réponse nouvelle à partir de valeurs qui n'ont rien perdu de leur force mobilisatrice. Il lui faudra les défendre contre des populismes qui prendront tous les visages. La social-démocratie devra y réussir car son avenir est celui de la démocratie accomplie. Malgré les échecs, les épreuves, les défaites, l'espoir est toujours vivant. À condition d'en dessiner dès aujourd'hui les contours. C'est aussi la leçon que je veux laisser.

18

Espérer

S'il en était besoin, l'élection de Donald Trump de novembre 2016 me conforte dans l'idée que nous sommes entrés dans une ère nouvelle. Ce président imprévisible qui semble vouloir effacer les États-Unis de la gouvernance mondiale au profit d'une politique autocentrée, décomplexée et protectionniste n'est qu'un élément supplémentaire dans la donne qui a rebattu les cartes planétaires. L'hyperpuissance américaine s'occupera désormais… de l'Amérique. La Chine fait le chemin inverse. Avec ses « routes de la soie » qu'elle trace pour l'avenir en retrouvant son passé, elle veut s'ouvrir comme jamais. La Russie fait de nos faiblesses une force et utilise toutes les brèches pour pousser ses pions. Les puissances émergentes revendiquent leur part d'échanges commerciaux face à des démocraties qui s'étaient crues un temps maîtresses du jeu. L'Iran, la Turquie, l'Arabie Saoudite se livrent à une bataille d'influence sur le monde musulman qui à force de conflits périphériques peut déboucher sur une guerre frontale. Quant à l'Afrique, ce continent d'avenir dont la population ne cesse de croître et dont les matières premières suscitent l'envie, elle entend changer les règles du partage des richesses pour assurer son propre développement, mais sa jeunesse n'a pas le temps d'attendre et les migrations promettent d'être considérables si rien n'est fait dans sa direction.

Nous devons nous habituer à une situation inédite depuis des siècles : désormais, ce n'est plus l'Occident qui dicte son agenda à la planète.

L'Europe se remet à peine de la crise financière qui a failli emporter sa monnaie. Au moment précis où elle pensait tirer, à juste raison, les dividendes de ce redressement, elle est frappée par un mal nouveau : le populisme. Il s'est installé à l'Est avec des gouvernements pour qui l'Union est davantage une économie de marché qu'un système de valeurs et qui refusent une ouverture à tout ce qui leur est différent. Il prospère à l'Ouest. Le vote sur le Brexit en a été une des expressions les plus brutales. Ses avatars ne découragent pas les souverainistes qui entendent défaire brutalement une construction politique vieille de plus de soixante ans. De scrutin en scrutin, les partis extrémistes pénètrent les assemblées et accèdent à des ministères sans déclencher les alarmes d'antan. Quand ils n'y parviennent pas, ils paralysent les institutions ou obligent à des coalitions pour former ainsi la seule opposition au « système ».

L'Europe est taraudée par la quête identitaire. Elle va jusqu'à prendre la forme de revendications séparatistes à l'intérieur des États-nations. La crise n'est plus économique, elle est politique. Grosse du pire, elle peut aussi accoucher du meilleur. L'Europe est face à son destin. Elle ne peut plus demander à son allié principal, les États-Unis, d'assurer sa sécurité pas plus qu'elle ne peut espérer se faire respecter de ses voisins en s'armant de son seul PIB. L'Union doit franchir une étape de sa construction, bien plus considérable, si l'on y songe, que l'ouverture des barrières douanières et la formation d'un grand marché. Elle doit organiser sa défense, constituer des états-majors communs, augmenter ses capacités de projection, bâtir une industrie européenne, forger les équipements de demain et développer la cyber-sécurité. Elle doit assurer avec plus d'efficacité la protection de ses frontières, la prévention de la menace terroriste et vaincre les tentatives sournoises de déstabilisation extérieure. L'Europe a davantage besoin d'un fonds européen pour sa défense que d'un fonds monétaire européen pour l'euro. Les temps ont changé.

Dans cette circonstance historique, la France se retrouve projetée sur le devant de la scène. Il lui revient de rallier les autres pays européens pour les convaincre de combattre ensemble les grands maux de ce début de siècle, le nationalisme, le réchauffement climatique, la montée des inégalités, le sort terrible des migrants dont le nombre ne fera que croître.

Le socialisme a de l'avenir

Dans ce monde nouveau le socialisme, cette vieille idée qui a résisté à tant d'épreuves et qui a influencé tant de politiques depuis un siècle, a-t-il encore sa place ? Les valeurs de solidarité et d'action collective que les socialistes cherchent à promouvoir depuis bientôt deux siècles sont-elles encore en mesure de répondre aux désordres de la mondialisation ? Sont-elles disqualifiées face au libéralisme qui inspire les élites mais suscite partout des rejets dont les extrémistes s'emparent ?

Je ne le crois pas. Les socialistes, quoi qu'on en dise, sont les meilleurs défenseurs de l'idéal démocratique au moment où les réseaux sociaux diffusent à une vitesse vertigineuse les vindictes, les exclusions, le racisme et où l'individu croit détenir à lui seul la réponse à toute chose. Les socialistes, il y a un siècle, ont défini la laïcité. Ils sont les mieux placés pour défendre la liberté et la dignité face au communautarisme et à l'ethnicisme.

Le socialisme n'est pas seulement souhaitable. Il est nécessaire. Sans lui la domination du marché que nous avons dû affronter comme les autres, avec laquelle nous avons dû composer, continuera de se livrer aux excès que nous connaissons. Les chiffres le montrent autant que notre expérience quotidienne : l'inégalité est la première caractéristique de notre époque. Efficace, conquérant, porté par une vague d'innovations technologiques fascinantes, le capitalisme crée autant d'injustices que de richesses. À l'échelle planétaire, ce sont les 1 % les plus prospères qui ont engrangé l'essentiel des ressources nouvelles créées depuis trente ans, qu'il s'agisse de revenus ou de patrimoine. Une mince élite de la finance et de l'entreprise a orienté la croissance mondiale à son bénéfice.

J'ai tenté de résister à ce mouvement d'apparence irrésistible. J'ai corrigé le système fiscal pour accroître la contribution des plus aisés à l'effort commun. Je l'ai fait en tenant compte des nécessités du redressement, du poids de la dette et de l'impératif de compétitivité qui incombait au gouvernement de la France. Mais les résultats sont là. Avec les pays scandinaves, la France est le seul pays au monde où le coefficient de Gini, qui mesure les inégalités de revenu, s'est resserré. On aura beau le nier, le sous-estimer, le passer sous silence, le fait est établi par la statistique : en France, la différence entre les riches et les pauvres s'est réduite sous mon quinquennat.

Un socialisme de l'individu

Ce mouvement doit être poursuivi. Ainsi la première mission du socialisme consiste à enrayer la reproduction des inégalités par une élévation du niveau de formation, par la promotion des talents, par un urbanisme « inclusif », par l'accès plus équilibré au crédit, par un partage des profits, par une appréhension fiscale des richesses créées. Ce qui suppose de poursuivre sans désemparer la lutte contre les paradis fiscaux, d'obtenir par une pression européenne que les sociétés géantes nées des nouvelles technologies acceptent de payer leur part des dépenses publiques au lieu d'utiliser les insuffisances de notre réglementation européenne pour échapper à la contribution commune. Il s'agit aussi de faire porter le poids des prélèvements à égalité entre le capital et le travail.

Cette démarche, si elle veut convaincre une société où l'individu entend plus que jamais être maître de son destin, ne pourra se faire par l'application des méthodes anciennes. L'intervention publique devra être modulée pour tenir compte des nouvelles conditions d'action de l'État-providence, cet héritage précieux du socialisme en actes. En effet, les demandes adressées à la puissance publique ont changé de nature. Celle-ci ne peut plus se contenter de fournir de manière uniforme les prestations auxquelles ont droit les citoyens, de protéger les groupes sociaux contre les aléas de la vie en matière de santé, d'emploi ou de vieillesse, de conférer des droits généraux qui s'appliquent indistinctement à des situations différentes. L'ancienne social-démocratie a sur ce point réalisé l'essentiel de son programme. La nouvelle doit donner à chacun l'occasion de mettre en œuvre toutes ses capacités, de satisfaire ses espérances, de conduire lui-même sa vie. En un mot, elle doit dessiner, concrétiser, imaginer, un socialisme de l'individu.

Je m'y suis efforcé pour ma part en investissant dans l'éducation dès le premier âge, en créant le Compte personnel d'activité, en développant ce qu'il est convenu d'appeler la « portabilité des droits » dans un univers où le travailleur doit pouvoir s'adapter sans cesse à la révolution technologique en cours, c'est-à-dire changer de compétence, souvent d'entreprise et parfois de métier. Il faut maintenant aller plus loin.

Le capital de base

Certains voient le salut dans la distribution d'une prestation universelle, financée par l'État et appelée le « revenu de base ». J'en respecte l'esprit qui prévoit la création d'un droit nouveau conféré à tous les humains en s'appuyant sur la prospérité commune, qui éradique la misère extrême et donne à chacun une ressource minimale qui assurera son autonomie. Son coût rend l'idée impossible, son universalité conduirait à verser une somme égale à ceux qui n'ont rien et à ceux qui ont beaucoup. Mieux vaut relever les minimas sociaux qui assurent un filet de sécurité à ceux qui sont dans la difficulté et la prime d'activité qui incite à la reprise d'un travail et améliore les revenus modestes.

Plus féconde me paraît l'idée de procurer un capital de départ, sous une forme financière au début de la vie active, puis par le biais de droits à la formation tout au long de l'existence. Dans un premier temps cette dotation initiale prendra la forme d'un prêt garanti par l'État à tout jeune qui entre dans la vie d'adulte. Ce prêt serait remboursé plus tard sur les revenus dégagés dans la suite du parcours profession-nel. Supportable pour le budget de l'État, consenti par les banques qui seraient certaines du rembour-sement, cette mesure est applicable immédiatement. Améliorée dans son montant et son fonctionnement au fur et à mesure de l'expérience et de l'enrichis-sement collectif, elle corrigerait, pour partie en tout cas, les inégalités de départ entre citoyens issus de milieux différents.

Cette dotation sera ensuite complétée, renforcée, par l'extension du Compte personnel d'activité. En accumulant au fil de sa carrière des droits « por-tables », qu'il conserve quand bien même il change-rait d'entreprise ou de métier, le travailleur se voit muni d'un capital immatériel qui lui est propre sous la forme de temps de formation, d'indemnisation en cas de chômage, de points de retraites et de couver-ture des soins.

Ainsi l'État-providence de simple fournisseur de prestations ou d'allocations devient un cadre offrant au citoyen la capacité de surmonter les ruptures d'une vie économique que l'on sait plus mouvante, plus incertaine et plus fractionnée. Cette conception concilie efficacité et justice, individu et collectivité.

Dès lors que les socialistes acceptent le principe de l'économie de marché et qu'ils constatent la montée des revendications d'autonomie personnelle tout leur effort doit tendre à inventer les mécanismes de la solidarité adaptés à ces temps nouveaux, qui confèrent à chacun la possibilité de faire valoir ses capacités. Amartya Sen, le prix Nobel d'économie, a inventé un mot nouveau pour traduire cette aspiration : « la capabilité », au sens de la possibilité effective qu'a un individu de choisir, les droits et les libertés qui lui sont ouverts. Cette approche s'inscrit dans « l'éthique de la sollicitude », laquelle va au-delà de la solidarité ou de la morale pour aller jusqu'au souci de l'autre. Avec un postulat simple : « si la dégradation de la situation d'autrui menace mon propre bien-être, alors j'ai avantage à la prendre en compte ».

La social-démocratie nouvelle ne se réduit pas à une redistribution entre catégories sociales ou entre individus. Elle pose le principe que le lien qui unit les citoyens dans une société est fondé sur un intérêt commun qui justifie une prise en considération des multiples parcours, histoires, difficultés ou discriminations dont chaque individu est le sujet. Le socialisme s'attache à réduire non seulement les inégalités mais tous les obstacles ou freins qui nuisent à l'appartenance à la République de notre communauté nationale. Cette démarche à la fois fédératrice et intégratrice répond plus efficacement que les impératifs moraux à la crainte du déclassement et de la perte d'identité.

Écologie et socialisme

Le socialisme nouveau intègre les impératifs de sauvegarde de la planète. Il ne se conçoit pas sans l'écologie. Mais il ne saurait se réduire à elle. Je crois en la science, dans la technique. Non pas dans le productivisme qui a démontré sa nocivité, mais dans le développement solidaire. Je ne souhaite pas imposer à nos contemporains une sobriété fondée sur l'obligation et la punition. Je revendique la croissance. Elle doit être mesurée à travers d'autres indices que le seul PIB. Mais sans elle, le progrès s'arrête et la redistribution s'enraye. L'expérience, notre expérience, le démontre abondamment. À chaque fois que l'activité a ralenti en France, le chômage a augmenté et le pouvoir d'achat a stagné. On peut retourner la question dans tous les sens : sans élévation de la richesse produite, les ressources de la puissance publique se tarissent et les plus fragiles en sont les premières victimes. Il faut au contraire mettre à profit les nouvelles technologies pour inventer un modèle faisant appel à l'innovation et à la qualité du travail, plus soucieux du bien-être et plus respectueux de l'exigence environnementale.

La diffusion de l'intelligence artificielle, comme la robotisation, va provoquer une nouvelle révolution dans nos modes de vie. Il est logique qu'elle fascine autant qu'elle inquiète. Ella va ouvrir de nouveaux marchés, offrir des nouveaux services notamment en matière sanitaire, améliorer les conditions d'existence des populations fragiles et donner accès à des savoirs encore inexplorés.

De même le numérique va accélérer la transition écologique et va lui permettre de changer d'échelle.

Il va bouleverser les modes de consommation mais aussi de construction de logements. Modifier l'usage des services publics en utilisant encore mieux l'intervention humaine. L'ouverture des données – des datas – pour les mettre à la disposition des acteurs de l'économie numérique peut faire émerger de nouveaux développements économiques et sociaux.

Le devoir de la social-démocratie c'est de faire du numérique un facteur de transformation des liens entre les individus et éviter d'altérer les rapports sociaux. Ce sera un grand enjeu de société.

Comme lors des importantes ruptures technologiques des emplois émergeront, d'autres disparaîtront. C'est cette mutation que les progressistes doivent être capables d'organiser par des mécanismes de formation, de requalification et de mobilité professionnelle et géographique. La société de la connaissance qui a longtemps été liée à l'espérance portée par l'école républicaine devient un projet collectif susceptible de convaincre une large majorité de nos concitoyens qui sont hors d'état de se « débrouiller tout seul » face à cette transformation.

Le travail a un avenir

L'emploi n'est pas condamné à disparaître, pas plus que le travail. Le dire c'est réciter une fable ou agiter une grande peur. C'est un manquement à la raison. Tant qu'il y a des besoins à satisfaire, il y a des réponses à organiser par l'activité humaine, qu'elles relèvent du marché ou de l'intervention publique. Ce qui va changer, c'est la nature de ces emplois, le contenu du travail et la localisation des activités. La pleine utilisation des capacités personnelles doit rester une ligne d'horizon.

Cette philosophie conduit à conforter les crédits de recherche et développement, à supporter l'excellence universitaire, à investir plus massivement dans le savoir et l'éducation, à développer les énergies alternatives, à mettre la France en mesure de supporter la compétition, ce qui est loin d'être achevé. L'enjeu de la croissance durable est donc essentiel pour les socialistes, comment sinon financer le nouvel État-providence sans augmenter la production ? Comment faire reculer l'exclusion et la misère sans crédits supplémentaires ? Comment assurer l'isolement des bâtiments, la croissance des énergies vertes, la connexion de tout le territoire à travers les réseaux numériques, sans un effort considérable d'investissement ? Le socialisme, c'est l'alliance de la science et de la solidarité, de l'industrie et de l'écologie, de la technologie et du partage. C'est l'équilibre entre l'initiative privée et l'action collective.

Libertés chéries

Le nouveau socialisme ne se conçoit pas, enfin, sans une nouvelle avancée des libertés. J'ai fait voter la loi sur le mariage pour tous. Ce fut une dure bataille. Nous l'avons gagnée. Il est temps d'en livrer d'autres, à commencer par la PMA pour toutes dont j'ai déjà dit qu'elle me semble de droit légitime et urgente. Nous devons aussi aider les femmes à gagner l'égalité réelle, celle des salaires, celle du respect dans les relations entre sexes, celle de la parité que j'ai introduite dans mon gouvernement et qui doit gagner progressivement toutes les sphères dirigeantes. Nous en sommes encore loin.

Il en va de même pour ce que l'on appelle faussement les minorités et qui sont des citoyens aux multiples origines et dont le choix religieux est différent de la tradition du plus grand nombre. Ils ont droit au respect, à la sécurité et à l'égalité. L'antisémitisme a connu une recrudescence, notamment sous la pression de l'intégrisme islamiste. Je l'ai combattu fermement. Rien ne doit être toléré par la République car c'est elle qui est visée chaque fois qu'un juif est attaqué. Les agressions qui frappent nos compatriotes musulmans ont diminué y compris après les attentats, grâce aux mesures que nous avons prises et à l'unité nationale que j'ai maintenue en toutes circonstances. Mais des discriminations demeurent. Elles servent de prétexte à la propagande salafiste qui gagne dans nos quartiers avec parfois la complaisance de certaines autorités locales.

L'intervention de l'État doit s'effectuer dans un cadre reconnu par tous, indispensable à la cohésion de notre société : la laïcité. Ses règles sont claires. Elles doivent être appliquées avec une fermeté qui n'exclut pas le discernement. Le port des signes religieux ostensibles dans les administrations et dans les établissements scolaires doit rester prohibé. Les Français le souhaitent et les religions l'acceptent. En revanche, j'ai toujours récusé de les interdire dans les universités. Appliquée à des jeunes gens adultes libres de leur foi, cette interdiction s'apparenterait forcément à une mesure vexatoire qui serait vécue, cette fois, comme une discrimination d'État. Je ne suis pas favorable à l'introduction de « menus alternatifs » dans les cantines scolaires destinés à satisfaire aux interdits alimentaires de certaines religions. Et, si l'on peut trouver une solution en prévoyant des plats végétariens qui se substitueraient aux repas composés avec des ingrédients que certains récusent, pas seulement pour des motifs confessionnels, je n'y verrais pas d'inconvénient majeur. Mais les compromis ont une limite : la neutralité de l'État en matière religieuse, pierre angulaire de notre République.

Le piège de l'identité

J'insiste sur la laïcité pour une raison supplémentaire. Il n'y aurait rien de pire pour la gauche que de se laisser entraîner dans la politique de l'identité. C'est-à-dire une démarche qui viserait principalement, au fil du temps, à répondre de manière plus ou moins empressée, plus ou moins brouillonne, aux revendications disparates et souvent contradictoires de groupes religieux ou ethniques. J'ai reçu comme président, les représentants des différents cultes. J'ai parfois entendu leurs demandes et j'y ai fait droit quand elles concouraient à la compréhension mutuelle. Mais toujours j'ai constaté qu'on ne pouvait agir dans ce domaine en dehors des principes de la République. Dès lors qu'on s'en éloigne, on favorise la constitution d'une société fractionnée, fracturée en communautés bientôt rivales ou hostiles. C'est la voie qu'ont choisie les États-Unis qui se sont constitués historiquement à partir d'un compromis entre cultes religieux. Cette société multiculturelle loin de contribuer à l'apaisement est sans cesse traversée par des conflits ethniques ou religieux. Elle a conduit à la défaite d'Hillary Clinton face à Donald Trump. Dès lors qu'on réveille, qu'on entretient, qu'on favorise la « politique de l'identité », l'identité majoritaire se rebelle et porte au pouvoir ses représentants les plus agressifs.

Cette conception particulariste souffre d'un défaut majeur : elle n'a aucun moyen intellectuel clair d'arbitrer entre les demandes des communautés ; en s'appuyant sur un concept étranger à la doctrine républicaine, elle rend d'avance les armes à ceux qui s'appuient sur l'identité française pour exclure les autres. J'invite la gauche à s'en tenir aux principes qui fondent la laïcité, à ne pas se déchirer sur une question qui dans l'histoire a été constitutive de son rassemblement et qui pour l'avenir garantit l'unité du pays. J'ai suffisamment insisté sur l'individualisme comme tendance lourde de notre société pour évoquer sans naïveté ce que nos valeurs collectives représentent comme bloc d'espérance.

La France debout

Face aux attaques terroristes, notre pays n'a jamais cédé. Les familles des victimes, les blessés ont fait preuve d'une dignité admirable. Le peuple français s'est soulevé comme aux grandes heures de son histoire pour défendre la liberté. Des hommes et des femmes sans qu'il ne leur soit rien demandé se sont mis en mouvement pour prendre toutes sortes d'initiatives citoyennes. D'autres se sont portés volontaires pour rejoindre la réserve de la gendarmerie et de la police pour former une garde nationale.

Je n'idéalise pas les réactions qui ont suivi les attentats. Je suis bien placé pour connaître la progression du nombre de radicalisations dans des quartiers de nos villes comme la vague complotiste qui a inondé les réseaux sociaux. Je n'ai pas oublié les outrances odieuses de Dieudonné et les silences lourds qui ont pesé dans certaines salles de classe après le carnage de Charlie. Tout cela est vrai et le demeure. Il faudra du temps et une vigilance de tous les instants pour nous défaire de ces fléaux. L'éradication de Daech en Syrie et en Irak n'y suffira pas. Nos sociétés doivent avoir un sens. Être animées par un projet collectif qui émancipe autant qu'il réunit. Là aussi, le libéralisme montre ses limites. Pire, il entretient le désarroi et la fuite dans toutes sortes d'artifices. L'argent ne peut être la mesure de tout individu. Fait pour acheter les choses, il ne peut apprécier la valeur des gens.

Je n'ai jamais été un partisan de l'égalitarisme même si une phrase lapidaire sur les riches a pu me faire étiqueter de ce côté-là par quelques médiocres adversaires. Le talent mérite sa récompense ; comme l'initiative, la créativité, le travail, leur juste rémunération mais ce ne peut être le seul critère d'une vie réussie. Il y a de la grandeur à s'occuper des plus fragiles. De la hauteur à prendre sa part du sort commun. Du bonheur à améliorer la vie des autres. Aussi, l'engagement de chacun est ce qui fait nation. Jaurès, en son temps, avait dit l'essentiel.

Le service civique ouvert à tous

Le service civique en est une des formes. J'en ai considérablement augmenté les moyens et les effectifs. Aujourd'hui, quelque 125 000 jeunes l'accomplissent. C'est trop peu. Il y a bien plus de demandes que de missions proposées. Je crois au volontariat qui est un moteur quand l'obligation est un frein. Donc, à un service obligatoire, je préfère un service universel où chaque jeune qui souhaite être utile dans une association, une collectivité, un établissement hospitalier ou un service public se verrait dans les délais les plus courts orienté vers l'activité de son choix. Le potentiel est considérable. Et les envies sont multiples. La citoyenneté s'apprend à l'école, elle s'acquiert dans la connaissance des autres.

Les démocraties sont bien plus fragiles qu'elles ne le paraissent. Elles pensaient avoir définitivement gagné la partie face aux régimes autocratiques ou religieux et voilà qu'en leur cœur bon nombre de citoyens n'y croient plus. Les réformes institutionnelles pour nécessaires qu'elles soient, surtout si elles répondent aux aspirations de participation civique, ne pourront combler le vide laissé par l'effacement des idéologies et l'affaiblissement des grandes formations politiques et des corps intermédiaires. C'est là que la social-démocratie n'a pas dit son dernier mot. Elle est encore la forme d'action la plus appropriée pour donner sa place à la décentralisation des décisions, à la négociation collective, au compromis social et à l'équilibre entre le Capital, le Travail et la Nature.

L'ardente obligation de l'engagement

Enfin s'il existait une dernière raison d'espérer, je l'aurais trouvée à travers la Fondation que je préside et qui poursuit un chantier que j'avais lancé à l'Élysée. Elle soutient les initiatives citoyennes à fort impact social et dont l'expérience peut être généralisée sur l'ensemble du territoire, voire au-delà. J'ai pu mesurer la vitalité associative et entrepreneuriale dont notre pays est doté et la volonté des nouvelles générations, y compris dans l'univers que l'on croit si fermé des start-up, de changer le monde à partir de leurs propres aspirations. La société collaborative ouvre de nouveaux horizons à l'économie sociale et solidaire. Ce mouvement qui a porté tout au long du siècle dernier mutuelles, coopératives et associations et qui constitue un des piliers de notre modèle social s'enrichit aujourd'hui de la créativité d'entrepreneurs dont la finalité est de répondre de manière innovante à nos besoins et d'enrichir constamment les relations humaines par des échanges de services. Cette économie est riche en contenus, en valeurs mais aussi en emplois. Elle est pour partie marchande, pour partie gratuite. Elle réduit les inégalités en créant du lien. C'est cet engagement qui m'anime désormais, fidèle à ce qu'a été ma vie publique, des mandats locaux que j'ai exercés en Corrèze jusqu'au sommet de l'État. Avec une seule ligne de conduite : être utile aux autres et servir honnêtement mon pays. Et n'être découragé par rien ni personne de poursuivre le combat pour l'égalité humaine. C'est la leçon personnelle que j'ai retenue du pouvoir. Tenir bon.

ÉPILOGUE

On me pose toujours la même question : que fait-on après avoir été le premier dirigeant du pays ? Quelle est la vie d'un chef d'État qui ne l'est plus ? À quoi sert un ancien président de la République ?

Je réponds toujours franchement : je ne sais pas. Il n'y a pas de règle, pas de schéma. Chacun de mes prédécesseurs, placé dans cette situation, soit parce qu'il l'avait choisie soit parce qu'elle s'était imposée à lui, a trouvé au fond de lui-même le sens de sa nouvelle existence. Les uns dans un retrait complet, les autres dans l'espoir plus ou moins feint d'un retour en politique.

Le quinquennat, qui raccourcit le temps de l'action, la succession des alternances, qui réduit les chances de la prolonger, l'allongement de l'espérance de vie, qui vaut aussi pour les anciens présidents de la République, multiplient les cas de figure !

Depuis le 1er décembre 2016, je me suis préparé à une transition que nul ne peut imaginer. Les affaires de l'État m'ont accaparé jusqu'au dernier jour. Il y avait assez de sujets qui appelaient mon attention pour ne pas en ajouter d'autres, plus personnels. J'ai regardé la campagne présidentielle avec un mélange de consternation et de vigilance. Je sentais qu'elle allait déboucher sur un dénouement inédit. Elle allait bouleverser le paysage politique mais elle ne pourrait occulter les tendances profondes à l'œuvre dans la société française. Je me retenais d'intervenir.

Je suis sorti du silence dans les derniers jours, pour dénoncer l'extrémisme et le populisme, pour désigner la menace qu'ils faisaient peser sur le mode de vie des Français, sur leur pouvoir d'achat et sur leur emploi. Au fond de moi, je fulminais. Les Français méritaient mieux que cette succession d'affaires judiciaires, ces rebondissements jusque-là réservés aux séries télévisées, de meetings en hologrammes et en débats pléthoriques, indignes de l'enjeu. Mais je n'étais pas dans la course : avais-je le droit de la juger ? Je pensais simplement que ceux qui annonçaient à son de trompe une nouvelle donne pour en finir avec les affrontements de jadis et « dégager » les leaders d'un autre temps jouaient avec le feu.

On ne devient pas président dès qu'on entre à l'Élysée. On ne devient pas ancien président dès qu'on en sort. Dans les deux cas, il faut un temps d'adaptation. Pour moi, la coupure a été subite. Je le voulais ainsi. Je voulais laisser mon successeur marcher à l'aise, sans qu'il soit gêné par ma présence, alors même qu'il avait longtemps servi l'État auprès de moi. Je le voulais aussi pour moi-même. Je n'entendais pas rempiler dans une activité publique. Elle eût trop différé de ma fonction antérieure.

La rupture fut rude. D'un agenda surchargé et raturé, je passe aujourd'hui à la page blanche d'une liberté retrouvée. La vie personnelle y gagne, juste récompense de celui qui a tant sacrifié à l'exercice de l'État. Mais si elle n'est pas au service d'une cause, cette liberté est sans objet et, donc, sans saveur.

Souvent dans les démocraties occidentales, les dirigeants passent sans précaution au secteur privé, où les compétences acquises, les responsabilités exercées, les relations tissées séduisent de grands groupes. Je m'y suis refusé. Par éthique, mais aussi par cohérence, car dans cette reconversion, le conflit d'intérêt n'est jamais loin. Servir l'État est un devoir et non un capital qu'on accumule.

J'étais fonctionnaire avant d'entrer en politique, mais je n'imaginais pas reprendre ma place à la Cour des comptes que j'avais quittée il y a plus de trente ans. J'aurai pu revêtir la robe d'avocat. J'avais été, un court moment de ma vie, inscrit au barreau de Paris et j'ai grand respect pour cette profession. Mais là aussi, sauf pour embrasser certaines causes, je n'avais pas ma place dans les prétoires. Je veux dire comme défenseur.

Alors j'ai voyagé. Je voulais continuer à apprendre de l'évolution du monde, aller là où une intervention, un contact, une entremise, aident à résoudre un conflit. Ces déplacements sont aussi le rôle d'un ancien président. Rien d'officiel, je n'engage que moi-même. Ce n'est ni une mission, ni une profession. Néanmoins la France peut être utile, par l'audience de ceux qui l'ont dirigée, là où elle est attendue.

Je voulais faire davantage. Ma vie est un engagement. L'action citoyenne a changé avec le temps. Le don, le militantisme, le bénévolat, gardent leur force. Mais les organisations qui les encadrent ont perdu de leur vigueur. Les valeurs restent. Mais leur incarnation change. Président, j'avais lancé « La France s'engage », pour appuyer les initiatives qui, par leur nouveauté, leur impact social, peuvent essaimer en France. J'ai fait appel aux contributions d'entreprises et à celles des particuliers, j'ai levé des fonds pour les acteurs sociaux et les responsables associatifs qui permettent aux citoyens de se rendre utiles. J'ai rencontré des dévouements exceptionnels. J'ai vu que le numérique ou la technologie répondent aux besoins des handicapés, des personnes âgées ou isolées, viennent en aide aux réfugiés, soutiennent les sans domicile fixe et font accéder les enfants à la lecture, à l'écriture, à la culture. J'ai compris que les nouvelles générations, grâce à l'intelligence, humaine ou artificielle, peuvent rendre plus simple la vie et, parfois, la changer. Cette démarche est politique : elle peut modifier l'état des choses et la situation des gens, elle part du bas pour donner l'exemple, et du haut pour fixer l'orientation. Avec l'infiniment petit, on peut voir grand.

Il est arrivé à d'anciens présidents de vouloir « revenir en politique ». Le mot est impropre. Même quand on ne brigue plus de fonction élective, quitter l'Élysée n'est pas renoncer. Après avoir accédé à la plus haute fonction de l'État, après avoir été élu par tous les Français, après avoir représenté notre pays partout dans le monde, il est difficile de retourner siéger au parlement ou de reprendre un mandat local. Le seul qui ait réitéré le parcours, à l'exception de la dernière marche, fut Valéry Giscard d'Estaing. Sortant de l'Élysée à 55 ans, il est redevenu député trois ans plus tard. Il est resté ensuite près de vingt ans à la tête du Conseil régional d'Auvergne. Je comprends cette constance et cette abnégation. C'est une belle responsabilité que de représenter un territoire, de le transformer et de montrer à la population que la politique ne se réduit pas à la recherche obstinée des honneurs, mais qu'elle est surtout un investissement dans ce qui détermine, au plus près, le quotidien de tous. C'est une question d'âge, de situation et de circonstances. Et aussi d'envie. Ce n'est pas la mienne aujourd'hui.

Pour qu'une action soit regardée, évaluée, jugée, il vaut mieux s'éloigner et laisser le temps – et les contemporains – former leur appréciation, sans leur forcer la main. Ai-je été tenté d'intervenir après l'annonce de résultats économiques qui justifiaient mes choix ? Ai-je voulu réagir aux commentaires qui tentaient de les déprécier ? Bien sûr. Mais il y a des irritations qu'il faut garder pour soi, des inélégances qu'il faut feindre d'ignorer pour ne pas en être blessé, des oublis qu'il faut mettre sur le compte de l'emportement. La grande leçon du pouvoir, c'est qu'il s'inscrit dans une continuité. Quelles que soient les ruptures proclamées par chaque président à son arrivée, il y a toujours un héritage, un legs.

J'entends toujours faire de la politique. Je n'ai d'ailleurs jamais déclaré que j'y renonçais. Mais faire de la politique, ce n'est pas forcément solliciter le suffrage, diriger un parti, ou préparer une échéance. C'est prendre part au débat public par la réflexion, la proposition ou la prise de position, quand elle paraît utile et qu'elle ne complique pas inutilement l'action de ceux qui gouvernent.

J'ai adopté cette ligne de conduite, y compris pour ce livre. Je reste amoureux de la France. Pour l'avoir dirigée, je n'ai envers elle que des obligations. D'abord, ne rien faire qui puisse compromettre son image ; au contraire, la défendre en toutes circonstances, à l'intérieur comme à l'extérieur. Ensuite lui apporter toute mon expérience, face aux choix qu'elle doit assumer pour la stabilité du monde et la promotion de ses valeurs. Je ne peux admettre que le président américain remette en cause nos avancées sur le climat, menace l'accord sur l'Iran ou rompe les accords commerciaux qui lient l'Europe et les États-Unis. Je ne peux accepter les manœuvres du président russe, qui laisse Bachar el-Assad écraser impunément son peuple et bloquer toute initiative de la communauté internationale, infligeant à l'Occident une défaite morale qui affaiblit la démocratie. Je ne peux rester silencieux face à la tentative du président turc de pénétrer en Syrie pour frapper des Kurdes, qui furent nos alliés dans la lutte victorieuse contre Daech. Je ne peux pas tolérer qu'une partie de l'Europe s'éloigne des principes de l'union, entravant chaque jour la quête humaniste qui nous lie. Je parle avec cette franchise parce que je suis libre. Au pouvoir, la diplomatie a ses règles et ses codes. Il faut les respecter. J'en suis affranchi. Je peux parler net.

En un an, les déséquilibres du monde se sont aggravés sans que nous en prenions la mesure. Dans le jeu des puissances, la démocratie n'est pas sortie autant victorieuse qu'elle le prétend. Elle n'a jamais été aussi vulnérable depuis l'après-guerre. Elle n'est plus la force irrésistible qui convainc les peuples parce qu'elle serait à leurs yeux le modèle le plus conforme à notre idée du progrès. À l'image des printemps arabes qui ont fait long feu, elle se rétracte plus qu'elle ne s'élargit.

Aussi bien, comment pourrais-je rester indifférent à l'état de la gauche, en France, en Europe et dans le monde ? À l'image de la démocratie, elle est partout en recul. J'ai montré combien le populisme la menaçait, tandis que la droite s'en accommode, quand elle n'en joue pas. La gauche ne souffre pas d'un trop long exercice du pouvoir. Elle souffre d'avoir été mise à l'écart dans les principaux pays d'Europe. Certains s'en réjouissent, pensant qu'elle professe une idéologie dépassée, que d'autres clivages dominent, que tout se réduit finalement à une lutte entre les tenants de l'ouverture et les partisans du repli. C'est une caricature. Il n'y a pas de police de pensée qu'utiliseraient les puissants pour imposer leurs vues au nom d'un gouvernement des meilleurs. Il n'existe aucune dictature de la bien-pensance. Ces dénonciations sans contenu, mais populaires, signent le retour de l'apolitisme d'hier, celui qui masquait les conflits pour les faire ressurgir, en autant de frustrations catégorielles.

Je regrette qu'une partie de la droite, pour réduire la menace que l'extrémisme fait peser sur elle, ait choisi de lui ressembler. C'est plus qu'une faute de goût : c'est une erreur stratégique. Ce qu'elle croit gagner de ce côté-là, elle le perdra de l'autre. En regard de sa faute morale, son gain électoral sera bien faible.

La gauche est devant le même dilemme. À suivre la dérive populiste au prétexte qu'elle pourrait rejoindre l'aspiration populaire, elle désoriente son électorat et laisse les boutefeux et les démagogues la mener dans l'impasse. Je ne peux, enfin, rester indifférent à l'avenir du socialisme. Ceux qui s'en réclament doivent faire leur choix. Il ne m'appartient plus de participer à leurs débats. Mais je reste si attaché à l'idée socialiste que je continuerai à montrer que la vraie nouveauté, c'est le perpétuel mouvement pour l'égalité.

C'est ainsi que je conçois mon rôle aujourd'hui. Je suis responsable de la charge qui fut la mienne comme des actions que j'ai entreprises. Mais ma vie nouvelle me laisse libre de défendre, au plus profond de moi-même, ce que je crois.

Remerciements

Je tiens à remercier mon éditrice Sylvie Delassus pour ses conseils avisés. Ils m'ont été précieux tout au long de la rédaction de ce livre.

J'exprime ma gratitude à Samia Aït-Arkoub pour avoir su, comme au temps de l'Élysée, déchiffrer mon écriture et la mettre en forme avec le concours dévoué d'Amandine Slim. Et à Sybil Gerbaud pour avoir accompagné ce travail tout au long des derniers mois.

J'ai également une pensée reconnaissante à l'égard de Laurent Joffrin pour son questionnement initial.

TABLE

Cet ouvrage a été composé
par Nord Compo à Villeneuve-d'Ascq
et achevé d'imprimer en France
par CPI
pour le compte des Éditions Stock
21, rue du Montparnasse, 75006 Paris
en mai 2018

Imprimé en France

Dépôt légal : mai 2018
N° d'édition : 07 – N° d'impression : 3029237
39-07-7940/7